ENCICLOPEDIA DE LA ENFERMERIA

ENCICLOPEDIA DE LA ENFERMERIA

Volumen 4

Maternoinfantil - I

OCEANO/CENTRUM

© MCMLXXVI y MCMLXXXVII Edición original
J.B. Lippincott Company

© Textos creados para la edición española
MCMXCVII OCEANO GRUPO EDITORIAL, S.A.

© Para la presente edición en lengua española
MCMXCVII OCEANO GRUPO EDITORIAL, S.A.
Milanesat, 21–23
EDIFICIO OCEANO
Tel: (343) 280 20 20*
Fax (343) 204 10 73
08017 Barcelona (España)

ISBN 84-494-0383-9 (Obra completa)
ISBN 84-494-0387-1 (Volumen IV)
ISBN 0-397-54461-8 y 0-397-54496-0 (Edición original)

Depósito legal: B–26197-97
Imprime: ALVAGRAF, S.A.
069706

Ellen Baily Raffensperger
Licenciada en Enfermería, Sibley Memorial Hospital, Washington, D.C.
Mary Lloyd Zusy
Licenciada en Enfermería, Montgomery Community College Takoma Park, Maryland
Lynn Claire Marchesseault
Licenciada en Enfermería, Visiting Nurse Association of Northern Virginia Arlington, Virginia
Jean D. Neeson
Profesora del Departamento de Cuidados de Enfermería y Salud Familiar,
Escuela de Enfermería, Universidad de California. Directora del programa
Women's Health Nurse Practitioner. San Francisco, California

EQUIPO EDITORIAL
Dirección: Carlos Gispert
Subdirección y Dirección de Producción: José Gay
Dirección de Edición: José A. Vidal

* * *

Dirección de obra: Joaquín Navarro
Editor: Dr. Xavier Ruiz
Edición general: Adolfo Cassan, Jorge Coderch, Xavier Ruiz
Equipo editorial de Enfermería: Eulalia Albuquerque, José de Andrés,
María Asunción Codina Marcet, Mª Dolores Lozano Vives, Carmen Sánchez
Colaboradores: Miguel Barrachina, Mercedes Establier, Antonia García,
Pedro González, Emma Torío
Ilustración: Montserrat Marcet
Compaginación: Mercedes Prats Bru
Preimpresión: Manuel Teso
Sistemas de Cómputo: Mª Teresa Jané, Gonzalo Ruiz
Producción: Antonio Aguirre, Antonio Corpas, Alex Llimona, Antonio Surís
Procedencia de las ilustraciones: AGE Fotostock, Archivo Océano,
Mónica Borra, Manuela Carrasco, Centre National de la Recherche
Iconographique, A. Sieveking/Collections, Fototeca Stone, Juan Pejoán,
Ángel Sahun Ballabriga/Retratería, SIEMENS, Centro de atención primaria
del INSALUD en Castejón de Sos.

Plan general de la obra

V

Índices del volumen 4

Aproximación general. Genética

Mortalidad materna e infantil

Los servicios de salud suelen valorarse mediante un examen de las estadísticas de morbimortalidad en una población determinada. En la asistencia de maternidad, los principales indicadores de salud son: la tasa de natalidad, la tasa de mortalidad materna e infantil y el peso al nacimiento.

- La *tasa de natalidad* se expresa como el número de niños nacidos vivos por cada 1 000 habitantes en una población determinada.
- El *peso al nacimiento* es un importante indicador de salud. Los niños nacidos a término suelen pesar entre 2 500 y 4 000 g, siendo el peso promedio de unos 3 500 g para las niños y de unos 3 250 g para las niñas. Un peso bajo al nacimiento, inferior a 2 500 g, se relaciona con una mayor mortalidad infantil.
- La *tasa de mortalidad infantil* expresa el número de defunciones de niños menores de un año de edad por cada 1 000 nacidos vivos. Casi el 66 % de las muertes de lactantes en Estados Unidos se relacionan con peso bajo al nacimiento. Otros factores son las anomalías congénitas y el síndrome de muerte súbita infantil. Cerca del 10 % de las defunciones en este grupo de edad ocurren en las primeras 24 horas de vida extrauterina, y el 70 % durante los primeros 28 días.

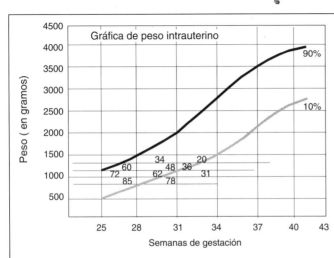

Peso al nacimiento. *El peso de los neonatos en el momento del nacimiento es uno de los más destacados indicadores de salud, puesto que un peso bajo al nacimiento –considerado como tal cuando es inferior a 2 500 g– se relaciona con una mayor mortalidad infantil. En el gráfico se reflejan los porcentajes de problemas de salud con pronóstico de moderado a grave en niños con un peso igual o inferior a 1 500 g en el momento del nacimiento.*

Aspectos psicosociales de la maternidad

OBJETIVOS DE ENFERMERÍA EN LA ASISTENCIA PSICOSOCIAL DE LA MATERNIDAD

- Valorar los factores psicosociales que influyen en la preparación de una persona para la maternidad.
- Identificar los factores de riesgo relacionados con la maternidad precoz o tardía, y dar el apoyo que se requiera.
- Valorar el punto de vista cultural de la paciente con respecto a la maternidad y la manera en que sus conceptos afectarán a las labores de la enfermera durante el embarazo, el parto y el puerperio.

Aspectos psicosociales de la maternidad. Siempre debe efectuarse una valoración de los factores que pueden influir en la preparación de la mujer para su papel de madre, especialmente en caso de maternidad precoz.

- Reconocer aspectos en los que tiende a haber diferencias culturales en las prácticas de parto.
- Incorporar estas prácticas o costumbres en el plan de asistencia, siempre que sea posible.

APTITUD PSICOSOCIAL PARA LA MATERNIDAD

La aptitud psicosocial para la maternidad se define como la capacidad para afrontar los requerimientos y efectuar las tareas del embarazo, el parto y la maternidad. La aptitud psicosocial para la maternidad se habrá logrado cuando la futura madre adquiera las siguientes características:

- Capacidad para establecer y conservar relaciones íntimas.
- Capacidad de entrega y de atender a otro ser humano.
- Capacidad para aprender y ajustarse a los patrones cotidianos.
- Capacidad para comunicarse de manera eficaz con los demás.
- Identidad sexual establecida.

POSIBLES DIAGNÓSTICOS DE ENFERMERÍA RELACIONADOS CON LOS ASPECTOS PSICOSOCIALES DE LA MATERNIDAD

- Alteración en el desempeño del rol.
- Conflicto con la función parental.
- Alteración de la función parental.
- Alto riesgo de alteración de la función parental.
- Alteración de los procesos familiares.

MATERNIDAD PRECOZ, EMBARAZO DE LA ADOLESCENTE

Los índices de embarazo en adolescentes y de maternidad precoz varían en las distintas sociedades y guardan una estrecha relación con el grado de información sexual de los jóvenes y los diferentes niveles socioculturales y económicos. A continuación se brindan unos datos sobre estos puntos en los Estados Unidos:

- Cada año quedan embarazadas 1,2 millones de adolescentes, lo que representa el 20 % de nacimientos.

- Alrededor de un 25% de las niñas que en este momento tienen 14 años de edad quedarán embarazadas siendo aún adolescentes. Una de cada siete decidirá abortar.
- La proporción de primigestas entre mujeres de 15 a 19 años disminuyó aproximadamente de un 54 por 1000 en 1979 a cerca de un 40 por 1000 en la actualidad.
- La proporción de partos de adolescentes solteras de 15 a 17 años de edad se ha incrementado de un 17 por 1000 en 1970 a un 21 por 1000 en la actualidad.
- Cerca del 33 % de las adolescentes de 15 a 17 años llevan una vida sexual activa, y el 70 % la inician antes de cumplir los 20 años de edad.
- La edad promedio en la que ocurre el primer coito es de 16,2 años para las mujeres y de 15,7 años para los varones.
- El embarazo en la adolescencia se ha convertido en un problema de salud de primer orden.

Factores de riesgo perinatal en los embarazos de la adolescencia

- El riesgo perinatal es mayor en las adolescentes menores de 15 años.
- Las adolescentes intermedias (de 15 a 17 años) y las adultas jóvenes (de 18 años en adelante) tienen mejores resultados perinatales cuando se controlan otros factores de riesgo.
- Hay pocas pruebas de que la juventud o la inmadurez fisiológica se relacionen por sí solas con mal pronóstico materno y neonatal. De mayor importancia son factores tales como malos cuidados perinatales, deficiencias nutricionales, incumplimiento con los regímenes médicos y condiciones sociales adversas.
- Los factores que imponen un riesgo adicional son: nivel socioeconómico bajo, malos hábitos nutricionales, peso bajo antes del embarazo, retraso en la búsqueda y recepción de cuidados perinatales, e infecciones y enfermedades de transmisión sexual.
- Entre los riesgos perinatales específicos se encuentran: anemia ferropénica, parto prematuro y producto pequeño para la edad gestacional, preeclampsia, eclampsia e hipertensión crónica, corioamnionitis, endometritis puerperal y, por último, septicemia neonatal.

- Entre los riesgos psicosociales cabe mencionar: madre soltera, tensión emocional por la crianza, inestabilidad conyugal, compañero no comprometido o falta de apoyo de otro tipo, limitaciones en logros educacionales, ingreso temprano en la población laboral activa, empleo menos calificado y mal remunerado, y tensión familiar y tasa de divorcios dos a cuatro veces mayor que en parejas más maduras. El padre adolescente puede encontrar reacciones negativas de personas que lo consideran como «culpable»; aunque siente una enorme responsabilidad por el embarazo, carece de recursos para hacer frente a la situación.

MATERNIDAD TARDÍA

En la actualidad se aprecia un incremento en el número de mujeres mayores de 30 años

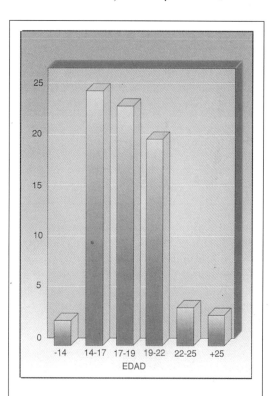

Maternidad precoz. El gráfico estadístico muestra la edad de la primera relación sexual completa, reflejando que la gran mayoría de los chicos y chicas ya han tenido experiencias sexuales al final de la adolescencia.

Maternidad tardía. Cada vez son más las mujeres mayores de 30-35 años que quedan embarazadas por primera vez, lo que exige una profundización en el estudio de los factores de riesgo que pueden amenazar la salud tanto para la madre como para el producto de la gestación.

que quedan embarazadas por primera vez. En los Estados Unidos, en una sola década la cifra de primigestas de 30 a 34 años de edad aumentó de un 7,3 por 1 000 a un 12,8 por 1 000. En mujeres de raza blanca, la proporción de las que aún no tenían hijos a los 30 años de edad se incrementó del 14 % al 17 %.

Causas de maternidad tardía

- En el grupo de mujeres mayores de 40 años, fallo de los anticonceptivos, generalmente a causa de anticoncepción ineficaz y ciclos menstruales irregulares.
- En el grupo de 30 a 35 años de edad, retraso consciente del embarazo.

- La motivación de una mujer para quedar embarazada después de cumplir 30 años puede originarse en la sensación de que se le «acaba el tiempo», la esperanza de que el embarazo la conservará joven, la seguridad en la relación con el compañero y la prosperidad económica.

Factores de riesgo perinatal en caso de embarazo tardío

- Aborto durante el segundo trimestre.
- Anomalías cromosómicas.
- Embarazo gemelar.
- Lactantes de peso bajo al nacimiento, sobre todo en primigestas.
- Alteraciones del trabajo de parto.
- Mayor mortalidad fetal y neonatal por hipertensión materna crónica, placenta previa, atonía uterina, y un mayor número de partos con presentación pélvica.
- Más que de la edad materna en sí, el mayor riesgo durante el embarazo en mujeres mayores de 30 años es resultado de problemas médicos subyacentes que suelen agravarse con la edad.
- Las manifestaciones físicas y psicosociales del puerperio en mujeres mayores de 30 años pueden incluir los siguientes factores:
  1. Recuperación física del parto más lenta.
  2. Mayor fatiga.
  3. Mayores esperanzas de su función como madre que en el caso de pacientes jóvenes.
  4. Menor confianza en sí mismas a unos ocho meses del parto.
  5. Pérdida de la satisfacción ocupacional.
  6. Mayor dedicación emocional a la maternidad.

Tendencias de la asistencia obstétrica centrada en la familia

La investigación de los beneficios psicológicos a largo plazo de la asistencia obstétrica centrada en la familia no ha sido concluyente. Sin embargo, permitió demostrar que las familias se complacen con los logros a corto plazo de este tipo de asistencia.

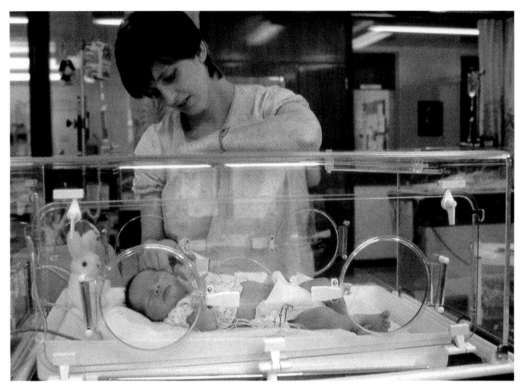

La tasa de mortalidad infantil corresponde al número de niños menores de un año de edad muertos en relación con el número total de nacimientos en un año. El 10 % de las defunciones se producen en las primeras 24 horas de vida extrauterina y su incidencia es superior en neonatos prematuros (foto).

Ecografía. El estudio con ultrasonidos brinda una valiosa información sobre el estado y las características del feto en desarrollo, siendo de la máxima utilidad para detectar diversos tipos de alteraciones. Dado que la prueba es inocua tanto para la madre como para el producto de gestación, la ecografía se considera un procedimiento idóneo para el seguimiento del embarazo, y en la actualidad suele practicarse de forma habitual en diversas oportunidades en el curso del mismo.

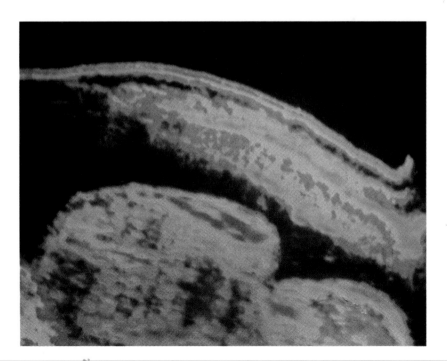

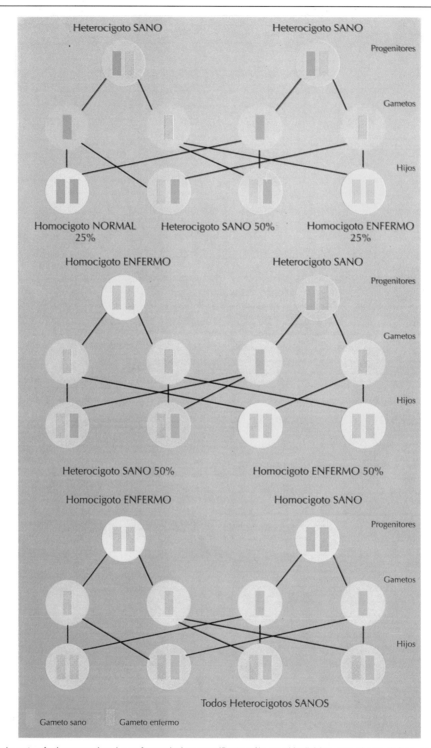

Herencia autosómica recesiva. *La enfermedad se manifiesta sólo en el individuo con el gen defectuoso en ambos locus (homocigoto enfermo), mientras que el individuo que tiene un solo gen alterado (heterocigoto sano) se comporta como portador. En el gráfico, modalidades de este tipo de herencia.*

BENEFICIOS QUE ESTE MÉTODO OFRECE AL HOSPITAL Y AL PROVEEDOR DE ASISTENCIA

- Primer contacto positivo de la familia con la institución hospitalaria, lo que incrementa la posibilidad de retorno para asistencia futura.
- Mayor continuidad de los cuidados, mejor aprovechamiento del personal y mejores relaciones de trabajo.
- Menor rotación del personal.
- Programa de educación continua del personal sanitario.
- Costos similares a los de la asistencia tradicional.
- No hay pruebas indicadoras del aumento de las complicaciones al cambiar el tipo de asistencia.

BENEFICIOS QUE ESTE MÉTODO OFRECE A LA FAMILIA

Opciones y alternativas en el parto

La familia tiene el derecho de elegir el tipo de asistencia que desea durante el embarazo y el parto. Tanto la familia como el personal de enfermería deben valorar con cuidado las opciones de asistencia para alcanzar la finalidad de que madre e hijo estén sanos. La participación de la familia incluye la asistencia del padre a las clases prenatales y al parto. Se anima también a otros miembros de la familia a participar en esas actividades.

PARTICIPACIÓN DEL PADRE EN EL PARTO

El padre participa activamente durante el trabajo de parto; ayuda a la parturienta y permanece a su lado en todo el proceso. Además, puede ser la primera persona que presente el recién nacido a la madre. Como miembros integrales del equipo, muchos padres experimentan satisfacción personal y aumento de la autoestima.

PERSONAS DE APOYO PARA EL TRABAJO DE PARTO Y EL PARTO

Además de los miembros de la familia, otras personas relacionadas pueden dar apoyo a la parturienta.

PARTICIPACIÓN DE LOS HERMANOS

A menudo la decisión de la familia de incluir a un niño en la experiencia de parto responde a actitudes culturales, deseo de los padres y apoyo del personal médico. Los niños reciben instrucción para esta experiencia en clases especiales para ellos.

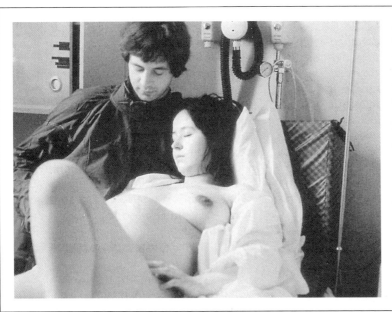

La participación del padre en el parto, si tanto éste como la mujer lo desean, comporta beneficios para ambos miembros de la pareja. Conviene que el equipo sanitario investigue las preferencias de la parturienta y de su marido sobre este punto con suficiente antelación, a fin de valorar su preparación y poder constatar que no existen factores que lo desaconsejen.

Centro de nacimiento alternativo en hospital. *En este tipo de centros se ofrece la posibilidad de que la mujer se encuentre en un ambiente de tipo más hogareño y pueda acceder a un parto más natural pero, a diferencia del parto en el hogar, atendida constantemente por personal sanitario cualificado y con todo el equipamiento técnico necesario a disposición para la atención de cualquier complicación imprevista.*

OPCIONES DE SITIOS PARA EL NACIMIENTO

Centros de nacimiento alternativo en los hospitales. Estos centros tienen mobiliario de tipo hogareño, y el equipo para la atención obstétrica está fuera de la vista. La mujer suele iniciar el trabajo de parto, dar a luz y recuperarse en la misma habitación. En estos centros se atiende a pacientes de bajo riesgo. Se les ofrece la posibilidad de alta precoz (24 horas) cuando no hay contraindicaciones médicas.

Centros de nacimiento de estancia libre. Estos centros están localizados fuera del hospital. Ofrecen un medio de tipo hogareño, pensado para familias que esperan un trabajo de parto y un parto normales, y que además quieren participar en su propia asistencia prenatal. Esta asistencia amplia y de bajo costo es proporcionada por comadronas, personal paramédico y de enfermería, siempre con el apoyo de un hospital de apoyo en prevención de complicaciones. Por sistema, las pacientes son dadas de alta con prontitud, y puede ofrecérseles vigilancia de enfermería en el hogar.

Sistema de habitación individual. Este sistema se ideó para reemplazar al centro alternativo de nacimientos de la unidad de maternidad, y hoy en día es común a los hospitales en que se atiende a pacientes tanto de bajo como de alto riesgo. El sistema consiste en un área central de servicio que cuenta con todo el equipo —ordinario y de urgencia— y los servicios necesarios para una asistencia total en el hospital. El área de servicio está rodeada por las salas de parto individuales. Se asigna a la familia una enfermera de asistencia primaria desde que la mujer ingresa en la institución hasta el momento de su alta. Las numerosas ventajas de este sistema estriban en su capacidad para brindar en un solo lugar amplia atención médica a las pacientes obstétricas.

Parto en el hogar. El número de partos en el hogar parece ir en aumento a causa del creciente empleo de tecnología obstétrica. Las familias que se deciden por el nacimiento en el hogar suelen ser aquellas que desean tener un mejor control sobre el proceso de parto, las que quieren que ocurra en un ambiente totalmente familiar, y las que quieren tener cerca a familiares y amigos en este trance y después. Las mujeres que opten por esta alternativa deben ser pacientes de bajo riesgo. El personal que atiende el parto puede estar constituido por un médico o una comadrona que informarán a la familia de los beneficios y riesgos del parto en el hogar, le ofrecerán asistencia prenatal y los servicios necesarios durante el parto, y les darán apoyo hospitalario en caso de surgir problemas.

Genética

Existe una constante necesidad de identificar a las mujeres que tienen un mayor riesgo de dar a luz un niño con un trastorno genético grave, de modo que se les puedan ofrecer asesoramiento y exámenes genéticos apropiados. El personal de enfermería debe esforzarse por identificar a las pacientes de alto riesgo, enviarlas con sus familiares a consulta con los profesionales apropiados, y satisfacer las necesidades psicosociales propias de las pacientes que deben afrontar trastornos genéticos y anomalías congénitas. Como proveedor primario de servicios de salud, el personal de enfermería se encuentra en una posición única para aceptar estos desafíos.
• Se llama *genética* la ciencia que estudia los elementos que rigen el desarrollo y función

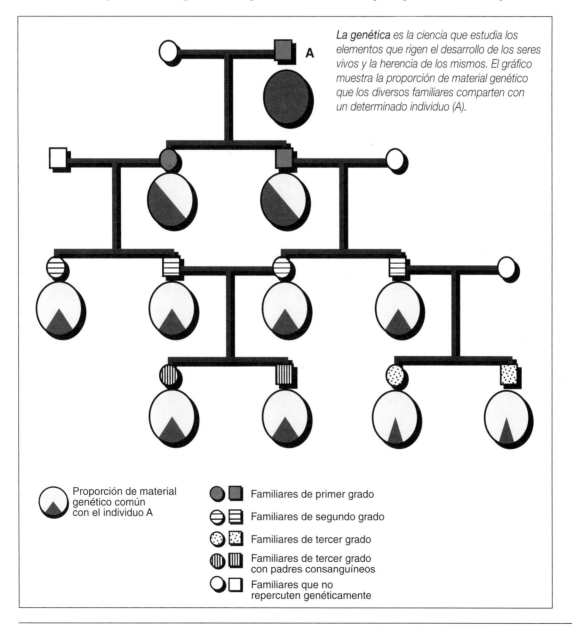

La genética es la ciencia que estudia los elementos que rigen el desarrollo de los seres vivos y la herencia de los mismos. El gráfico muestra la proporción de material genético que los diversos familiares comparten con un determinado individuo (A).

583

de los seres vivos y los mecanismos de transmisión a la descendencia o *herencia*.

- Los elementos primordiales de la genética son los *cromosomas*, pequeñas estructuras contenidas en el núcleo de todas las células del organismo, formadas esencialmente por ácido desoxirribonucleico (ADN), que contienen la información genética. La *dotación cromosómica* del ser humano está compuesta por 23 pares de cromosomas: 22 pares de autosomas y un par de cromosomas sexuales (XX en las mujeres; XY en los varones).
- Los *genes* son las unidades funcionales de los cromosomas. Corresponden a fracciones concretas de cromosomas que contienen secuencias codificadas de información, por medio de las cuales los organismos celulares regulan su desarrollo embrionario, su actividad metabólica, su crecimiento y su reproducción.
- Aproximadamente uno de cada 50 neonatos (2 %) tiene una anomalía congénita importante.
- En el 60% de estas anomalías se encuentran como causa subyacente factores de tipo ambiental, como infecciones y deficiencias nutricionales.
- Cerca del 40% de los casos se consideran hereditarios.
- En casi el 60 % de los abortos espontáneos que ocurren durante el primer trimestre, el producto de la concepción presenta alguna anomalía cromosómica.

OBJETIVOS DE ENFERMERÍA EN EL CAMPO DE LA GENÉTICA

- Investigar a la paciente y a sus familiares en busca de propensión genética a sufrir anomalías congénitas.
- Identificar a los pacientes que requieren asesoramiento genético.
- Brindar apoyo a las madres que han dado a luz un niño con una anomalía congénita.
- Dar asistencia prolongada a las familias que tienen una enfermedad genética.

POSIBLES DIAGNÓSTICOS DE ENFERMERÍA RELACIONADOS CON LA GENÉTICA

- Embarazo de alto riesgo por predisposición genética materna o paterna, aborto recurren-

te, antecedentes de hijos con malformaciones congénitas o retraso mental, riesgos fetales o neonatales.
- Aflicción anticipatoria por una posible anomalía o pérdida del feto o del neonato.

La búsqueda tenaz de objetivos de enfermería con respecto al asesoramiento genético requiere de un gran esfuerzo para garantizar que todas las pacientes, independientemente de su nivel socioeconómico, tengan acceso al servicio de genética. Deben efectuarse esfuerzos adicionales para educar a todos los profesionales de la salud sobre las necesidades psicológicas de las pacientes que tienen enfermedades genéticas, para protegerlas contra una asistencia con poca sensibilidad en este aspecto.

CARGA QUE LAS ENFERMEDADES GENÉTICAS IMPONEN A LA FAMILIA Y A LA COMUNIDAD

- Costo económico para la familia.
- Reducción del tamaño planeado de la familia.
- Menor desplazamiento geográfico.
- Pérdida de oportunidades profesionales y de flexibilidad laboral.
- Disminución de las oportunidades para los hermanos.
- Pérdida de la integridad familiar.
- Aislamiento social.
- Cambio en el estilo de vida.
- Alteración de las relaciones conyugales.
- Daño a la autoestima de la familia.
- Necesidad de afrontar actitudes públicas intolerantes.
- Daños psicológicos.
- Problemas de salud física.
- Pérdida de sueños y aspiraciones.
- Reducción de la contribución de la familia afectada a la sociedad.
- Costo social del internamiento en instituciones apropiadas.
- Costo social de las necesidades de otros miembros de la familia.
- Costo de la asistencia prolongada.
- Necesidad de efectuar cambios respecto de la vivienda.

Tipos y causas de trastornos genéticos

Los trastornos genéticos se clasifican en tres categorías principales:

- Los *trastornos cromosómicos* se caracterizan por una alteración en el número o la estructura de la dotación cromosómica de un individuo.
- Los *trastornos génicos simples* o *monogénicos* son producidos por mutaciones que causan defectos en un solo gen (o en el par de alelos de un mismo gen).
- Los *trastornos de herencia multifactorial* son anomalías causadas por interacción de factores ambientales y genéticos.

TRASTORNOS CROMOSÓMICOS

Las alteraciones en el número de la dotación cromosómica o en la estructura de los cromosomas son causa importante de pérdida fetal. En los neonatos, estos cambios producen anomalías congénitas y, muchas veces, retraso mental grave.

Tipos

- Se llama *monosomía* a la ausencia de un cromosoma perteneciente a uno de los 23 pares de cromosomas normales. Prácticamente todas las monosomías resultan mortales para el embrión, con excepción de los productos con

Trastornos cromosómicos. A pesar de que el coeficiente de inteligencia de los afectados por este síndrome suele variar entre 50 y 80 (considerando 100 el valor estadísticamente normal), la enseñanza precoz aumenta considerablemente las posibilidades de que puedan llevar una vida independiente.

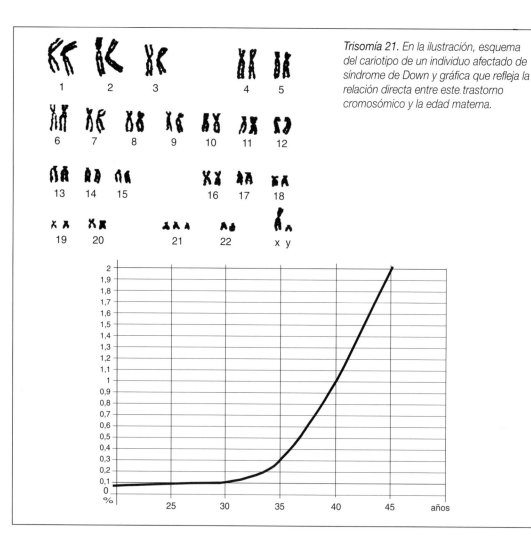

Trisomía 21. En la ilustración, esquema del cariotipo de un individuo afectado de síndrome de Down y gráfica que refleja la relación directa entre este trastorno cromosómico y la edad materna.

dotación cromosómica 45,X (síndrome de Turner).

• La *trisomía* corresponde a la presencia de un cromosoma adicional (existencia de tres cromosomas homólogos). Las trisomías pueden ser incompatibles con la vida, o bien dar lugar a un conjunto de alteraciones orgánicas y retraso mental característicos.

En la tabla 1 se resumen los trastornos cromosómicos numéricos.

Causas de anomalías cromosómicas

Si bien se conocen los mecanismos de producción de las anomalías cromosómicas y se han determinado un conjunto de factores predisponentes, todavía no se han aclarado sus causas íntimas ni se han dilucidado todos los factores individuales y ambientales que intervienen en su aparición. Se sabe que hay diversos factores involucrados, como radiaciones, fármacos, virus, toxinas y sustancias químicas que inducen alteraciones cromosómicas. Sin embargo, resulta extremadamente difícil aclarar la causa de cada caso. Las mujeres expuestas a estos peligros ambientales durante el primer trimestre del embarazo deben enviarse a asesoramiento genético para que se explore la posibilidad de aumento en los riesgos para el feto. El principal factor predisponente para que el feto presente anomalías cromosómicas (más a menudo, síndrome de Down) es la edad materna avanzada. El riesgo de tener un hijo con síndrome de Down se incrementa sustancialmente con la edad de la madre. La experiencia médica indica que todas las mujeres que

Tabla 1 Resumen de las anomalías cromosómicas numéricas

Tipo	Sinónimo	Incidencia	Aspectos diagnósticos al nacer	Pronóstico	Detección
Monosomía autosómica		Rara, por lo general incompatible con la supervivencia fetal			
Monosomía de cromosoma sexual XO	Síndrome de Turner*	1/10 000 niñas nacidas vivas, anomalía cromosómica más común en los abortos espontáneos (18 %)	Edema en manos y pies; mayor incidencia de coartación aórtica; las anomalías somáticas pueden ser escasas, y a menudo el transtorno no se identifica al nacer	Inteligencia normal; estéril	Los frotis de cromatina bucal para identificar cuerpos cromatínicos X pueden ser negativos. Las concentraciones endocrinas son anormales. El síndrome suele manifestarse en la adolescencia por estatura corta, presencia de bandas ováricas y amenorrea. Los estrógenos administrados durante la pubertad pueden ayudar al desarrollo de los caracteres sexuales secundarios
Trisomía autosómica		Por lo general incompatible con la supervivencia fetal			La madre en la edad madura está en mayor riesgo de tener descendientes con estos síndromes
Monosomía de cromosoma sexual Trisomía 13	Síndrome de Patau	1/20 000 nacidos vivos	Microftalmía (globos oculares muy pequeños); paladar hendido; polidactilia posaxil (dedos supernumerarios); microcefalia;	Retraso mental grave: 50 % mueren dentro del primer año de vida	El análisis del cariotipo confirma el diagnóstico

Tabla 1 Resumen de las anomalías cromosómicas numéricas *(continuación)*

Tipo	Sinónimo	Incidencia	Aspectos diagnósticos al nacer	Pronóstico	Detección
Trisomía 13 *(cont.)*			malformaciones de los pabellones auriculares; cardiopatías congénitas; defectos urogenitales; riñones poliquísticos		
Trisomía 18	Síndrome de Edwards	1/8 000 nacidos vivos	Micrognatia (mandíbula pequeña); mano empuñada con sobreposición de los dedos segundo y quinto sobre tercero y cuarto; pies encorvados en «mecedora»; pabellones auriculares malformados y de implantación baja; cardiopatías congénitas	Retraso mental grave en todos los casos; suele sobrevenir la muerte en los primeros meses	Análisis del cariotipo confirma el diagnóstico
Trisomía 21	Síndrome de Down	1/800 nacidos vivos; trastorno cromosómico más común	Típica cara redonda con perfil plano; lengua en profusión; pliegues de los epicantos	Retraso leve a grave; mayor incidencia de leucemia	El análisis del cariotipo confirma el diagnóstico; la madre de edad madura está en mayor riesgo de tener descendientes con este síndrome
Trisomía del cromosoma sexual XXX	Síndrome de triple X	1/1 000 niñas nacidas vivas	Ninguno	Por lo general la inteligencia es normal; incidencia de retraso mental ligeramente incrementada	La madre de edad madura está en mayor riesgo de tener descendientes con este síndrome. Los frotis bucales pueden revelar el cariotipo triple X

Tabla 1   Resumen de las anomalías cromosómicas numéricas *(continuación)*

Tipo	Sinónimo	Incidencia	Aspectos diagnósticos al nacer	Pronóstico	Detección
XXY	Síndrome de Kline-felter	1/1000 varones nacidos vivos	Ninguno	Por lo general la inteligencia es normal; hay casos de retraso mental leve; persona estéril	Aparecen en la pubertad los caracteres sexuales femeninos, incluso ginecomastia. La persona que sufre este síndrome suele ser alta y delgada, con testículos pequeños y pelo facial y corporal hipodesarrollado. Puede recomendarse reducción mamaria quirúrgica por motivos psicológicos y estéticos
XYY		1/1000 nacidos vivos	Ninguno	Rara vez concurre con alguna alteración intelectual; persona fecunda	El síndrome puede pasar inadvertido hasta que se revela en la valoración del cariotipo. En personas que tienen el síndrome XYY puede encontrarse reducida la cuenta de espermatozoides y elevadas las concentraciones plasmáticas de testosterona

* Síndrome de Turner puede deberse también a otras anomalías cromosómicas que, sin embargo, son extremadamente raras.

en el momento del embarazo tengan 35 años de edad o más deben ser asesoradas y someterse a pruebas prenatales para valorar el cariotipo del producto.

HERENCIA MONOGÉNICA

- El término *rasgo monogénico* se refiere a los trastornos genéticos que son producidos por una mutación génica en un solo *locus* (sitio) de un cromosoma.
- La alteración genética puede ser *dominante* (cuando basta su presencia en uno solo de los dos cromosomas homólogos para que determine un rasgo o enfermedad) o *recesiva* (cuando es preciso que esté presente en los dos cromosomas homólogos para que determine un rasgo o enfermedad).
- El individuo que presenta una alteración monogénica recesiva no manifiesta el rasgo o enfermedad en cuestión, pero puede transmitir el gen defectuoso a su descendencia, por lo que se considera *portador*.
- Los patrones básicos de herencia monogénica son sólo cuatro:
  1. Herencia autosómica dominante.
  2. Herencia autosómica recesiva.
  3. Herencia ligada a X dominante.
  4. Herencia ligada a X recesiva.

589

Tabla 2 Riesgo de síndrome de Down según la edad materna

	Frecuencia del síndrome de Down	
Edad materna	Fetos	Nacidos vivos
19 o menos		1/1550
20-24		1/1550
25-29		1/1050
30-34		1/700
35	1/350	1/350
36	1/260	1/300
37	1/200	1/225
38	1/160	1/175
39	1/125	1/150
40	1/70	1/100
41	1/35	1/85
42	1/30	1/65
43	1/20	1/50
44	1/13	1/40
45 o más	1/25	1/25

(Thompson JS, Thompson MW: Genetics in Medicine, Philadelphia, WB Saunders)

HERENCIA MULTIFACTORIAL

En la actualidad muchos casos de defectos aislados del nacimiento y de malformaciones congénitas comunes se consideran resultado de una herencia multifactorial. Esta categoría de trastornos genéticos se define como la constituida por los rasgos y enfermedades que resultan de la interacción de diversos factores genéticos (alteraciones poligénicas), o bien entre éstos y factores ambientales.

Valoración

ÁRBOL GENEALÓGICO

Los patrones de herencia pueden representarse gráficamente en un esquema llamado *árbol genealógico*. Este diagrama, elaborado durante la valoración y el registro de la historia clínica, brinda una fuente rápida de consulta para otros miembros del equipo genético, y ayuda a saber qué miembros de la familia requerirán exámenes y pruebas adicionales.

En la figura correspondiente se ilustran los símbolos que se usan para elaborar el árbol genealógico.

INVESTIGACIÓN GENÉTICA DEL NEONATO

La investigación o valoración genética del neonato tiene como finalidad identificar a los niños presintomáticos afectados por una enfermedad metabólica genética, de modo que se pueda iniciar el tratamiento preventivo antes de que ocurra una lesión permanente. La investigación clásica consiste en obtener una muestra de sangre del cordón umbilical, luego otra en la sala de neonatología (obtenida mediante punción del talón), y otra más (ya sea de sangre o de orina) para estudios de control.

Suelen realizarse de manera rutinaria pruebas de laboratorio para detectar anomalías metabólicas comunes que requieren la adopción de medidas preventivas inmediatas, tales como:
• Fenilcetonuria.
• Hipotiroidismo congénito.

También pueden llevarse a cabo técnicas de diagnóstico de trastornos genéticos tales como:

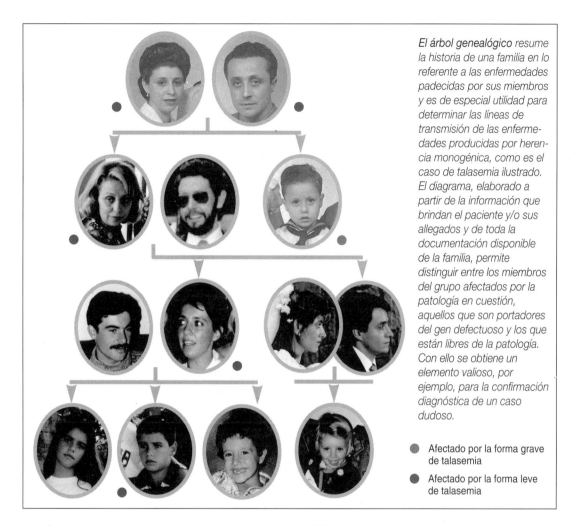

El *árbol genealógico* resume la historia de una familia en lo referente a las enfermedades padecidas por sus miembros y es de especial utilidad para determinar las líneas de transmisión de las enfermedades producidas por herencia monogénica, como es el caso de talasemia ilustrado. El diagrama, elaborado a partir de la información que brindan el paciente y/o sus allegados y de toda la documentación disponible de la familia, permite distinguir entre los miembros del grupo afectados por la patología en cuestión, aquellos que son portadores del gen defectuoso y los que están libres de la patología. Con ello se obtiene un elemento valioso, por ejemplo, para la confirmación diagnóstica de un caso dudoso.

● Afectado por la forma grave de talasemia
● Afectado por la forma leve de talasemia

- Galactosemia.
- Homocistinuria.
- Tirosinemia.
- Hemoglobinopatías.
- Deficiencia de alfa-antitripsina.

- Fibrosis quística.
- Distrofia muscular de Duchenne.
- Hiperlipidemia.
- Deficiencia de adenosindesaminasa.
- Hiperplasia suprarrenal congénita.

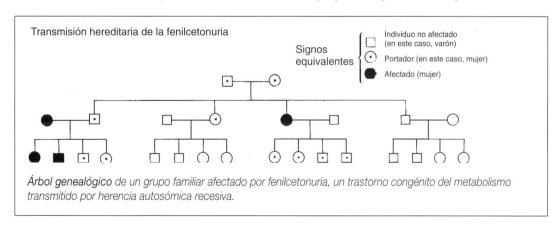

Árbol genealógico de un grupo familiar afectado por fenilcetonuria, un trastorno congénito del metabolismo transmitido por herencia autosómica recesiva.

DETERMINACIÓN SÉRICA MATERNA

La mayor parte de los trastornos comunes que pueden identificarse mediante investigación del suero materno son:
• Alfa-fetoproteína.
• Investigación de heterocigosis para identificación de genes mutantes.
• Enfermedad de Tay-Sachs.
• Drepanocitosis.
• Talasemia beta.

DIAGNÓSTICO PRENATAL

En la actualidad se pueden diagnosticar con precisión más de 200 enfermedades genéticas diferentes que ocurren en el feto mediante técnicas como:

• Amniocentesis.
• Fetoscopia.
• Biopsia de las vellosidades coriónicas.
• Funiculocentesis.
• Ecografía.
• Análisis cromosómico.

Asesoramiento genético (consejo genético)

El asesoramiento o consejo genético corresponde al conjunto de estudios y cálculos realizados para determinar las probabilidades de tener hijos con alguna enfermedad genética o cromosómica específica. Su fina-

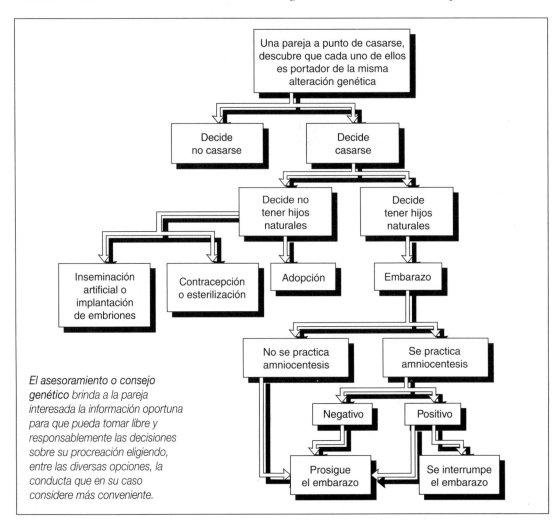

El asesoramiento o consejo genético brinda a la pareja interesada la información oportuna para que pueda tomar libre y responsablemente las decisiones sobre su procreación eligiendo, entre las diversas opciones, la conducta que en su caso considere más conveniente.

lidad es brindar la información oportuna a la pareja interesada, para que, teniendo en cuenta los datos aportados, pueda tomar libremente las decisiones sobre su procreación.

¿A QUIÉN DEBE OFRECERSE ASESORAMIENTO GENÉTICO?

- A embarazadas que tengan 35 años o más en el momento del embarazo.
- A las pacientes que ya han tenido un hijo con una anomalía cromosómica.
- A las parejas en que se presume que alguno de los progenitores puede ser portador de una translocación cromosómica equilibrada.
- A las parejas en que se presume que ambos miembros son portadores de un trastorno autosómico recesivo.
- A las parejas cuyos miembros tienen lazos de consanguinidad.
- A las parejas en las que cualquiera de los miembros o uno de los hijos estén afectados por un trastorno monogénico dominante.
- A las embarazadas que son portadoras confirmadas o sospechosas de un trastorno recesivo grave ligado a X.
- A las parejas que tienen antecedentes personales o familiares (por ejemplo, un pariente de primer o segundo grado) con defecto del tubo neural.
- A las parejas que han tenido hijos con malformaciones congénitas, para precisar si su origen es hereditario.
- A las parejas con antecedentes de abortos espontáneos a repetición.
- A las pacientes que manifiestan ansiedad o preocupación extrema.

COMPONENTES DEL ASESORAMIENTO GENÉTICO

- Entrevista inicial, con indagación de antecedentes personales y familiares, y confección del árbol genealógico.
- Valoración de la paciente y su compañero, incluyendo exploración física y solicitud de pruebas complementarias.

- Establecimiento del diagnóstico preciso del motivo de consulta.
- Pruebas o procedimientos complementarios:
  — Análisis cromosómico.
  — Pruebas bioquímicas.
  — Pruebas inmunológicas.
  — Estudios de dermatoglifos.
  — Radiografías.
  — Electromiografía.
  — Biopsia.
  — Técnicas de diagnóstico prenatal.
- Consulta con otros expertos.
- Recopilación de la información necesaria y cálculo de riesgos.
- Comunicación de los resultados y los riesgos a la paciente y a sus familiares.
- Discusión de las opciones.
- Revisión y preguntas.
- Interconsultas (por ejemplo, para amniocentesis) con otros especialistas.
- Control (vigilancia).
- Valoración.

INTERVENCIONES DE ENFERMERÍA

- Ofrecer consulta con el servicio de asesoramiento genético.
- Planificar, ejecutar, administrar o valorar los problemas de investigación.
- Dar información sobre asuntos de salud.
- Vigilar y valorar a las pacientes.
- Trabajar con familias afligidas por problemas relacionados con algún trastorno genético.
- Coordinar la asistencia y los servicios.
- Organizar la asistencia y el tratamiento en el hogar.
- Vigilar al neonato con pruebas positivas.
- Revisar a las pacientes, valorar sus necesidades, elaborar la historia familiar y obtener el árbol genealógico.
- Reforzar la información del asesoramiento genético.
- Apoyar a la familia durante el asesoramiento y la toma de decisiones.
- Reconocer las posibilidades de un componente genético en el trastorno y ejercer la acción apropiada de envío con algún especialista.

□ ○ Varón o mujer no afectados	● ■ Mujer afectada, varón afectado
Sujeto en estudio (señalado por la flecha); en este caso se trata de un varón afectado	▽ ◇ No se conoce el sexo o no se ha identificado
	□—○ Unión libre o matrimonio
Portadores heterocigotos de un rasgo autosómico recesivo	□—○ Unión libre o matrimonio cosanguíneo
Mujer heterocigota portadora de un rasgo recesivo ligado a X	□—#—○ Divorcio
Varón o mujer portadores de cualquier tipo de transmisión (símbolos empleados ocasionalmente)	Matrimonio múltiple (aquí, una mujer ha tenido dos maridos)
Hermanos, representados en orden de nacimiento; el mayor a la izquierda	Hermanos, no se conoce su orden de nacimiento
Árbol genealógico de dos generaciones que ilustra a los padres (I-1, I-2); la madre (I-2) está afectada; los hermanos son II-1, 2, 3, 4; el hermano II-4 está afectado	Gemelos dicigotos (se ilustran varón y mujer)
	Gemelos monocigotos (mujeres)
Mortinato o aborto; puede emplearse el primer símbolo en general; el segundo símbolo indica mujer, el tercero varón y el cuarto indica que no se conoce el sexo	Gemelos de cigosidad no identificada (se ilustran varones)
Ō El sujeto examinado personalmente se indica con una raya sobre el símbolo	Abreviatura de medios hermanos
[□] Adoptado	La línea punteada indica descendientes ilegítimos
Pareja sin descendencia	
Forma abreviada de indicar tres hermanos y dos hermanas, todos normales	Maneras de ilustrar cuatro manifestaciones diferentes de un trastorno que se explicarán en una clave acompañante

Árbol genealógico. En la ilustración se representan los símbolos que se utilizan habitualmente para la confección del diagrama, mediante los cuales se indican, entre otras características, el sexo de los miembros de la familia, su parentesco y grado de afectación. El empleo de estos símbolos normalizados facilita la interpretación del esquema de la genealogía familiar y es de suma utilidad para la obtención de una referencia válida por parte de los distintos integrantes del equipo de salud.

Reproducción y sexualidad; fecundidad y esterilidad

Diferenciación sexual

Desde el punto de vista genético, el sexo se establece en el momento de la concepción. Durante las primeras seis semanas de la gestación, el producto no experimenta una diferenciación sexual; esto es, su género no es masculino ni femenino, y no existen diferencias anatómicas. Las gónadas son bipotenciales, lo que significa que pueden diferenciarse en testículos u ovarios. En este momento, se forman en el embrión, sea masculino o femenino, dos sistemas de conductos primitivos pares, los conductos de Müller y los conductos de Wolff. Las estructuras de los órganos de la reproducción de un sexo se corresponden con estructuras similares en el otro sexo, porque ambas se originan en los mismos tejidos embrionarios. Las estructuras embriológicamente equivalentes se llaman homólogas.

DESARROLLO DE LOS ÓRGANOS REPRODUCTORES MASCULINOS

- Las gónadas primitivas se convierten en testículos hacia la octava semana si en el producto de la concepción se encuentra presente el cromosoma Y.
- Debe haber producción de andrógenos fetales para el ulterior desarrollo de las estructuras genitales masculinas a partir de los conductos de Wolff.

- El embrión masculino produce una sustancia inhibidora del conducto de Müller, y los andrógenos provocan atrofia del sistema de Müller (conducto femenino).
- Las hormonas masculinas (andrógenos), testosterona y dihidrotestosterona, producen masculinización y estimulan el desarrollo de los conductos de Wolff y de los órganos reproductores masculinos tanto internos como externos.
- El tubérculo genital se convierte en pene.

DESARROLLO DE LOS ÓRGANOS REPRODUCTORES FEMENINOS

- La diferenciación de las gónadas primitivas en ovarios no depende de la producción de hormonas.
- Los ovarios se desarrollan hacia la duodécima semana de vida embrionaria, y el sistema de Müller da origen al útero, las trompas de Falopio y el tercio interno de la vagina.
- El sistema del conducto de Wolff (masculino) se atrofia hasta convertirse en residuos minúsculos, puesto que no hay testosterona.
- Los genitales femeninos externos empiezan a diferenciarse entre la séptima y la decimocuarta semanas.
- En el embrión femenino se produce una pequeña cantidad de testosterona, que contribuye al desarrollo del clítoris, la vulva y la vagina.
- El tubérculo genital se convierte en el glande del clítoris.

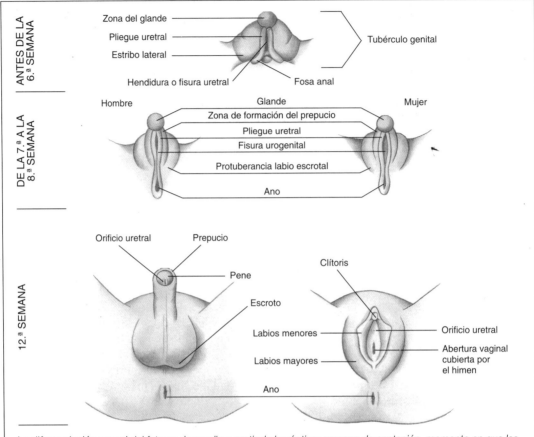

La diferenciación sexual del feto se desarrolla a partir de la séptima semana de gestación, momento en que las gónadas primitivas se transforman en testículos o en ovarios y, como consecuencia, los diversos elementos componentes del tubérculo genital tienden a formar, respectivamente, los genitales externos masculinos o femeninos señalados en el esquema.

Entre las semanas duodécima y decimocuarta de la gestación está ya bien establecido el sexo biológico del feto.

Aparato reproductor femenino: estructura y función

ESTRUCTURAS REPRODUCTORAS FEMENINAS

Externas

- Vulva
- Monte de Venus
- Clítoris
- Labios mayores
- Labios menores
- Vestíbulo
    Meato uretral
    Orificio vaginal y glándulas de Skene
    Glándulas de Bartholin
- Perineo

Internas

- Vagina
- Útero
- Trompas de Falopio
- Ovarios
- Estructuras de sostén de la pelvis femenina
    Pelvis ósea
    Perineo
- Órganos accesorios
    Mamas

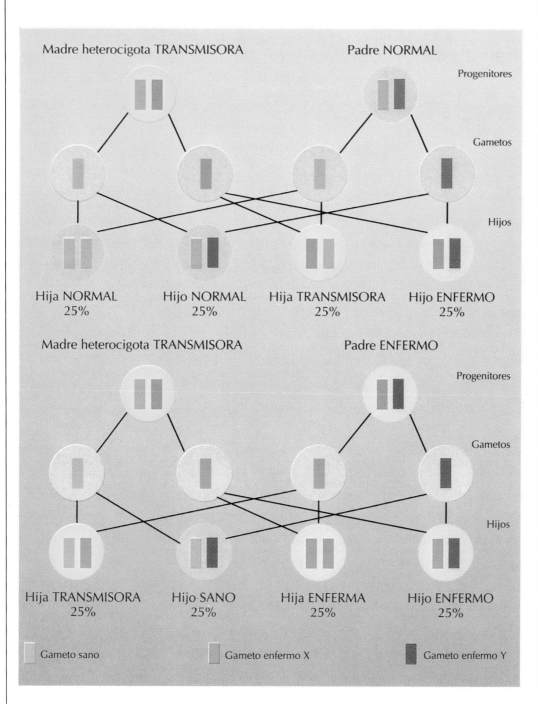

Herencia ligada a X recesiva. La enfermedad se manifiesta en todos los varones que reciben el gen defectuoso (procedente de su madre), ya que disponen de un único cromosoma X. En cambio, las mujeres con un solo gen alterado (heterocigotas) se comportan como portadoras, y sólo presentan la enfermedad aquéllas que reciben el gen anormal de ambos progenitores (homocigotas). En el gráfico se pueden observar modalidades de este tipo de herencia.

ANTES DE LA 7.ª SEMANA

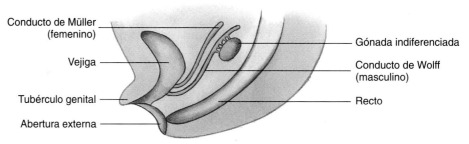

Conducto de Müller (femenino)

Vejiga

Tubérculo genital

Abertura externa

Gónada indiferenciada

Conducto de Wolff (masculino)

Recto

12.ª - 14.ª SEMANAS

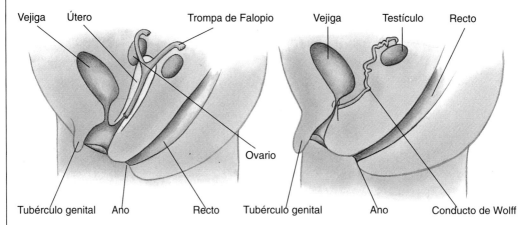

Vejiga — Útero — Trompa de Falopio — Vejiga — Testículo — Recto

Ovario

Tubérculo genital — Ano — Recto — Tubérculo genital — Ano — Conducto de Wolff

40 SEMANAS

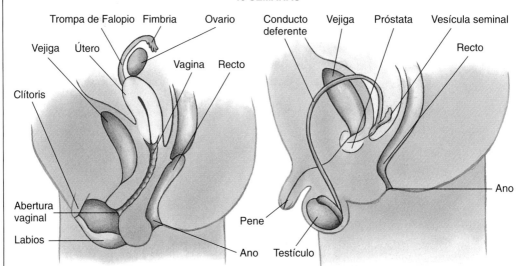

Trompa de Falopio — Fimbria — Ovario — Conducto deferente — Vejiga — Próstata — Vesícula seminal

Vejiga — Útero — Recto

Clítoris — Vagina — Recto

Abertura vaginal

Labios — Ano — Testículo — Pene — Ano

Desarrollo de los órganos reproductores. En la séptima semana de gestación el feto aún cuenta con gónadas indiferenciadas bipotenciales; un par de sistemas de conductos primitivos, los de Müller (a partir de los cuales se formarán los genitales internos femeninos) y los de Wolff (a partir de los cuales se formarán los genitales internos masculinos), y un tubérculo genital que originará los genitales externos en ambos sexos. En la ilustración se muestran las diversas etapas de la diferenciación sexual.

Tabla 1   Desarrollo sexual en el feto

	Característica	Varón	Mujer
Fecundación	Complemento cromosómico	XY	XX
6.ª semana	Desarrollo gonadal	Testículos	Ovarios
7.ª semana	Concentración de andrógenos	Elevada	Baja
8.ª semana	Conductos internos De Wolff	Forman los vasos deferentes y glándulas relacionadas	Degeneran
	De Müller	Degeneran	Forman vagina, útero y trompas de Falopio
12.ª a 14.ª semanas	Anatomía externa Tubérculo genital Tumefacciones y pliegues	Forma el pene Forman el escroto y la parte baja del pene	Forma el clítoris Forman los labios mayores y menores

GENITALES FEMENINOS EXTERNOS

El término *vulva* se refiere a todas las estructuras visibles en el exterior, desde el pubis hasta el perineo.

El *monte de Venus* es la almohadilla de grasa que se encuentra sobre el pubis y es la estructura externa más visible. Está cubierta de vello áspero y crespo, y protege los huesos púbicos que están debajo.

El *clítoris* es un pequeño cuerpo eréctil cilíndrico que está justo bajo el monte de Venus. Contiene abundantes vasos sanguíneos y terminaciones nerviosas. Es muy sensible al tacto y se pone erecto al llenarse de sangre con la estimulación sexual. Es homólogo del pene.

Los *labios mayores* son dos pliegues de tejido adiposo que convergen hacia el monte de Venus y se extienden hasta la unión de la comisura posterior. Sus superficies externas están cubiertas de vello ensortijado, mientras que sus superficies internas son lisas y lampiñas. En nulíparas y en las niñas, los labios mayores están muy próximos entre sí y ocultan las estructuras subyacentes, mientras que en las multíparas, se vuelven menos plenos y se encuentran separados. Después de la menopausia experimentan una atrofia y casi pueden llegar a desaparecer.

Los *labios menores* son dos pliegues delgados de tejido que se encuentran en el interior de los labios mayores y están ricamente provistos de vasos sanguíneos y terminaciones nerviosas sensitivas. Al igual que los labios mayores, contienen una gran cantidad de corpúsculos sensoriales que contribuyen a la estimulación sexual. Por delante convergen para formar el frenillo y el prepucio del clítoris. A nivel de su unión posterior forman la horquilla posterior.

597

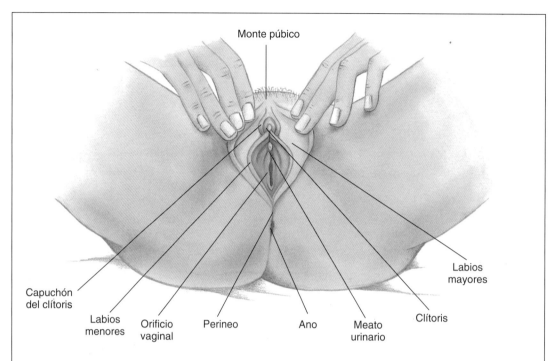

Monte púbico

Capuchón del clítoris

Labios menores

Orificio vaginal

Perineo

Ano

Meato urinario

Clítoris

Labios mayores

Genitales femeninos externos. La vulva es el conjunto de estructuras genitales femeninas visibles desde el exterior, desde el monte de Venus hasta el perineo; comprende el clítoris (con su capuchón), los labios mayores, los labios menores y el área del vestíbulo donde se localizan el orificio vaginal, el meato urinario y la desembocadura de las glándulas accesorias.

El *vestíbulo* es un área romboidal limitada por los labios menores, que se extiende desde el clítoris hasta la horquilla posterior. Cuenta con seis orificios:

- El meato uretral, que es la abertura externa de las vías urinarias.
- Las dos glándulas de Skene, secretoras de moco, que se abren a cada lado de la uretra.
- La abertura vaginal, que está localizada en la porción inferior del vestíbulo y tiene forma y tamaño variables.
- Las dos glándulas de Bartholin, localizadas en la parte más baja del vestíbulo y se abren a cada lado de los bordes del orificio vaginal. Cuando los conductos se bloquean, se forman quistes o abscesos que se infectan.

El *perineo*, llamado a veces perineo obstétrico, es una pequeña región de tejido muscular y aponeurosis que se encuentra entre la vulva y el ano. El sostén de esta región se debe primordialmente a los triángulos urogenital y anal, que pueden lesionarse durante el parto.

ÓRGANOS REPRODUCTORES FEMENINOS INTERNOS

La vagina tiene tres finalidades:

- Es el conducto exterior del útero, por el que salen sus secreciones y la sangre menstrual.
- Es el órgano femenino de la copulación.
- Es el conducto por el que nacen los niños.

Para desempeñar estas funciones, la vagina cuenta con una estructura musculomembranosa revestida por una mucosa transversa, corrugada y distensible. En su extremo terminal, la circunferencia está unida al cuello uterino; su pared posterior está fijada en la parte alta contra la parte posterior del cuello, con lo que por detrás se forma una zona en fondo de saco, llamada fondo de saco posterior. Los espacios similares, pero más pequeños, que rodean las inserciones vaginales laterales y anterior se llaman fondos de saco laterales y anterior. Estas zonas son importantes porque sus tejidos delgados permiten el acceso para la palpación vaginal del útero y los anexos. La mucosa de la pared vaginal está revestida por epitelio escamoso estratificado. Cuando es estimulado por los estrógenos, dicho epitelio conserva el medio vaginal ácido normal. La conservación de este medio depende de un delicado equilibrio fisiológico entre hormonas y bacterias.

El *útero* no ocupado se localiza en la parte baja de la pelvis, relacionándose por delante con la vejiga y por detrás con el recto. Tiene forma de pera aplanada e invertida, con una subdivisión anatómica que da lugar a dos partes desiguales. La parte superior del útero, de forma triangular, se llama cuerpo; la parte inferior recibe el nombre de cuello. El segmento superior del cuerpo uterino, que se encuentra entre los puntos de inserción de las trompas de Falopio, se llama fondo. El istmo es la región que se encuentra entre el cuerpo y el cuello uterino, por arriba del orificio interno de este último. Durante el embarazo el istmo adquiere una importancia muy especial, crece y se vuelve más blando y compresible. Uno de los primeros signos de embarazo, llamado signo de Hegar, es el ablandamiento del istmo.

El *cuello uterino* es la parte del útero que se encuentra por debajo del istmo. La parte que sobresale hacia la zona más alta de la vagina tiene normalmente una tonalidad rosada, pero puede verse purpúrea durante el embarazo. En nulíparas, el orificio cervical es pequeño y redondo; después se convierte en una hendidura transversa.

Las *trompas de Falopio* se extienden desde la parte superior del útero hasta la región de los ovarios. El óvulo descargado por el ovario es atraído hacia la trompa de Falopio de ese lado, por donde avanza en dirección al útero. Los espermatozoides que entran en las trompas desde el útero se desplazan por su interior para encontrarse con el óvulo.

Los *ovarios* se localizan en la pelvis a cada lado del útero, insertados en la parte posterior del ligamento ancho del útero. Entre sus funciones están la producción y secreción de estrógenos y progesterona.

ESTRUCTURAS DE SOSTÉN DE LA PELVIS FEMENINA

Estas estructuras son: la pelvis ósea, el perineo y los músculos del suelo pélvico. La pelvis femenina está especialmente adaptada pa-

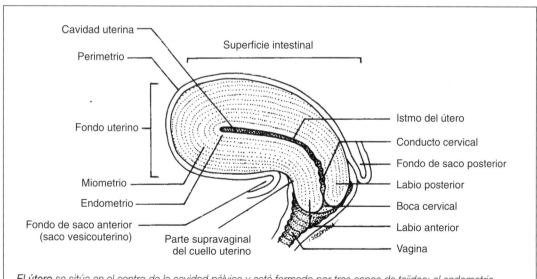

El útero se sitúa en el centro de la cavidad pélvica y está formado por tres capas de tejidos: el endometrio (capa interna), el miometrio (capa media) y el perimetrio (capa externa). En un corte esquemático pueden distinguirse tres partes del órgano: el cuerpo (parte superior), el istmo (parte intermedia) y el cuello (parte inferior), que desemboca y sobresale en la vagina.

599

ra la procreación, y sus dimensiones han de permitir el paso de la cabeza del feto. Se divide en dos pares, separadas entre sí por la línea terminal. La porción situada por arriba es la pelvis falsa (reborde pélvico); la porción situada por debajo es la pelvis verdadera, que contiene el estrecho pélvico, llamado también estrecho superior, lo mismo que el plano medio y la salida o estrecho inferior. La distancia entre las espinas ciáticas a nivel de la pelvis media constituye el diámetro más corto de la pelvis, por el que debe pasar el producto de la gestación.

Perineo y músculos del suelo pélvico

El perineo es la región que se encuentra entre el pubis, por delante, y el sacro y el cóccix, por detrás. Los músculos subyacentes del suelo pélvico dan sostén al contenido de la pelvis. El diafragma urogenital, compues-

to por el músculo pubcoccígeo, está estructurado de tal modo que se adapta y amplía para el nacimiento. Estos músculos se estiran hasta sus límites durante el parto, y quizá nunca recuperen su resistencia o integridad previas.

ÓRGANOS ACCESORIOS: MAMAS

Las mamas son glándulas sudoríparas modificadas muy especializadas que se localizan en la aponeurosis superficial de la región pectoral. El pezón está rodeado por la areola pigmentada y contiene las glándulas de Montgomery, que durante la lactancia secretan un lubricante protector.
Durante el embarazo, las mamas sufren cambios notables en cuanto a tamaño, forma y sensibilidad, en la preparación para producir leche. Cada mama está constituida por cerca de 20 lóbulos irregulares de tejido secre-

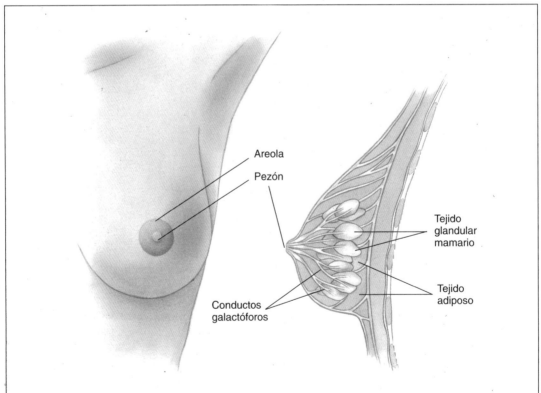

Mamas. *Visión externa, donde se aprecia el pezón y la areola, y corte esquemático donde se observan las glándulas que elaboran la leche durante la lactancia y los conductos galactóforos o lactíferos que llevan las secreciones hacia el exterior.*

tor y adiposo. Cada lóbulo consta de un conducto lactífero que converge con los demás hacia la areola y el pezón. Los alvéolos mamarios son glándulas secretoras de leche que se encuentran en cada lóbulo y terminan en los conductos, donde abocan sus secreciones.

Los alvéolos y los conductos adyacentes están rodeados por células mioepiteliales que se contraen para exprimir la leche hacia el reservorio llamado ampolla (seno lactífero). En el capítulo dedicado a las adaptaciones del embarazo se amplía la información sobre la fisiología de la lactancia.

Control hormonal del ciclo reproductor femenino

Las hormonas sexuales —producidas por las glándulas endocrinas— son compuestos químicos que tienen profundos efectos fisiológicos en los órganos principales del aparato reproductor femenino. El sistema hormonal femenino está constituido por tres niveles jerárquicos de hormonas y actividades:

- *Nivel 1.* El hipotálamo secreta hacia la hipófisis la hormona liberadora de gonadotropinas (GnRH o LH/FSH-RH) en respuesta a señales que recibe de los centros superiores del sistema nervioso central (SNC) o del ambiente externo. Más que regular el ciclo menstrual, el hipotálamo reacciona en base a la retroalimentación positiva o negativa de las hormonas ováricas.
- *Nivel 2.* Las hormonas de la hipófisis anterior, la hormona foliculoestimulante (FSH) y la hormona luteinizante (LH), son secretadas ante el estímulo producido por la hormona hipotalámica liberadora de gonadotropinas para estimular al ovario.
- *Nivel 3.* Las hormonas ováricas, estrógenos y progesterona, se secretan por reacción a la estimulación de la FSH durante la fase folicular, y de la LH durante la fase luteínica del ciclo menstrual.

Las hormonas primarias del aparato reproductor femenino son los estrógenos, la pro-

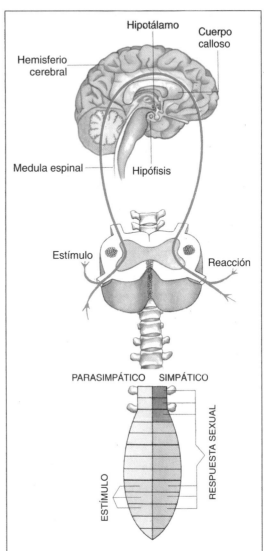

El control nervioso de la respuesta sexual del ciclo reproductor femenino responde a un mecanismo de retroalimentación. El hipotálamo, en respuesta a señales que recibe de los centros superiores del sistema nervioso central o del ambiente externo, estimula la hipófisis para que elabore las hormonas gonadotropinas foliculoestimulante (FSH) y luteinizante (LH), que actúan sobre los ovarios, así como la prolactina, que actúa sobre las mamas. En respuesta a la estimulación hipofisaria, los ovarios secretan las hormonas sexuales femeninas progesterona y estrógenos, cuyo incremento es detectado por el hipotálamo, cerrándose así el sistema. En el hombre existe un sistema equiparable, en el que las gonadotropinas estimulan a los testículos para que produzcan hormonas sexuales masculinas (testosterona).

Tabla 2   Hormonas femeninas

Hormonas	Descripción
Estrógeno	Hormona producida durante el embarazo por folículos ováricos, cuerpo amarillo, corteza suprarrenal y placenta. Se relaciona con la «feminidad». Los tres tipos principales son: 1. Estrógeno E_1 (estrona): estrógeno de la menopausia, producto de la oxidación del estradiol. (Es el segundo tipo más activo, con potencia relativa de 10.) 2. Estradiol E_2: estrógeno de las mujeres en edad fértil, y el de tipo más potente. (Potencia relativa de 100.) 3. Estradiol E_3: estrógeno del embarazo formado a partir de estradiol y estrona en hígado, útero, placenta y precursores estrogénicos de la glándula suprarrenal fetal. (Es el estrógeno menos potente, con una potencia relativa de 1.)
Progesterona	Hormona secretada por el cuerpo amarillo del ovario, las glandulas suprarrenales y, durante el embarazo, la placenta. Es la hormona de la fase luteínica del ciclo menstrual y el embarazo
Gonadotropinas (FSH y LH)	Hormonas que, con la estimulación de la GnRH del hipotálamo son secretadas por la hipófisis anterior para estimular el crecimiento y desarrollo foliculares, el crecimiento del folículo de Graaf y la producción de progesterona
GnRH	Hormona que actúa sobre la hipófisis para que descargue LH y FSH por reacción a la retroalimentación desde el folículo ovárico, con la finalidad de que éste ovule
Prolactina	Hormona producida por la hipófisis que, con los estrógenos y la progesterona, estimula el desarrollo mamario y la formación de leche durante el embarazo. (El estrés de cualquier tipo puede estimular también la secreción de prolactina en la mujer no embarazada)

gesterona y las gonadotropinas FSH y LH. En las tablas números 2 y 3 se detallan las características de las hormonas femeninas y su influencia sobre el cuerpo y el ciclo menstrual.

CICLO MENSTRUAL

- La *menstruación* corresponde a la hemorragia y el desprendimiento fisiológico del endometrio uterino que se producen a intervalos aproximadamente mensuales entre la menarquía y la menopausia.
- La *menarquía* es el momento de la primera menstruación. Es un acontecimiento de primera importancia en la transición de la infancia hacia la madurez.
- Se llama *pubertad* al período durante el cual la persona adquiere la capacidad de procreación.

ETAPAS DE TANNER DE LA TRANSICIÓN DE LA INFANCIA A LA MADUREZ

Etapa I de Tanner (prepubertad)

- No se han desarrollado las mamas ni el vello púbico.

Tabla 3 Influencia de las hormonas femeninas sobre el organismo y el ciclo menstrual

Órgano, aparato o sistema	Acción del estrógeno	Acción de la progesterona	Acción de las gonadotropinas
Útero	• Incrementa la excitabilidad del miometrio • Produce proliferación endometrial • Incrementa la cantidad de moco cervical y produce arborización y filantez de éste • Produce crecimiento del útero durante el embarazo	• Fomenta los cambios secretorios endometriales • Disminuye la cantidad de moco cervical y lo vuelve impermeable a los espermatozoides • Hace que desaparezca la arborización • Fomenta la disposición de las arterias uterinas en espiral • Fomenta el depósito de glucógeno en el endometrio • Hace que ocurra la menstruación cuando no ha acaecido la concepción • Alcanza su máxima actividad una semana después de la ovulación	• Ninguna
Trompas de Falopio	• Influye en la actividad de la musculatura tubaria	• Disminuye la contractilidad tubaria durante la segunda fase, o fase luteínica • Puede influir en el transporte del óvulo fecundado hacia el útero	• Ninguna
Vagina	• Produce proliferación y cornificación del epitelio vaginal • Conserva el pH ácido óptimo de 3,5 a 4,2 en la vagina	• Modifica las células superficiales cornificadas, con lo que predominan las células intermedias y basales	• Ninguna
Glándulas mamarias	• Fomenta el desarrollo y crecimiento del sistema de conductos, los montículos glandulares y los pezones	• Fomenta el desarrollo de lóbulos y alveolos en preparación para la lactancia	• Ninguna

Tabla 3 Influencia de las hormonas femeninas sobre el organismo y el ciclo menstrual *(continuación)*

Órgano, aparato o sistema	Acción del estrógeno	Acción de la progesterona	Acción de las gonadotropinas
Glándulas mamarias (cont.)	• Causa en parte el crecimiento lobular y alveolar y el depósito de tejidos grasos • Fomenta la producción de prolactina durante el embarazo	• Produce retención del líquido subcutáneo y reacción mamaria antes de la menstruación	
Ovario	• Interactúa con las gonadotropinas para estimular el crecimiento del folículo ovárico y la expulsión del óvulo • Produce estrógeno • Puede causar la fase rápida de descarga de LH a la mitad del ciclo menstrual	• Tal vez participa en la ovulación	*FSH* • Inicia y estimula el desarrollo de los folículos ováricos • Fomenta la producción y secreción de estrógenos por los folículos ováricos *LH* • Es la causa del crecimiento final del folículo de Graaf • Produce esteroidogénesis en conjunto con la FSH • Estimula el ovario • Ayuda a la formación del cuerpo amarillo en el folículo roto • Fomenta la producción de progesterona por el cuerpo amarillo
Piel	• Disminuye la actividad sebácea de la piel • Incrementa el contenido de agua de la piel	• Puede incrementar la actividad sebácea de la piel	• Ninguna

Tabla 3 Influencia de las hormonas femeninas sobre el organismo y el ciclo menstrual *(continuación)*

Órgano, aparato o sistema	Acción del estrógeno	Acción de la progesterona	Acción de las gonadotropinas
Aparato cardiovascular	• Incrementa el riego sanguíneo • Incrementa la cantidad de angiotensina, factor V y protrombina en sangre	• Ninguna	• Ninguna
Caracteres sexuales secundarios	• Determina el contorno del cuerpo femenino, a causa del depósito de grasa y el crecimiento del vello axilar y púbico	• Influye en el desarrollo mamario	• Ninguna
Actividad termógena		• Incrementa la temperatura corporal en 0,4 °C a 0,6 °C después de la ovulación, lo que identifica su función luteínica • Influye en el depósito de glucógeno del endometrio para proveer de nutrimentos a éste, con objeto de que se implante el óvulo fecundado y se mantenga ahí	• Ninguna
Metabolismo	• Produce resorción de sodio y agua por los túbulos renales • Afecta al metabolismo del calcio y el crecimiento óseo	• Ninguna	• Ninguna

- La mucosa vaginal es delgada, de color rojo y seca.

Etapa II de Tanner (edad promedio: 10 a 11 años)

- Aparecen los montículos mamarios conforme se incrementa el diámetro de las areolas.
- Los labios mayores se vuelven más vascularizados y arrugados; empieza a aparecer vello fino y aterciopelado sobre el pubis.
- La mucosa vaginal se vuelve más gruesa, sonrosada y húmeda.
- Aumenta el tamaño del fondo uterino.
- Las caderas empiezan a ensancharse con la distribución de la grasa corporal.
- Se inicia la fase rápida de crecimiento.

Etapa III de Tanner (edad promedio: 11 a 12 años)

- Las mamas siguen creciendo.
- El vello púbico y el de los labios mayores se vuelve más oscuro y áspero.
- Los labios menores aumentan de tamaño.
- Aumenta la longitud de la vagina, su mucosa se vuelve más gruesa, y puede presentar un flujo blanco.
- El útero sigue creciendo y, al mismo tiempo, se incrementa el diámetro de las trompas de Falopio.
- Las glándulas sebáceas de la cara se vuelven más activas (puede aparecer acné) y empiezan a funcionar las glándulas sudoríparas axilares.
- Se inicia el crecimiento rápido del esqueleto y la velocidad de crecimiento llega al punto máximo.

Etapa IV de Tanner (edad promedio: 12 a 13 años)

- Las mamas aumentan de tamaño y las areolas forman montículos que se separan del resto del tejido mamario.
- El vello púbico cubre el monte de Venus y el perineo.
- La vagina y el útero aumentan de tamaño.
- Sobreviene la menarquía.
- Se desacelera el crecimiento longitudinal.

Etapa V de Tanner (edad promedio: 13,5 a 15 años)

- Las mamas y los genitales alcanzan las proporciones de la mujer adulta.
- Crece vello púbico en los muslos.
- Se detiene el crecimiento.

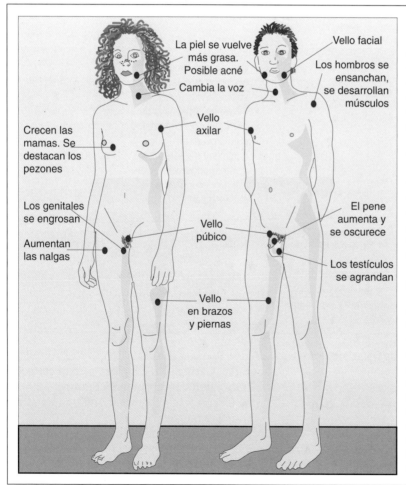

La pubertad es el período de transición de la infancia a la madurez durante el cual se desarrollan los caracteres sexuales secundarios. Esta época se inicia en las niñas hacia los 10 años de edad y finaliza hacia los 15 años, sucediéndose distintas fases (etapas de Tanner) en que se aprecia el desarrollo de las mamas, la aparición de vello púbico, axilar y corporal, la activación de las glándulas sebáceas, el aumento de tamaño de los órganos genitales y la distribución típica del tejido graso acompañada de un ensanchamiento de las caderas. Como punto culminante de la puesta a punto del aparato genital, se produce la primera menstruación o menarquía, a partir de la cual se sucederán los ciclos menstruales, sólo interrumpidos por el embarazo, hasta la época de la menopausia.

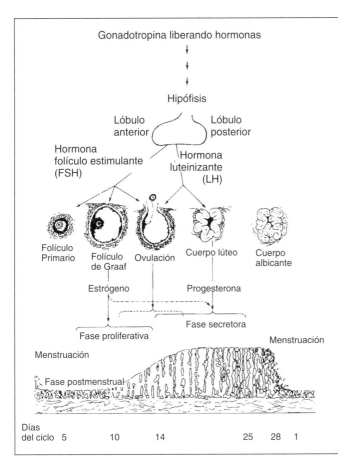

Gonadotropina liberando hormonas

Hipófisis

Lóbulo anterior

Lóbulo posterior

Hormona folículo estimulante (FSH)

Hormona luteinizante (LH)

Folículo Primario

Folículo de Graaf

Ovulación

Cuerpo lúteo

Cuerpo albicante

Estrógeno

Progesterona

Fase proliferativa

Fase secretora

Menstruación

Menstruación

Fase postmenstrual

Días del ciclo   5   10   14   25   28   1

El ciclo ovárico y menstrual, regulado por la actividad hormonal del eje hipotálamo-hipofisario, tiene una duración aproximada de 28 días, contados desde el primer día de una menstruación hasta el inicio de la siguiente. En una primera fase, la influencia de la hormona foliculoestimulante (FSH) provoca en el ovario la maduración de un folículo primario y su correspondiente óvulo (fase folicular), así como la producción de estrógenos que estimularán la proliferación de la mucosa uterina (fase proliferativa). Hacia la mitad del ciclo se produce un súbito incremento de la hormona luteinizante (LH) que determina la rotura del folículo ovárico y la ovulación. A continuación, se desarrolla el cuerpo amarillo productor de progesterona (fase lútea), hormona que estimula el crecimiento de la mucosa uterina (fase secretoria) en preparación para la posible implantación del óvulo fecundado. Si no se produce la fecundación, al cabo de aproximadamente dos semanas dismimuye la concentración de LH y, consecuentemente, la de progesterona, con lo cual se produce el desprendimiento del endometrio y la consiguiente hemorragia menstrual, comenzando un nuevo ciclo.

CICLO MENSTRUAL NORMAL

El ciclo menstrual puede considerarse constituido por dos ciclos interrelacionados. Uno ocurre en el ovario (ciclo ovárico) y condiciona el otro, que se produce simultáneamente en el útero. Este singular mecanismo afecta de manera cíclica al endometrio y lo prepara para el desarrollo del óvulo fecundado en el momento preciso del mes en que éste puede encontrarse presente. En el cuadro adjunto se detallan los principales acontecimientos de los ciclos ovárico y menstrual.

Actividades de enfermería para promover la salud sexual

Todo integrante del personal de enfermería debe preguntarse si no le inquieta hablar de cuestiones de salud sexual durante la asistencia a sus pacientes. Quien desee explorar las preocupaciones sexuales de sus pacientes debe adquirir conocimientos y habilidades especializados, y si no se siente con suficiente preparación, debe proceder a la oportuna derivación a profesionales expertos en el tema.

Es muy importante que todo el personal de enfermería esté familiarizado con los principios de conducta relacionados con la sexualidad humana.

Las actividades de enfermería para promover la salud sexual, señaladas en orden de necesidades crecientes de capacidad y conocimientos, son las siguientes:

1. Facilitar un ambiente que favorezca la salud sexual.
2. Dar orientación previsora.
3. Valorar la normalidad.
4. Instrucción.

Tabla 4   Ciclos ovárico y menstrual

Fase folicular o proliferativa (dominan los estrógenos)	*Ovulación (fase rápida de secreción de gonadotropina)*	*Fase lútea o secretoria, y menstruación (domina la progesterona)*
Fase folicular temprana (ovárica): 2 a 6 días • Incremento de las concentraciones de FSH que se inicia el día 24 a causa de la disminución de estrógenos durante la fase luteínica previa • Crecimiento temprano de los folículos ováricos *Fase folicular avanzada (ovárica): 7 a 16 días* • Estimulación del folículo de Graaf por la FSH • Sigue el crecimiento folicular, con producción elevada de estradiol, que alcanza su máximo antes de la ovulación • Estimulación, por la FSH y el estradiol, del incremento rápido en la producción de LH después del día 10 (retroalimentación positiva) • Disminución de la FSH, justo antes de la ovulación, por reacción al incremento de los estrógenos en el folículo en desarrollo (retroalimentación negativa) • Secreción de estradiol, primordialmente por el folículo que ovulará • Incremento de la producción preovulatoria de progesterona a un nivel de 2 a 3 ng/ml • Atresia de todos los folículos ováricos, salvo el dominante, a causa de la producción tardía de andrógenos	• Fase de descarga rápida de LH a mitad del ciclo: – requiere concentraciones de estradiol mayores de 200 ng/ml – exposición a estrógenos durante un mínimo de 50 horas • Rotura del folículo, por lo general dentro de las 24 horas que siguen a la fase rápida de descarga de LH • Ovulación (ocurre sólo si hay folículo maduro [estrógenos en cantidad suficiente]) • Incremento modesto de la FSH (puede requerirse para el desarrollo normal del cuerpo amarillo) • Altas concentraciones de gonadotropina que duran sólo 24 horas • Disminución precipitada de los estrógenos, quizá por luteinización del folículo • Cambios del dominio de los estrógenos al de la progesterona	*Fase luteínica o secretoria* • Disminución inicial súbita de los estrógenos (por lo general el tiempo transcurrido entre la descarga rápida de LH de mitad del ciclo hasta la menstruación es de cerca de 14 días en el 90 % de las mujeres) • Se produce una concentración plasmática de 3 mg/ml de progesterona, lo que es prueba fidedigna de ovulación en el momento máximo (8 a 9 días después de la ovulación) • Formación del cuerpo amarillo o lúteo a partir de los residuos foliculares después de la ovulación; síntesis de andrógenos, estrógenos y progesterona por el cuerpo amarillo • La progesterona estimula el crecimiento del endometrio con enrollamiento, aumento de tamaño y distribución en espiral de las arterias, en preparación para el implante del óvulo fecundado • Al ocurrir la fecundación se conserva el cuerpo amarillo, la producción de progesterona alcanza una meseta en los días 9 a 13 después de la ovulación, y la implantación ocurre 6 a 8 días después de ella • Secreción de gonadotropina coriónica humana por el blastocisto que se está implantando (conserva la esteroidogénesis del cuerpo amarillo hasta las semanas 6 a 10 de la gestación, momento en el cual se hace cargo la placenta)

Tabla 4 Ciclos ovárico y menstrual *(continuación)*		
Fase folicular o proliferativa (dominan los estrógenos)	*Ovulación (fase rápida de secreción de gonadotropina)*	*Fase lútea o secretoria, y menstruación (domina la progesterona)*
Fase proliferativa (uterina) • Estimulación de estrógenos, que produce: – Proliferación de endometrio y miometrio – Aumento de la vascularidad, vasodilatación y contracción rítmica de los vasos sanguíneos del útero – Aumento de la motilidad del útero no ocupado y preparación para el efecto de la progesterona después de la ovulación		• Sin fecundación, la LH conserva el cuerpo amarillo durante 14 días (± 2) – Inhibición de la secreción de LH por las altas concentraciones de progesterona – Disminución de la producción de estrógeno debido a degeneración inducida por la secreción de FSH • Degeneración, retracción cicatricial y desaparición final del cuerpo amarillo, que ocurre durante un período de tres meses • Incremento de las concentraciones de FSH, que se inicia el día 24, para estimular el desarrollo folicular temprano para el nuevo ciclo *Fase menstrual* • Menstruación con desprendimiento del endometrio

5. Consejo a las pacientes que deben adaptarse a cambios en sus formas ordinarias de expresión sexual.
6. Provisión de terapéutica intensiva para las pacientes con problemas complejos.
7. Consulta con otros profesionales apropiados.

OBJETIVOS DE ENFERMERÍA EN LA SALUD SEXUAL

• Obtener una historia sexual breve de los deseos, el patrón de actividades y las preocupaciones sexuales de la pareja.
• Obtener información objetiva sobre el embarazo actual y los antecedentes reproductivos de importancia.
• Establecer un diagnóstico de enfermería al valorar aspectos en los que serían de utilidad información, sugerencias específicas y apoyo.

• Basándose en la información obtenida, ofrecer sugerencias específicas y valorar su eficacia.

POSIBLES DIAGNÓSTICOS DE ENFERMERÍA RELACIONADOS CON LA SALUD SEXUAL DURANTE EL PERÍODO PRENATAL

• Alteración del bienestar, caracterizada por náuseas, vómitos, pirosis y riesgo de infección.
• Probable alteración de la libido (aumento o disminución), que se manifiesta por expresión verbal del problema, cambios en la actividad sexual y suposiciones sobre lo que se espera de una futura madre.
• Cambios estructurales y funcionales del cuerpo, relacionados con variación y alteración del interés en la propia persona y en los demás.

• Falta de conocimiento o información errónea en cuanto a cambios para alcanzar la satisfacción sexual, e incapacidad para lograr el placer deseado.

Asesoramiento sobre sexualidad para la pareja que espera un hijo

Al parecer, muchas parejas que esperan un hijo carecen de conocimientos sobre la actividad sexual durante el embarazo y el puerperio inmediato, y están deseosas de tratar el asunto. El personal de enfermería debe recordar que cada pareja es única, y que son muchos los factores que afectan a las relaciones sexuales durante el embarazo. Por tanto,

Asesoramiento sobre sexualidad para la pareja que espera un hijo. La foto muestra una postura aconsejable para mantener relaciones sexuales a partir del segundo trimestre.

entre las parejas variarán ampliamente los sentimientos y los deseos sexuales, la frecuencia del coito y el grado de placer sexual.

PROBLEMAS DE LA ACTIVIDAD SEXUAL DURANTE EL EMBARAZO

Primer trimestre

• Las náuseas y los vómitos que aparecen después de la sexta o séptima semana del embarazo pueden afectar al deseo sexual.
• La hipersensibilidad mamaria, que es común al principio del embarazo, puede volver especialmente dolorosa la estimulación de los pechos durante la excitación.
• La fatiga excesiva ocasionada por los cambios hormonales quizá limite, en algunos casos, el interés sexual.
• El miedo al aborto produce ansiedad, y puede hacer que las parejas eviten toda forma de expresión sexual, incluso las caricias. Cuando se ha perdido un embarazo previo o ha ocurrido hemorragia durante el embarazo actual, la actividad sexual puede considerarse como una amenaza para el feto, y en realidad podría serlo. Cuando ha pasado el peligro, hay que explicar a la pareja que puede reanudar la actividad sexual sin mayor riesgo.

Segundo trimestre

• Hacia el cuatro mes del embarazo, los tejidos que rodean el interior de la vagina «maduran» y se vuelven turgentes por aumento de la vascularidad y el volumen sanguíneo de la región. Los tejidos se conservan así durante todo el embarazo, y pueden hacer que la mujer se encuentre en un estado casi constante de excitación.
• Debido a la congestión de los órganos pélvicos causada por la presión del feto que crece, algunas mujeres sienten una constante necesidad de desahogo sexual. Algunas sentirán remordimiento por este aumento del deseo sexual; sin embargo, es necesario explicar a ambos compañeros que esta inquietud es normal.
• La fase de resolución requiere más tiempo y es menos completa, lo que incrementa la sensación de congestión.
• Conforme evoluciona el embarazo, el abdomen sigue aumentando de volumen, y para la

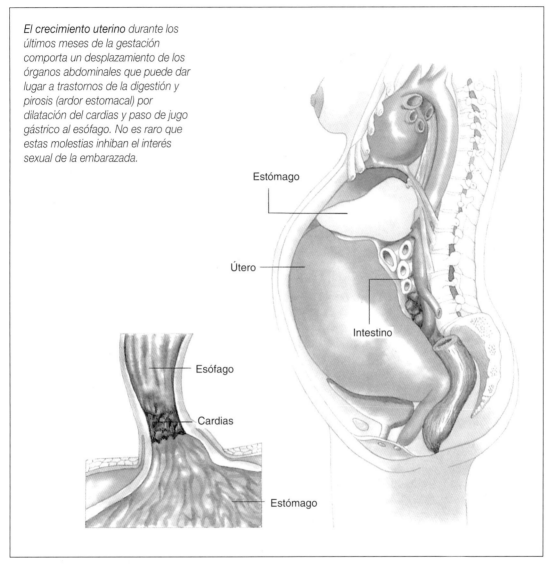

El crecimiento uterino durante los últimos meses de la gestación comporta un desplazamiento de los órganos abdominales que puede dar lugar a trastornos de la digestión y pirosis (ardor estomacal) por dilatación del cardias y paso de jugo gástrico al esófago. No es raro que estas molestias inhiban el interés sexual de la embarazada.

Estómago

Útero

Intestino

Esófago

Cardias

Estómago

embarazada se vuelve incómoda la posición «clásica» (el varón arriba). Quizá en este momento la pareja desee probar otras posiciones para prevenir la presión abdominal o la penetración profunda.

- La vaginitis, la presión sobre el abdomen o la acometida del pene contra el cuello uterino pueden hacer doloroso el coito (dispareunia).
- Quizá los movimientos fetales disminuyan el deseo sexual de la pareja.

Tercer trimestre

- La embarazada puede experimentar pirosis e indigestión y, posiblemente, hemorroides, fe-

nómenos todos que tienden a inhibir el interés sexual.
- Después del orgasmo, el útero puede experimentar una contracción sostenida que dura un minuto o más. Algunas mujeres perciben con placer este fenómeno; otras temen que ponga en peligro el producto del embarazo, lo cual, sin embargo, no se ha demostrado.
- Conforme progresa el embarazo, la mujer puede sentirse desgarbada o hermosa, y por tanto dirigirá en cualquiera de estos sentidos su interés sexual.
- Durante el tercer trimestre pueden volver la fatiga y los problemas concomitantes a causa de la falta de sueño y la tensión física.

Intervenciones de enfermería

INSTRUCCIONES PARA LA PACIENTE DURANTE LA ACTIVIDAD SEXUAL EN EL EMBARAZO

Primer trimestre

- Informar que la hipersensibilidad mamaria y otros cambios son temporales.
- Aconsejar que se disminuyan las caricias en las mamas si resultan molestas.
- Indicar que se use sujetador durante el acto sexual si las mamas están hipersensibles.
- Aconsejar que durante el coito se adopte una posición que prevenga la presión excesiva de las mamas.
- Indicar que se disminuya o evite la actividad sexual cuando haya fatiga.
- Si se han prohibido el orgasmo o el coito, aconsejar a la pareja que recurra a otros medios para expresar el amor, como el abrazo, el masaje u otras actividades compartidas.
- Aconsejar que no se efectúe el acto sexual con el estómago vacío.

Segundo trimestre

- El aumento de la lubricación puede producir preocupaciones por la higiene. Indicar a la mujer que lave los genitales con agua tibia y evite los jabones desodorantes y las duchas vaginales.
- Un masaje en la espalda después del orgasmo puede aliviar la incomodidad.
- Aconsejar que se intenten posiciones nuevas durante el coito.
- Explicar que es normal que aumente o disminuya el interés por el sexo.
- La masturbación y el orgasmo son aceptables en el embarazo no complicado.

Tercer trimestre

- Tal vez el acto sexual sea más cómodo en posición erecta, con la mujer en posición superior o de costado.
- Quizá se requiera sustituir el coito por otras actividades sexuales.
- Recuérdese al varón que la embarazada necesita más caricias y ternura.

- No se ha demostrado que la contracción tónica sostenida del útero dañe al feto.

INSTRUCCIONES PARA LA PACIENTE DURANTE LA ACTIVIDAD SEXUAL EN EL POSPARTO

- Después del parto, sea vaginal o por cesárea, se puede reanudar la actividad sexual en el término de tres o cuatro semanas.
- No se debe reanudar dicha actividad hasta que se haya detenido la hemorragia vaginal, para prevenir una posible infección en el sitio donde estuvo implantada la placenta.
- Debe verificarse que haya cicatrizado la episiotomía y el perineo, practicando una exploración digital de la vagina.
- La excitación sexual puede provocar derrames de leche por las mamas. En estos casos, será útil amamantar al niño antes del coito o emplear un sujetador con almohadillas absorbentes durante el acto sexual.
- Si se requiere lubricación adicional, puede usarse una crema anticonceptiva o un aceite vegetal natural.
- Conviene prolongar el escarceo amoroso (juego sexual) para fomentar la lubricación.
- Aconsejar a la mujer que mantenga una comunicación abierta con el compañero.
- Puede ser útil emplear formas distintas de expresión sexual (masturbación mutua, masajes, etcétera).
- Deben evitarse las duchas vaginales hasta que el médico lo autorice, para evitar que se modifique la flora bacteriana y ello favorezca la infección de los tejidos dañados durante el parto.
- Indicar que se inicien los ejercicios de Kegel justo después del parto. Conviene hacerlos cada vez que se orine, y con frecuencia durante el día, para fortalecer los músculos pubcoccígeos y apretar la abertura vaginal.
- Puede ser útil tomar baños de asiento tres veces al día para ayudar a que cicatrice la episiotomía.
- Debe examinarse el perineo con una buena luz y un espejo pocos días después del parto, y tres semanas después, para confirmar que está cicatrizando. Si se observa que la evolución no es normal, hay que comunicarlo de inmediato al médico. Los problemas se resuelven con mayor facilidad cuando se tratan oportunamente.

- Debe tenerse en cuenta que el cuerpo y su reacción al coito se irán normalizando progresivamente. Algunas mujeres consideran que jamás volverán a tener relaciones sexuales, y conviene atenuar su angustia.
- Indicar que se use un sujetador adecuado durante todo el día tan pronto como sea posible después del parto, para ayudar a disminuir la ingurgitación mamaria.
- Indíquese al compañero que no ejerza presión sobre las mamas hipersensibles, en especial durante la noche, cuando están plenas porque el bebé pasa más tiempo sin alimentarse.
- Explicar que deben establecerse las prioridades con realismo. Por ejemplo, hay que disponer las cosas de modo que el horario de atención al niño coincida con el de la madre.
- Recomendar que se haga una siesta como mínimo de 30 minutos al día, o recostarse durante ese tiempo.
- Si la mujer se encuentra deprimida, conviene que busque consuelo en amistades y familiares, pero teniendo en cuenta que si la depresión dura más de tres días quizá se requiera ayuda profesional.
- Una vez que se deja de amamantar al niño, el impulso sexual se normaliza.
- Aconsejar que durante el acto sexual de la pareja se coloque el lactante en otra habitación o detrás de un biombo. Conviene poner música para arrullar al niño durante el coito.

Fecundidad y esterilidad

El personal de enfermería desempeña una importantísima función para ayudar a las parejas con trastornos de la fecundidad. Las personas con este tipo de problemas requieren apoyo emocional, orientación y asistencia especializada, y el personal de enfermería contribuye en cada uno de estos aspectos críticos al ofrecer su asistencia capacitada y trabajar con la pareja infecunda y la unidad familiar.

OBJETIVOS DE ENFERMERÍA EN LA ASISTENCIA DE PROBLEMAS DE FECUNDIDAD

- Ayudar a la paciente y su compañero a comprender los factores que puedan estar causando el problema.

- Crear una atmósfera en la que la pareja pueda hablar de sus reacciones emocionales frente al problema, y emplear fuentes disponibles de información y apoyo emocional.
- Explicar claramente los procedimientos y modalidades de tratamiento, así como el pronóstico, para lograr el buen éxito terapéutico.
- Animar a la paciente a realizar sus actividades normales, con un mínimo de alteración de las relaciones familiares.

POSIBLES DIAGNÓSTICOS DE ENFERMERÍA RELACIONADOS CON PROBLEMAS DE FECUNDIDAD

- Afrontamiento individual ineficaz para afrontar la tensión que produce la esterilidad.
- Afrontamiento familiar comprometido ante la pérdida real o percibida de la función reproductiva.
- Trastorno de la autoestima ante la incapacidad de concebir.

La esterilidad es un problema que puede generar una auténtica obsesión en la mujer afectada y, por consiguiente, exige un máximo esfuerzo en el intento por determinar su causa y encontrar la oportuna solución.

- Disfunción sexual relacionada con la tensión que genera la esterilidad.

Fecundidad

Los patrones de fecundidad dependen de muchos factores. El personal de enfermería debe conocer los procesos fisiológicos subyacentes a la función reproductiva del varón y de la mujer y a la concepción, para así poder prestar una asistencia eficaz a quienes desean regular su fecundidad, ya sea para evitar el embarazo o bien para lograrlo.

- Tanto el varón como la mujer alcanzan la fecundidad máxima a los 24 años de edad.
- De las parejas jóvenes fecundas, el 25 % concebirán durante el primer mes de vida sexual activa sin protección.
- Cerca del 80 % de las parejas jóvenes fecundas concebirán al final del primer año de vida sexual activa sin protección.

- Entre el 10 % y el 15 % de las parejas no tienen hijos después de un año de tratar de lograr el embarazo.
- De las mujeres de 35 a 39 años, sólo alrededor del 50 % quedarán embarazadas, dada la mayor incidencia de trastornos de vías reproductivas y de la ovulación.

PROCESO NORMAL DE LA CONCEPCIÓN

Producción de espermatozoides

- Para que ocurra la concepción es necesario que se produzcan espermatozoides sanos y que éstos sean depositados en la vagina.
- La producción de espermatozoides depende de la hormona foliculoestimulante (FSH) y de la hormona luteinizante (LH). La hipófisis secreta y descarga estas hormonas gonadotrópicas, las cuales estimulan la producción de testosterona por parte de los testículos.

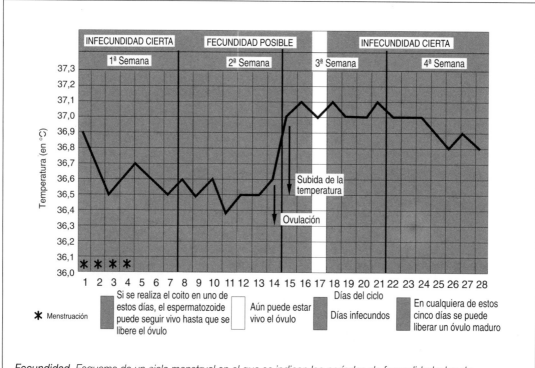

Fecundidad. *Esquema de un ciclo menstrual en el que se indican los períodos de fecundidad y los de infecundidad, y ejemplo de una gráfica de la temperatura basal a lo largo del ciclo donde puede verse el característico aumento térmico que se produce tras la ovulación.*

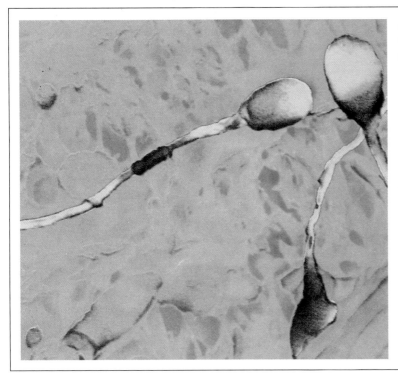

El proceso normal de la concepción requiere la producción y el depósito de una cantidad suficiente de espermatozoides sanos en la vagina, su desplazamiento a partir de este punto a través del útero hasta las trompas de Falopio, y la capacitación de estas células germinales, proceso indispensable mediante el cual se modifican las características de su superficie y se liberan las enzimas necesarias para penetrar en el óvulo. Cualquier alteración en alguno de los puntos citados puede ser causa de esterilidad.

Transporte

• Los espermatozoides depositados en la vagina deben desplazarse por el moco cervical, penetrar en el útero y atravesarlo, hasta alcanzar las trompas de Falopió.

Capacitación

• Se llama *capacitación* el proceso por el cual se modifican las características de la superficie de los espermatozoides y se liberan las enzimas que les permiten penetrar en el óvulo.

Ovulación

• Normalmente, en cada ciclo ovárico sólo está destinado a ovular un folículo ovárico, llamado folículo de Graaf. Cuando el óvulo se desprende del ovario y alcanza la trompa de Falopio, está listo para la fecundación.

Fecundación

• El óvulo se fecunda durante su paso por la trompa de Falopio, por lo general cerca del tercio más cercano al ovario.

• Cuando un espermatozoide penetra en el óvulo, la zona pelúcida impide la entrada de los demás.

Implantación

• La implantación ocurre cuando el óvulo fecundado, ya en estadio de blástula, se fija a la pared uterina y penetra hasta ponerse en contacto con la circulación materna.

Esterilidad

Se denomina *esterilidad* la incapacidad para concebir y mantener un embarazo viable después de dos años de relaciones sexuales regulares sin anticoncepción (como mínimo, después de 18 meses).

• Se llama *esterilidad primaria* la incapacidad para concebir y mantener un embarazo viable sin el antecedente de un parto de producto vivo.

• El concepto *esterilidad situacional* hace referencia a varones y mujeres que carecen de compañeros sexuales o los tienen del mismo sexo, por lo que resulta imposible la concepción.

CAUSAS DE ESTERILIDAD

Causas biológicas de esterilidad femenina (40%)

- Vaginales: anomalías, infecciones, disfunción sexual, pH vaginal muy ácido.
- Cervicales: ambiente hostil (estrógeno escaso o infección), insuficiencia del cuello uterino.
- Uterinas: anomalías, ambiente hostil que no permite la implantación ni la supervivencia del blastocisto.
- Tubáricas: adherencias, tejido cicatricial a causa de enfermedad inflamatoria pélvica, endometriosis.
- Ováricas: anovulación, ovulación irregular e infrecuente, disfunción secretoria, fase luteínica insuficiente.

Causas biológicas de esterilidad masculina (40%)

- Anomalías anatómicas o factores de tipo congénito.

- Producción o maduración insuficientes de los espermatozoides, que puede obedecer a distintos factores: varicocele, inflamación testicular, exposición al calor, enfermedades de transmisión sexual, exposición a radiaciones, estrés y ciertos fármacos.
- Motilidad insuficiente de los espermatozoides, por las mismas causas anteriores.
- Obstrucción al paso de los espermatozoides en las vías reproductivas del varón, producida por algunos de los factores indicados anteriormente.
- Incapacidad para depositar el semen: trastornos de la eyaculación.

Causas mixtas y factores interactuantes (20%)

- Incompatibilidad inmunitaria entre las secreciones genitales de ambos miembros de la pareja.
- Causas situacionales (falta de compañero; homosexualidad).
- Causas desconocidas (5%).

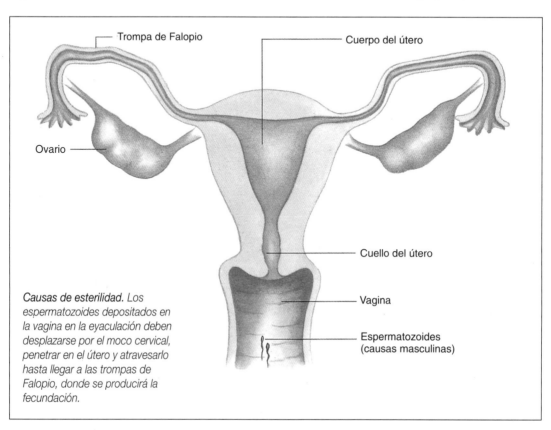

Causas de esterilidad. Los espermatozoides depositados en la vagina en la eyaculación deben desplazarse por el moco cervical, penetrar en el útero y atravesarlo hasta llegar a las trompas de Falopio, donde se producirá la fecundación.

VALORACIÓN

Antecedentes médicos, sociales y familiares

- Duración de la incapacidad para procrear.
- Diferenciación entre esterilidad primaria y secundaria.
- Frecuencia del coito.

Antecedentes femeninos

- Regularidad, duración y frecuencia de las menstruaciones.
- Signos y síntomas premenstruales.
- Antecedentes de flujo vaginal, cervicitis, infecciones pélvicas.
- Estado físico general.
- Enfermedades, alergias, ingestión de fármacos y otras sustancias químicas.
- Antecedentes familiares de importancia.
- Uso previo de anticonceptivos, incluyendo tipo, duración y complicaciones.

Antecedentes masculinos

- Antecedentes de parotiditis, orquitis, diabetes mellitus, criptorquidia.
- Exposición previa a rayos X o a sustancias tóxicas.
- Hábitos de ejercicio, exposición al calor.

Exploración física completa

- Exploración completa de la pareja.
- La exploración pélvica de la mujer tiene particular importancia.

PROCEDIMIENTOS DIAGNÓSTICOS EN LA INVESTIGACIÓN DE LA ESTERILIDAD

Factores masculinos: pruebas de evaluación de la producción de espermatozoides normales

Análisis del semen. El examen microscópico de una muestra de semen, para valorar la cantidad, forma y movilidad de los espermatozoides, se efectúa muy al principio de la investigación, puesto que la prueba brinda una información muy valiosa y puede hacer innecesarios procedimientos más molestos. Se efectúa después de 3 a 5 días de abstinencia sexual, para estudiar el semen con una máxima concentración de espermatozoides.
Datos clínicos favorables:
- Cantidad normal de semen eyaculado (3 a 5 ml: límites de 1 a 7 ml).
- El semen no se aglutina (la aglutinación sugiere un proceso infeccioso o inmunitario).
- Líquido seminal normal: el semen se licúa.
- La cuenta de espermatozoides indica más de 20 millones de células, con por lo menos un 50% de espermatozoides con motilidad dos horas después de la eyaculación y más del 60% de aspecto normal.

Factores femeninos: examen de la anatomía pélvica y del funcionamiento tubárico

Histerosalpingografía. Se instila material de contraste a través del cuello uterino hacia el interior del útero, con visualización fluoroscópica de la dirección que sigue la sustancia por las trompas de Falopio.
Datos clínicos favorables:
- Demostración de permeabilidad de las trompas de Falopio por la dispersión del colorante desde el cuello y la cavidad uterinos hasta la cavidad peritoneal.

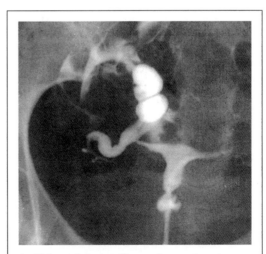

La histerosalpingografía permite examinar el interior de la cavidad uterina y estudiar la permeabilidad de las trompas de Falopio. Con este método pueden detectarse malformaciones anatómicas y obstrucciones de las trompas uterinas causantes de esterilidad.

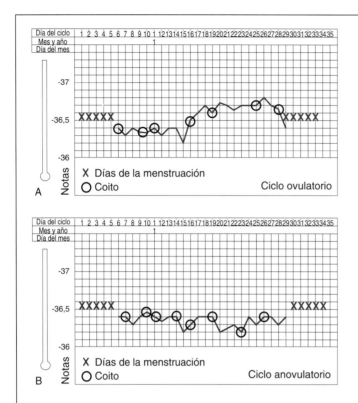

La medición de la temperatura corporal basal permite efectuar una valoración global de los cambios hormonales cíclicos y diferenciar los ciclos ovulatorios de los anovulatorios. En condiciones normales, hacia la mitad del ciclo menstrual se produce la ovulación y ello se acompaña de un incremento de la temperatura corporal basal, constituyéndose en la gráfica un patrón bifásico (A) caracterizado por temperaturas inferiores a 36,5 °C durante la primera mitad del ciclo y superiores a esta marca en la segunda mitad. Cuando no se produce la ovulación, la temperatura corporal basal se mantiene en valores que no superan los 36,5 °C durante todo el ciclo, constituyéndose en la gráfica un patrón monofásico (B) característico de los ciclos anovulatorios.

• No se observa ninguna anomalía en cavidad uterina y trompas de Falopio.

Laparoscopia. Observación directa de los órganos pélvicos por medio de un endoscopio que se inserta a través de una pequeña incisión abdominal.
Datos clínicos favorables:
• Órganos pélvicos normales, sin lesiones, signos de infección, adherencias o endometriosis.

Factores interactuantes femeninos: evidencias de ciclo normal y receptividad de los espermatozoides

Medición de la temperatura corporal basal. La medición de la temperatura oral todos los días antes de levantarse, durante varios ciclos menstruales, permite efectuar una valoración global de los cambios hormonales cíclicos.
Datos clínicos favorables:
• Patrón bifásico, con elevación sostenida de la temperatura 12 a 14 días antes de la menstruación.

Prueba poscoital. Se practica una exploración vaginal durante la época en que debería tener lugar la ovulación en el curso de las doce horas posteriores al coito, para averiguar si el moco cervical muestra los cambios ovulatorios normales y si los espermatozoides sobreviven y pueden desplazarse con normalidad en el medio vaginal.
Datos clínicos favorables:
• Características del moco que sugieren ovulación. Se encuentra el patrón microscópico en hoja de helecho (véase Procedimientos y pruebas médicas en obstetricia: moco cervical, prueba de arborización del). El moco es acuoso, resbaladizo y abundante. Se observa filantez del moco cervical, dato que indica ovulación.
• Se encuentran espermatozoides vivos y con movimiento en el moco cervical.

Determinación de la progesterona sérica. Se toma una muestra de sangre para indagar si la progesterona sérica alcanza su nivel máximo durante la parte media de la segunda mitad del ciclo menstrual (días 22 a 24).

Datos clínicos favorables:
- La progesterona sérica alcanza un nivel de 3 a 4 ng/ml al principio de la fase luteínica, y de 10 ng/ml a la mitad de esta fase.

Biopsia endometrial. Se obtiene tejido endometrial durante la exploración vaginal efectuada en la segunda mitad del ciclo menstrual (días 22 a 24), para valorar la presencia y suficiencia del tejido secretor. Dicho tejido existe si hay ovulación, y es máximo durante la fase media de la segunda mitad del ciclo menstrual (fase luteínica).

Datos clínicos favorables:
- Las biopsias efectuadas en momentos diferentes del ciclo menstrual ponen de manifiesto desarrollo del endometrio compatible con la fase del ciclo.

Pruebas de inmunovaloración. Se realizan pruebas inmunológicas efectuadas con semen y con sueros masculino y femenino.
Datos clínicos favorables:
- No hay reacción antígeno-anticuerpo.

TRATAMIENTO DE LA ESTERILIDAD

Una vez diagnosticada la causa de la esterilidad, podrá instituirse tratamiento para la paciente, su compañero o ambos miembros de la pareja.

Esterilidad femenina

- El tratamiento de los problemas vaginales consiste en erradicar la vaginitis, efectuar psicoterapia sexual para tratar disfunciones tales como vaginismo o, cuando sea posible, efectuar la corrección quirúrgica de anomalías estructurales o anatómicas.
- El tratamiento de los problemas cervicales consiste en identificar y tratar la cervicitis, mejorar el pH del moco cervical, su capacidad de arborización y su filantez, efectuar inseminación artificial para eludir las secreciones cervicales y vaginales, o efectuar la técnica de cerclaje para tratar la insuficiencia del cuello uterino.
- El tratamiento de los problemas uterinos incluye la resección quirúrgica de miomas uterinos (fibromiomas) y corregir el síndrome de Asherman (presencia de sinequias uterinas como consecuencia de legrado).
- El tratamiento de los problemas tubáricos consiste en tratar la endometriosis, corregir las constricciones tubáricas con microcirugía o efectuar fecundación *in vitro*.
- El tratamiento de los problemas ováricos suele requerir inducción de la ovulación con medicaciones.

Esterilidad masculina

La finalidad del tratamiento en caso de esterilidad masculina consiste en:
- Lograr que los espermatozoides sean suficientes y con motilidad y morfología normales.
- Propiciar que los espermatozoides lleguen hasta el óvulo y lo penetren para lograr la fecundación.
- Eliminar riesgos ambientales que causan disminución de la producción de espermatozoides (oligospermia).
- Corregir por medios quirúrgicos los casos de varicocele.
- En caso de escasez de espermatozoides en el semen, puede practicarse una inseminación artificial homóloga tras el tratamiento del esperma en el laboratorio para obtener una mayor concentración de gametos útiles; también puede recurrirse a la inseminación artificial cuando el varón tiene eyaculación retrógrada. Asimismo, puede recurrirse a la fecundación *in vitro* con microinyección espermática en el óvulo.

Causas interactuantes de esterilidad

Se intentan diversos tratamientos para corregir las causas interactuantes de esterilidad:

- Tratamiento de desensibilización con uso de preservativos durante seis meses si la mujer produce anticuerpos contra los espermatozoides de su compañero.
- Asesoramiento y orientación sexológica pertinentes para todas aquellas parejas que tienen problemas sexuales.
- Diversos tratamientos cuando no se descubre una causa específica de esterilidad, con la es-

Tratamiento de la esterilidad. Una de las posibles alternativas terapéuticas en casos de esterilidad de causa masculina es la inseminación artificial, método del cual existen dos variantes: inseminación homóloga (con semen del miembro de la pareja tras un tratamiento especial en laboratorio) e inseminación heteróloga (con semen de donante). Las muestras de esperma de donante pueden conservarse congeladas en un banco de semen durante períodos muy prolongados y en óptimas condiciones hasta el momento de su utilización. En la ilustración, algunas de las labores realizadas en un banco de semen.

peranza de que resulte apropiado uno de ellos.

• Dar apoyo emocional a la pareja que decide suspender la investigación de la esterilidad y considerar otras opciones. Ayudar a escoger la opción apropiada, como adopción, quedarse sin hijos, inseminación artificial heteróloga, fecundación *in vitro*, trasplante embrionario y maternidad subrogada.

INTERVENCIÓN DE ENFERMERÍA EN LA ATENCIÓN A LAS REACCIONES PSICOLÓGICAS ANTE LA ESTERILIDAD

El personal de enfermería debe ser conscientes de los efectos que tiene la esterilidad en la pareja que desea tener hijos. Su labor puede ayudar a disminuir el impacto emocional del problema y a comprender algunos de los sentimientos que afrontan estas parejas, como:

• Sentirse «sin ningún control», lo que incrementa las dificultades de la pareja para resolver sus sentimientos sobre la esterilidad.

• Creencias culturales, en el sentido de que hay que tener hijos y que no tenerlos es una lástima.

• Sentir que la persona estéril carece de valor o está recibiendo un castigo por su mala conducta.

• Profundos efectos negativos sobre la autoestima, la imagen propia, la sexualidad y las relaciones sexuales.

• Estrés por la cantidad de procedimientos necesarios para la investigación; necesidad de efectuar las relaciones sexuales por «programación»; ciclo repetido de esperanza seguida de desilusión.

• Es posible que la pareja con problemas de esterilidad presente la siguiente sucesión de reacciones:

1. Incredulidad y negación.
2. Ira.
3. Optimismo.
4. Desesperación.
5. Depresión.
6. Aceptación.

MATERNOINFANTIL 1
MATERNOINFANTIL 2

Planificación familiar

En este apartado se hablará de los métodos anticonceptivos más comunes en la actualidad, sus mecanismos de acción, eficacia y contraindicaciones. Se incluye también información sobre anticoncepción permanente y el aborto electivo o interrupción voluntaria del embarazo.

OBJETIVOS GLOBALES DE LA PLANIFICACIÓN FAMILIAR

- Evitar embarazos no deseados.
- Regular los intervalos entre embarazos.
- Decidir el número de hijos en la familia.
- Regular el tiempo en que ocurren los nacimientos en relación con las edades de los padres.
- Facilitar los nacimientos deseados para mujeres con problemas de fecundidad.
- Evitar el embarazo cuando agravaría una enfermedad peligrosa presente.
- Brindar a las portadoras de enfermedades genéticas la opción o posibilidad de evitar el embarazo.

La finalidad global de la planificación familiar consiste en mejorar la salud de la madre, sus hijos y la familia en general. En este sentido, las medidas preventivas de salud reconocidas son: espaciamiento de los partos, limitación del tamaño de la familia y programación de los nacimientos.

OBJETIVOS DE ENFERMERÍA EN LA PLANIFICACIÓN FAMILIAR

Además de los objetivos globales de la planificación familiar, los servicios de enfermería tienen finalidades propias en esta área:

- Ser sensible a las necesidades de control de la natalidad de la mujer o la pareja.
- Conservar la objetividad al hablar de los métodos de control de la natalidad, incluso cuando se trate de esterilización y aborto.
- Orientar a la mujer sobre todos los métodos de control de la natalidad.
- Ofrecer amplia información sobre el método elegido por la mujer.
- Permitir a la paciente tomar una decisión informada.
- Animar a la paciente a buscar ayuda cuando se le presenten dudas o problemas.
- Estar a disposición de la paciente cuando necesite consejo o ayuda.

POSIBLES DIAGNÓSTICOS DE ENFERMERÍA RELACIONADOS CON LA PLANIFICACIÓN FAMILIAR

- Alteraciones de la planificación familiar relacionadas con la falta de conocimientos sobre reproducción, incapacidad para emplear un método específico de control de la natalidad, creencia de que es difícil quedar embarazada (sobre todo en adolescentes), embarazo a pe-

Los métodos anticonceptivos disponibles en la actualidad son muy variados y diferentes, cada uno con sus ventajas y también con sus inconvenientes, por lo que es preciso brindar a cada mujer o pareja que lo solicite una explicación suficiente sobre todos los recursos existentes a fin de que pueda efectuar, de manera libre pero bien informada, la elección del que se crea más conveniente para satisfacer las necesidades específicas en cada caso particular.

sar de empleo correcto del método anticonceptivo, malestar con el método elegido.
• Incumplimiento relacionado con falta de información.

Métodos anticonceptivos

Aunque no existe un método anticonceptivo perfecto, todas las parejas en edad fértil y sexualmente activas deben emplear alguna forma de control de la natalidad si no desean que se produzca un embarazo en el futuro inmediato, puesto que, de lo contrario, lo más probable es que ello ocurra en el plazo de seis meses a un año.

TIPOS DE MÉTODOS CONTRACEPTIVOS

• Métodos hormonales.
• Dispositivo intrauterino (DIU).
• Métodos de barrera mecánica: diafragma, condón, compresa cervical, capuchón cervical.
• Métodos de barrera química: espermicidas (espumas, cremas, jaleas).
• Métodos naturales: abstinencia periódica.

• Esterilización quirúrgica femenina y/o masculina.
• Aborto en el embarazo no deseado.

RIESGOS DE LOS ANTICONCEPTIVOS

Los peligros de la anticoncepción adquieren significado sólo cuando se comparan con el riesgo alternativo de la fecundidad no controlada. Todos estos métodos plantean menores riesgos que el embarazo y el nacimiento. Una excepción es el empleo de la píldora por parte de mujeres fumadoras mayores de 35 años de edad.

VALORACIÓN

Antecedentes de la paciente

1. Antecedentes menstruales:
   • Patrón regular o irregular.
   • Cantidad de sangre perdida.
   • Malestar durante los períodos o entre ellos.
2. Antecedentes reproductivos:
   • Embarazos anteriores, abortos y complicaciones del embarazo y el parto.

Tabla 1 Resumen de métodos anticonceptivos

Método	Acción	Seguridad-eficacia	Efectos	Contraindicaciones
Anticonceptivos orales («la píldora») Píldora combinada: cada píldora contiene progestágenos y estrógenos; dosificación: una diaria durante 21 días; en los 7 días de descanso puede usarse un placebo; al comenzar el tratamiento, la primera píldora se toma al quinto día de iniciarse la regla	Inhibe la ovulación por supresión de las gonadotropinas hipofisarias Estimula la producción de moco cervical hostil a los espermato-zoides Modifica el transporte tubárico del huevo Altera el endometrio y dificulta la implantación	Eficacia del 100% si se usa correctamente Los fallos se deben a falta de regularidad en la toma Si la paciente olvida tomar una píldora, puede «compensarlo» tomando dos al día siguiente La probabilidad de embarazo se incrementa aunque sólo se olvide un día Buena aceptación; método fácil de usar	*Beneficiosos*: Alivio de la dismeno-rrea en el 60-90% de los casos Alivio de la tensión premenstrual Regulación del ciclo menstrual Mejoría del acné en el 80-90% de los casos Sensación de bienestar *Efectos secundarios menores* (suelen disminuir a partir del tercer ciclo): Aumento de peso Hipersensibilidad mamaria Cefalalgia Edema corneal Náuseas Metrorragia ocasional Hipertensión *Efectos secundarios mayores*: Trastornos tromboembólicos Disminución de la secreción láctea No altera la fertilidad	Hemorragia vaginal no filiada Cáncer pélvico o de mama Enfermedad hepática Enfermedad cardiovascular Enfermedad renal Enfermedad tiroidea Diabetes Mioma uterino Debe usarse con precaución en mujeres con antecedentes de: Epilepsia Esclerosis múltiple Porfiria Otoesclerosis Asma
Condón Funda de goma elástica y fina que cubre el pene; puede comprarse sin receta; no requiere supervisión médica	Impide que el semen entre en la vagina Evita la transmisión de enfermedades venéreas	Es más eficaz si la pareja utiliza un diafragma La eficacia disminuye si el condón se rompe o se desplaza durante el coito Porcentaje de fallos: 10-15% anual (10-15 parejas al año de cada 100 que lo usan)	Ninguno	Ninguna

Tabla 1 Resumen de métodos anticonceptivos *(continuación)*

Método	Acción	Seguridad-eficacia	Efectos	Contraindicaciones
Anticonceptivos químicos (jaleas, cremas, espumas, óvulos) Se introducen en la vagina mediante aplicadores o aerosoles	Contienen productos espermicidas Dificultan la entrada de semen en el cérvix	La eficacia es mayor si se combinan con diafragma o condón Pueden comprarse sin receta La eficacia depende de la buena distribución de la sustancia por la vagina	Ninguno	Ninguna
Diafragma Goma con un anillo metálico flexible; se inserta en la vagina cubriendo el cuello; existen varios tamaños (hay que seleccionarlo cuidadosamente); lo inserta la propia mujer con la superficie interna cubierta de espermicida; insertarlo al menos dos horas antes del coito y retirarlo al menos 6 horas después	Impide que el semen penetre en el útero	La eficacia depende de la correcta colocación Porcentaje de fallos: 10-38% cuando se utiliza solo; 2-10% si se emplea con espermicidas Debe controlarse si su tamaño es adecuado cada dos años, porque de lo contrario puede reducirse la eficacia	Ninguno	Ninguna
Métodos naturales (Ogino, térmicos) Abstinencia del coito durante el periodo fértil del ciclo menstrual	Abstinencia sexual durante el periodo fértil	Seguro Eficacia del 65 al 85% El periodo fértil es variable; el momento exacto de la ovulación no se conoce de antemano	Frustración Abstinencia de relaciones sexuales en el periodo fértil	Ciclos menstruales irregulares Contraindicación médica de embarazo

624

Tabla 1 Resumen de métodos anticonceptivos *(continuación)*

Método	Acción	Seguridad-eficacia	Efectos	Contraindicaciones
Métodos naturales *(cont.)* La ovulación se produce entre los días 12 y 16 a partir de la última regla; como los espermatozoides pueden sobrevivir hasta 48 horas, se amplía el periodo fértil a los días 11, 17 y 18 además de los ya citados		La eficacia aumenta si se calcula el periodo fértil, se determina la temperatura corporal basal y si existe una motivación fuerte para evitar el embarazo		
Dispositivo intrauterino (DIU) Pequeño elemento de plástico, nylon o acero que se introduce en el útero; la mayor parte está unida a un hilo de nylon que queda en la vagina; se inserta con técnica aséptica; al mes hay que hacer un reconocimiento y después el seguimiento se individualiza según la mujer	Desconocida Probablemente modifica el endometrio o el miometrio y evita la implantación Probablemente acelera la emigración tubárica del huevo	Fácil de poner; muy eficaz: un 97-99% Puede insertarse en cualquier momento del ciclo; la presencia de regla descarta la existencia de embarazo precoz Puede ponerse inmediatamente después del parto, pero la frecuencia de expulsión es mayor Puede llevarse puesto indefinidamente La eficacia depende de la seguridad de no haberlo expulsado; hay que enseñar a la mujer a comprobar la	Calambres uterinos Aumento del flujo menstrual Menstruación irregular Observación: Estos efectos suelen desaparecer en 2 o 3 meses *Problemas*: Infección: suele ser de poca importancia; aparece al poco tiempo de insertarlo Perforación uterina: depende del tipo de DIU; es más frecuente en las 6 primeras semanas del puerperio; suele aparecer en el momento de la inserción	Infección genital Tumor Mioma uterino Hemorragia vaginal no filiada

625

Tabla 1   Resumen de métodos anticonceptivos *(continuación)*

Método	Acción	Seguridad-eficacia	Efectos	Contraindicaciones
Dispositivo intrauterino *(cont.)*		presencia del hilo después de cada regla Puede producirse expulsión espontánea durante la menstruación (porcentaje de expulsión: un 10-20%) Porcentaje de fallos (embarazos): un 1,5-3% en el primer año de uso; después disminuye No altera la fecundidad		

- Empleo previo de anticoncepción, incluyendo método, duración, satisfacción, efectos secundarios y motivos de su interrupción.
3. Antecedentes quirúrgicos ginecológicos.
4. Antecedentes sexuales:
   - Registro de las enfermedades transmitidas por vía sexual, infecciones vaginales o pélvicas, antecedentes coitales y actitud hacia el sexo.
   - Frecuencia del coito, número de compañeros sexuales.
   - Higiene personal.
   - Actitud de la mujer con respecto a la exploración de su propio cuerpo y hablar de su sexualidad.
5. Antecedentes de salud:
   - Enfermedades, trastornos, alergias.
6. Antecedentes familiares.
7. Antecedentes sociales:
   - Actividades diarias, patrones para afrontar los problemas, vida familiar.
   - Aspiraciones para el futuro.
   - Confiabilidad y sensatez.

8. Antecedentes dietéticos.
9. Revisión de sistemas.

Exploración física

- Identificar situaciones que contraindicarían el empleo de algún anticonceptivo en particular.
- Datos de referencia para revalorización ulterior: presión arterial; peso y estatura; examen ocular y de cabeza y cuello; exploración mamaria, pélvica y de extremidades.
- Exploración con espéculo.
- Exploración bimanual.

Datos de laboratorio

Los estudios básicos de laboratorio deben incluir análisis general de orina, analítica sanguínea y hemograma completo, frotis de Papanicolau, cultivo para diagnóstico de gonorrea, VDRL, prueba del embarazo y examen en fresco cuando se sospecha infección vaginal. Pueden ordenarse también pruebas de coagulación cuando se considere apropiado.

Anticonceptivos orales

Los anticonceptivos hormonales más utilizados son los anovulatorios de administración oral, denominados popularmente «píldora» y de los cuales existen diversas variedades. Las píldoras anticonceptivas combinadas contienen estrógenos y progestágenos en diversas proporciones, lo que brinda la posibilidad de seleccionar entre distintas variedades (anticonceptivos orales combinados monofásicos, bifásicos y trifásicos). Su mecanismo de acción consiste en alterar la secreción hipofisaria de las hormonas gonadotróficas que regulan el ciclo ovárico, de tal modo que se suprime la ovulación. Además de sus efectos anovulatorios, entre otras acciones, los estrógenos interfieren la motilidad de las trompas de Falopio y el eventual transporte del óvulo, mientras que los progestágenos modifican las características del moco cervical, así como la eventual capacitación y el transporte e implantación del óvulo en el endometrio.

BENEFICIOS COLATERALES DE LOS ANTICONCEPTIVOS ORALES

Véase el cuadro adjunto.

FACTORES QUE DEBEN CONSIDERARSE EN LA SELECCIÓN DEL ANTICONCEPTIVO ORAL

Edad

- Las mujeres menores de 30 años de edad, sin contraindicaciones, son aptas para el empleo de la píldora.

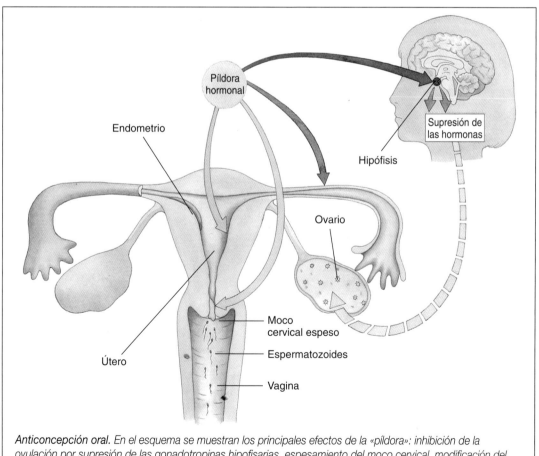

Anticoncepción oral. En el esquema se muestran los principales efectos de la «píldora»: inhibición de la ovulación por supresión de las gonadotropinas hipofisarias, espesamiento del moco cervical, modificación del transporte tubárico y alteración de la mucosa uterina para dificultar una eventual implantación.

Tabla 2 Beneficios de los anticonceptivos orales para la salud general

Beneficios	Razón
• Disminuyen la frecuencia de la anemia ferropriva: un 50% menor que en las no usuarias • Reducen el flujo menstrual: Disminuyen la menorragia Disminuyen el sangrado intermenstrual • Disminuyen los casos de enfermedad inflamatoria pélvica	• Disminución de la proliferación endometrial durante cada ciclo menstrual, lo que da por resultado el aumento de las reservas de hierro • Disminución del sangrado menstrual que actúa como medio de cultivo • Menor dilatación del conducto cervical durante la menstruación • Moco cervical hostil, que impide que entren agentes patógenos en el útero • Contracciones uterinas más débiles, lo que disminuye la diseminación de la infección
• Reducen la incidencia de mastopatía benigna: Al durar mayor tiempo la administración Cuando se incrementan las dosis de progestágenos y las de estrógenos siguen siendo iguales • Disminuyen la incidencia de quistes ováricos benignos • Protegen contra embarazo ectópico	• El componente de progestágeno brinda proteción; se desconoce el mecanismo • Supresión de la actividad ovárica cíclica • Disminución de la incidencia de enfermedad inflamatoria pélvica, que produciría bloqueo de las trompas de Falopio • Prevención de la ovulación
• Disminuyen la incidencia de artritis reumatoide • Disminuyen el riesgo de cáncer endometrial Además, el empleo de anticonceptivos orales: • Reduce los cólicos menstruales • Disminuye la duración del periodo menstrual • Regula los periodos menstruales • Elimina el dolor intermenstrual • Disminuye el temor al embarazo • Puede ser útil para tratar el acné, los quistes ováricos y la endometriosis • Puede incrementar el placer sexual • Disminuye la tensión premenstrual	• Se desconoce la causa • Desprendimiento regular del endometrio a causa del progestágeno contenido en los anticonceptivos orales de formulación combinada

• Las pacientes mayores de 35 años, que fuman, no deben usar anticonceptivos orales, independientemente de su estado de salud.

Tipo de píldora

• Deben emplearse inicialmente píldoras que contengan 35 mg o menos de estrógeno.

• Se puede cambiar el tipo de píldora si aparecen efectos secundarios menores.

Motivación

• La píldora es una buena opción para mujeres sanas que desean obtener la anticoncepción más eficaz.

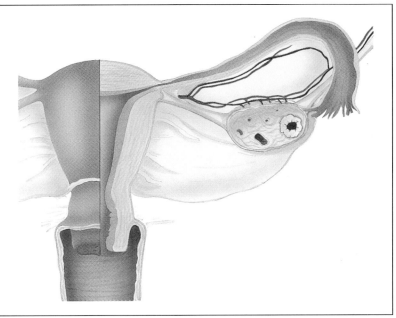

Órganos reproductores femeninos internos. En la ilustración se muestra una sección frontal de los genitales femeninos internos donde puede apreciarse la luz de la vagina, la cavidad uterina, la luz de una trompa de Falopio y el corte de un ovario con los folículos en maduración y el cuerpo amarillo. En el corte de la pared del útero se pueden distinguir las tres capas que la componen: la mucosa interna (endometrio), el músculo (miometrio) y la cubierta externa (perimetrio).

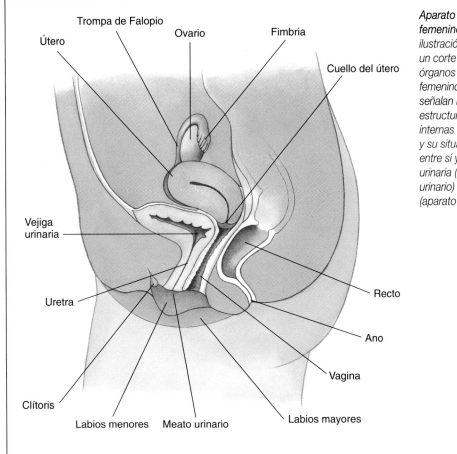

Útero

Trompa de Falopio

Ovario

Fimbria

Cuello del útero

Vejiga urinaria

Uretra

Recto

Ano

Vagina

Clítoris

Labios menores

Meato urinario

Labios mayores

Aparato reproductor femenino. En la ilustración se muestra un corte sagital de los órganos sexuales femeninos, donde se señalan las principales estructuras tanto internas como externas y su situación relativa entre sí y con la vejiga urinaria (aparato urinario) y con el recto (aparato digestivo).

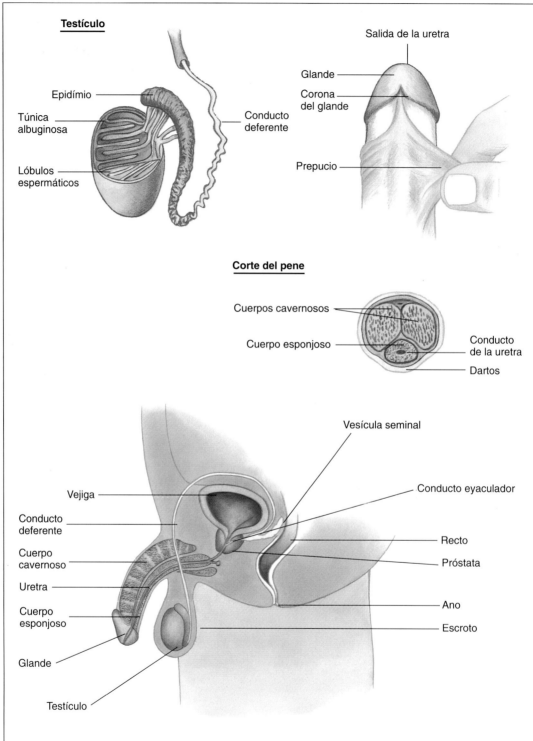

Aparato reproductor masculino. En la parte superior, sección sagital que muestra los órganos genitales masculinos y detalle de un corte transversal del pene. Abajo, detalle del pene con el prepucio retraído y corte de testículo para mostrar los lóbulos donde se producen los espermatozoides.

- Las mujeres con contraindicaciones relativas o posibles que insisten en usar la píldora deben consultar al médico.
- La paciente debe recordar que es indispensable tomar la píldora todos los días.
- Las creencias culturales o religiosas pueden producir ambivalencia sobre el empleo de la píldora.
- Quizá las mujeres que prefieren la actividad sexual espontánea estén más interesadas en la píldora que en los otros métodos de anticoncepción.

EFECTOS SECUNDARIOS DE LOS ANTICONCEPTIVOS ORALES A CAUSA DEL DESEQUILIBRIO HORMONAL

Véase la tabla 2.

CONTRAINDICACIONES DE LOS ANTICONCEPTIVOS ORALES

Las siguientes circunstancias son contraindicaciones para el empleo de anticonceptivos hormonales y en especial para las píldoras anticonceptivas de formulación combinada, ya que algunas de ellas (marcadas con *) *quizá no lo sean* para las que sólo contienen progestágenos, o en todo caso serán de *menor importancia*.

Contraindicaciones absolutas

- Tromboflebitis, trastornos tromboembólicos, enfermedad vascular cerebral, enfermedad coronaria; antecedentes de estos trastornos o alteraciones que predisponen a sufrirlos.
- Alteraciones notables de la función hepática.
- Diagnóstico o sospecha de carcinoma de mama.
- Diagnóstico o sospecha de una neoplasia dependiente de estrógenos, en especial carcinoma endometrial.
- Hemorragia genital anormal sin causa diagnosticada.
- Diagnóstico o sospecha de embarazo.
- Ictericia obstructiva del embarazo (aunque no todas las pacientes con este antecedente desarrollarán ictericia con el uso de la píldora).
- Hiperlipidemia congénita.
- Obesidad en fumadoras mayores de 35 años de edad.

Contraindicaciones relativas

Estas contraindicaciones requieren juicio clínico y consentimiento informado:
- Migrañas.
- Hipertensión con presión diastólica en reposo de 90 mm Hg o mayor, o presión sistólica en reposo de 140 mm Hg o mayor en tres o más ocasiones, o medición precisa de la presión diastólica de 110 mm Hg o más en una sola ocasión.
- Liomioma uterino (este trastorno no parece ser un problema con las nuevas preparaciones de dosis bajas).
- Operaciones planeadas: debe suspenderse la toma, de ser posible, un mes antes de la operación, para evitar un mayor riesgo de trombosis postoperatoria.
- Epilepsia (la píldora puede incrementar la frecuencia de convulsiones).

Las contraindicaciones de los anticonceptivos orales son diversas, pero una de las circunstancias que más desaconsejan este método es el tabaquismo intenso (15 cigarrillos o más al día) en mujeres mayores de 30-35.

Tabla 3 Efectos secundarios de la anticoncepción oral a causa de desequilibrio hormonal

	Exceso de estrógenos	Deficiencia de estrógenos	Exceso de progestágenos	Deficiencia de progestágenos	Exceso de andrógenos
Cambios cutáneos	Cloasma Hiperpigmentación Telangiectasias	Insignificante	Cuero cabelludo grasoso Acné Pérdida de pelo	Insignificante	Acné Piel grasosa Hirsutismo Prurito
Cambios en tubo digestivo	Náuseas	Insignificante	Aumento del apetito Disminución a la intolerancia de los carbohidratos	Insignificante	Aumento del apetito
Cambios ponderales	Aumento ponderal cíclico Aumento de la descomposición de grasas Edema	Insignificante	Aumento ponderal no cíclico	Pérdida ponderal	Aumento ponderal
Cambios vasculares	Cefalalgia Edema Calambres en las piernas	Bochornos	Cefalalgia entre los ciclos de píldoras Dilatación de venas de las piernas Congestión pélvica	Insignificante	Insignificante
Efectos psicológicos	Irritabilidad	Irritabilidad Nerviosismo Depresión	Depresión Fatiga Cambios de la libido	Insignificante	Insignificante

Tabla 3 Efectos secundarios de la anticoncepción oral a causa de desequilibrio hormonal *(continuación)*

	Exceso de estrógenos	Deficiencia de estrógenos	Exceso de progestágenos	Deficiencia de progestágenos	Exceso de andrógenos
Cambios del aparato reproductor					

Menstruación
  Cólicos uterinos
  Menstruación intensa y frecuente
	Manchas al principio y a la mitad del ciclo
	Disminución del flujo menstrual
	No hay hemorragia por supresión
		Periodo menstrual más breve	Hemorragia por supresión tardía y manchas de sangre en la ropa interior
			Menstruación intensa con coágulos
			Retraso del inicio de la menstruación
			Dismenorrea
				Insignificante

Útero
  Crecimiento de liomiomas (fibroides)
  Ectopia cervical
  Leucorrea
	Relajación pélvica
	Prolapso uterino
		Insignificante	Insignificante	Insignificante

Vagina Insignificante	Sequedad de mucosa Vaginitis atrófica Dispareunia	Infección por *Candida*	Insignificante	Insignificante

Mamas
  Supresión de la lactación
  Cambios quísticos
  Crecimiento (de los conductos y del tejido), retención de líquido
	Disminución del tamaño	Crecimiento (tejido alveolar)
		Hipersensibilidad
			Insignificante	Insignificante

- Enfermedad de células falciformes o drepanocitemia tipo C (pero no rasgo de drepanocitemia).
- Tabaquismo en mujeres mayores de 35 años.
- Hemorragia vaginal anormal sin causa diagnosticada.
- Diabetes mellitus.
- Inmovilización de miembros inferiores o lesiones importantes en pierna por debajo de la rodilla.

- Edad: 45 años o más; o bien, 40 años o más si hay un segundo factor de riesgo para el desarrollo de enfermedad cardiovascular.*
- Tabaquismo intenso (15 o más cigarrillos al día) en mujeres de 30 años de edad o mayores.*
- Alteraciones del funcionamiento hepático durante el último año.

Posibles contraindicaciones

- Terminación del embarazo durante los últimos 14-15 días.*
- Aumento ponderal de 4,5 kg o más mientras la paciente estaba tomando la píldora.*
- Ciclos menstruales irregulares.
- Perfil sugerente de problemas de ovulación y esterilidad: menarquía tardía o menstruación indolora muy irregular.
- Alteraciones cardiacas o renales (o antecedentes).*
- Trastornos que dificulten a la paciente seguir las instrucciones sobre la ingestión de la píldora (retraso mental, problemas psiquiátricos mayores, alcoholismo o abuso de otros fármacos, antecedentes de poca fiabilidad en regímenes orales).
- Alteración de vesícula biliar o colecistectomía reciente.
- Lactancia.*

Situaciones que requieren observación cuidadosa

Se puede iniciar la administración de la píldora, bajo observación cuidadosa, en las pacientes que tienen los siguientes problemas:

- Depresión.*
- Hipertensión con presión diastólica en reposo de 90 a 99 mm Hg en una sola ocasión.*
- Cloasma o pérdida de pelo relacionada con el embarazo (o antecedentes).*
- Asma.*
- Epilepsia.*
- Liomiomas uterinos.*
- Acné.
- Venas varicosas.*
- Antecedentes de hepatitis, suponiendo que las pruebas del funcionamiento hepático hayan sido normales durante un año por lo menos.

EFECTOS DE LOS ANTICONCEPTIVOS ORALES EN CUANTO A LAS NECESIDADES NUTRICIONALES

Véase la tabla 4.

SEÑALES DE PELIGRO PARA LAS MUJERES QUE TOMAN LA PÍLDORA

Toda usuaria de anticonceptivos orales que experimente alguno de los siguientes síntomas debe ponerse de inmediato en contacto con su médico o clínica:

- Dolor abdominal intenso, que puede indicar colecistitis, formación de un coágulo, adenoma hepático o pancreatitis.
- Dolor intenso en el tórax o taquipnea, que puede indicar embolia pulmonar o infarto de miocardio.
- Cefalalgia intensa, que puede ser signo de accidente vascular cerebral, hipertensión o migraña.
- Problemas visuales, como visión borrosa y fosfenos o ceguera, que pueden señalar accidente vascular cerebral, hipertensión u otros problemas vasculares.
- Dolor intenso en pantorrilla o muslo, que puede indicar la formación de un coágulo en una vena de la pierna.

INSTRUCCIONES PARA LA PACIENTE EN EL EMPLEO DE ANTICONCEPTIVOS ORALES

La mayor parte de los anticonceptivos orales actuales se administran diariamente en ciclos de veintiún días, suspendiendo la toma durante una semana para que se produzca una pérdida hemorrágica por privación hormonal (simulación de una menstruación normal). La fórmula de administración de cada preparado es específica y consta en el prospecto del producto, que siempre debe consultarse, aunque existen algunas normas generales que se detallan a continuación.

- Iniciar el uso del primer envase de píldoras de una de las siguientes tres formas:
  — Tomar la primera píldora del envase el primer día del sangrado menstrual (primer día del ciclo).
  — Empezar el primer envase el domingo siguiente al inicio del período, se esté sangrando o no. Este método garantiza que no se producirán pérdidas por privación (hemorragias menstruales) durante los fines de semana.

Tabla 4 Efectos de los anticonceptivos orales en cuanto a las necesidades nutricionales

Nutrimente	Necesidades	Efectos del anticonceptivo	Fuentes dietéticas
Vitamina B$_6$	Mayores	Mayor metabolismo del aminoácido triptófano; se requiere vitamina B$_6$ como cofactor para las diversas reacciones enzimáticas de la vía metabólica del triptófano	Hígado, carnes, col, plátanos, huevos, maíz, trigo entero, pescado, avena, bróculi (brécol), coles de Bruselas, camote
Vitamina B$_{12}$	Mayores	Posible aumento de la afinidad tisular por la vitamina B$_{12}$, con la resultante reducción de su concentración sérica	Alimentos proteínicos animales como carnes de res, de cerdo, de cordero, hígado, riñón, atún, salmón, queso, huevos, leche, yogur, pollo
Riboflavina (vitamina B$_2$)	Mayores	Posible inhibición del metabolismo de la riboflavina	Leche, queso, huevos, carnes, verduras, lechuga, chícharos, trigo entero, avena, arroz
Acido fólico (folato)	Mayores	Posible incremento de la depuración plasmática y excreción urinaria de folato	Verduras, lechuga, huevos, frijoles (judías), coliflor, hígado, carnes, huevos, semillas
Vitamina C (ácido ascórbico)	Mayores	Posible incremento de la destrucción de vitamina C	Naranja, toronja, tomates, col cruda, verduras, fresas, pimiento dulce
Cinc	Mayores	Menores concentraciones circulantes de cinc	Germen de trigo, carne de res, de cerdo, hígado, riñón, queso amarillo, mantequilla de cacahuete, semillas
Hierro	Mayores	Aumento de las concentraciones séricas de hierro y de la capacidad de fijación de este elemento, y disminución de la pérdida menstrual de sangre	
Cobre	Mayores	Mayores concentraciones séricas de cobre y de ceruloplasmina, sin cambios en la excreción urinaria de este metal	

Adaptado por Kerwin D: *Effect of oral contraceptive agents on nutrient needs*. En: Hinton, S.N., Derwin, D.R. (dirs): *Maternal infant & child nutrition*, Chappel Hill, Health Sciences Consortium.

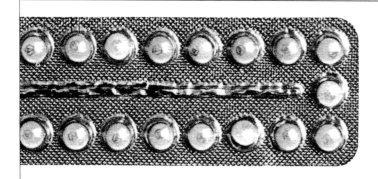

Los anticonceptivos orales suelen dispensarse en envases que facilitan su administración, pero siempre deben darse a la paciente las instrucciones precisas para el uso de cada preparado, así como aconsejarse el máximo respeto de las normas que constan en el prospecto.

—Iniciar el primer envase el quinto día del período menstrual.

• Emplear un método anticonceptivo de refuerzo (espermicidas, condones o diafragma) cada vez que se tenga actividad sexual durante el primer mes de ingestión de la píldora.

• Tomar la píldora aproximadamente a la misma hora cada día, para conservar uniforme la concentración sérica de hormonas. Relacionar la ingestión del comprimido con alguna actividad rutinaria, como cepillarse los dientes o prepararse para meterse en la cama.

• Si en alguna ocasión se omite la administración de una píldora, hay que tomarla tan pronto como se descubra el olvido si no ha pasado ya demasiado tiempo.
　—Si no han pasado más de doce horas de la hora de administración habitual, el método no pierde eficacia.
　—Si han pasado más de doce horas, continuar con la siguiente píldora a la hora habitual, teniendo en cuenta que la eficacia del método puede reducirse, lo que aconseja reforzarlo con otros procedimientos complementarios durante el resto del ciclo.

• Si pasa un día sin tomar la píldora, consultar en el prospecto del producto la conducta a adoptar. Por lo general se continúa con la siguiente, y se aconseja emplear un método de refuerzo hasta que se haya terminado el envase.

• Si se omiten dos o tres tomas seguidas, es posible que se produzca ovulación y embarazo.
　—En algunos casos en que se olvidan dos tomas puede seguirse la pauta, aunque *es necesario* emplear un método de refuerzo hasta que se haya terminado el envase.

—Si se omiten tres tomas consecutivas, debe iniciar de inmediato un segundo método anticonceptivo y desechar las píldoras que hayan quedado en el envase. Iniciar un nuevo envase el domingo que siga a la omisión de tres o más píldoras, aunque se esté sangrando, y continuar con el método de refuerzo hasta que hayan pasado dos semanas con el nuevo envase. Si a menudo ocurren omisiones, en especial durante varios días, será mejor pensar en otro método de control de la natalidad.

• Cuando se han estado tomando correctamente las píldoras y no se presenta un período menstrual, es poco probable que haya embarazo, por lo que puede iniciarse un nuevo envase en el momento indicado. En ocasiones falta algún período menstrual cuando se toman anticonceptivos, aunque en caso de duda debe consultarse al médico.

• Si se ha omitido la toma de una o más píldoras y no se inicia el ciclo menstrual, debe suspenderse la ingestión. Conviene empezar otro método de control natal y efectuar una prueba de embarazo.

• Si ya han faltado dos períodos después de ingerir los anticonceptivos correctamente, se deberá efectuar una prueba de embarazo.

• Si ocurre el embarazo mientras se está tomando la píldora, habrá un pequeño riesgo de que el lactante sufra trastornos congénitos, según sea el producto empleado. Algunos médicos recomendarán el aborto, aunque muchos otros no.

• La administración de la píldora puede producir inicialmente efectos secundarios menores, como náuseas, cefalalgia, hemorragia por supresión, hipersensibilidad mamaria o flatulencia. Estos síntomas son resultado de las hormonas contenidas en la píldora y suelen desaparecer en uno a tres meses. Si persisten, quizá se requiera cambiar de anticonceptivo.

- Si se presenta una enfermedad que curse con vómitos y diarrea durante varios días, debe recurrirse a un método de refuerzo hasta el siguiente período menstrual.
- Si ocurre una hemorragia leve durante dos o más ciclos, es conveniente cambiar de preparación. Se debe consultar al médico.
- Si se desea el embarazo, es necesario suspender la ingestión del anticonceptivo. Lo mejor será dejar pasar varios meses en los que ocurran ciclos menstruales espontáneos antes de embarazarse, lo cual garantiza el restablecimiento de la menstruación normal antes de que empiece el embarazo. Por tanto, es conveniente usar un método distinto de control de la natalidad durante los tres meses siguientes a la interrupción de la anticoncepción oral.
- Nunca debe pedirse píldoras a otra persona ni compartir las propias. Las mujeres que no se han sometido a exploración ni han recibido instrucciones sobre el uso de anticonceptivos orales y los signos de peligro pueden tener contraindicaciones para la ingestión de éstos, de las que no está enterada la persona que los comparte.   \
- Si se ingresa en el hospital o consulta al médico por cualquier motivo, debe informarse al personal que se está tomado anticonceptivos.
- Muchos médicos recomiendan a las mujeres que toman la píldora «descansar» por un tiempo de este tipo de tratamiento. Esta práctica da por resultado muchos embarazos no deseados, y no se ha demostrado que disminuyan los efectos secundarios o las complicaciones.
- Si se fuma más de 15 cigarrillos al día, deben conocerse las señales de peligro que se presentan con la combinación de tabaquismo e ingestión de comprimidos.
- El uso concurrente de otras medicaciones puede reducir la eficacia del comprimido o de aquéllas. Entre estos fármacos constan los siguientes: anticonvulsivantes, fenobarbital, rifampicina, antibióticos, antiácidos, sedantes, hipnóticos, fenotiacinas, tranquilizantes, insulina e hipoglucemiantes orales, corticosteroides y antihistamínicos.
- Si la vaginitis por *Candida* es un problema crónico, un anticonceptivo oral con alto contenido de progestágenos puede incrementar su incidencia.

«Minipíldora»

Este tipo de anticonceptivos contienen sólo progestágenos que se administran de manera continuada a bajas dosis. Se han ideado para las mujeres que experimentan intensos efectos secundarios relacionados con los estrógenos y para las que los mismos están contraindicados. No actúan por inhibición de la ovulación sino por otros mecanismos, en especial modificando las características del moco cervical y dificultando el ascenso de los espermatozoides. La tasa de fallos en mujeres que toman la «minipíldora» es dos a tres veces mayor que la de aquellas que siguen un régimen con anticonceptivos orales combinados.

VENTAJAS

- La pueden tomar mujeres que con la píldora de formulación combinada han desarrollado efectos secundarios atribuibles a los estrógenos, como cloasma, hipersensibilidad mamaria, náuseas y vómitos.
- Este tipo de comprimido es más seguro en mujeres con contraindicaciones para los estrógenos, como las que padecen obesidad, hipertensión o trastornos endocrinos, o las que tienen antecedentes de tromboembolismo o hepatopatía.
- Pueden consumirla mujeres del grupo de 35 a 40 años de edad que desean la anticoncepción oral.
- Mitiga los síntomas de dismenorrea.
- Pueden tomarla mujeres que amamantan. (No se reduce la cantidad de leche producida, como sucede con los estrógenos, pero se desconoce el efecto de los progestágenos sobre la leche.)
- Se toma todos los días, por lo que es difícil que se olvide su administración.
- Puede reducir el riesgo de infección pélvica.

DESVENTAJAS

- Es menos eficaz que los anticonceptivos orales combinados.
- Produce efectos secundarios (primordialmente alteración del patrón de sangrado menstrual, como hemorragias por supresión, menstruación irregular e intensa, y amenorrea).
- Requiere el empleo de un método de refuerzo durante los tres primeros meses.
- Se asocia con una mayor incidencia de vaginitis por monilias o por *Candida*.

CONTRAINDICACIONES

- Todas las contraindicaciones absolutas para los anticonceptivos orales combinados.
- Hemorragia genital anormal sin causa diagnosticada.
- Menstruación irregular.
- Antecedentes de embarazo ectópico.
- Antecedentes de cáncer del aparato reproductor.

INSTRUCCIONES PARA LA PACIENTE SOBRE EL USO DE LA «MINIPÍLDORA»

- Empezar a tomar la píldora el primer día del siguiente período menstrual.
- Tomar un comprimido diario sin interrupción; no dejar pasar un solo día ni dejar de ingerirlo para «descansar».
- Tomar la píldora a la misma hora todos los días, para conservar una concentración hormonal uniforme.

- Emplear un segundo método de control de la natalidad como mínimo durante los tres primeros meses de ingestión de la píldora y durante la parte intermedia del siguiente ciclo.
- Si se omite la ingestión de una minipíldora, tomarla tan pronto como perciba la falta e ingerir la siguiente a la hora usual. Usar un método de refuerzo hasta el siguiente período.
- Si se olvida ingerir dos comprimidos, tomarlos juntos con los correspondientes a los siguientes dos días, con lo que quedará nivelada la dosis. Sin embargo, usar un método de refuerzo hasta el siguiente período.
- Si no se presenta una hemorragia menstrual durante 45 días, a pesar de haber ingerido todos los comprimidos, conviene hacer una prueba de embarazo.
- La duración de los ciclos menstruales puede variar, lo mismo que la intensidad de la hemorragia menstrual; pueden aparecer manchas de sangre en la ropa interior; por último, quizá falten períodos menstruales (sin embarazo).
- Si sobreviene dolor abdominal intenso mientras se está ingiriendo el anticonceptivo, hay que consultar de inmediato al médico. Las usuarias de la minipíldora tienen mayor riesgo de embarazo ectópico si ocurre fecundación.
- No olvidar efectuar cada mes el autoexamen de la mama.
- Es necesario volver a consulta de vigilancia después de terminar el tercer envase. En ese momento, la paciente recibirá prescripción por un año y bastará con que acuda a revisiones anuales. Debe solicitar asistencia de inmediato si experimenta alguna de las señales

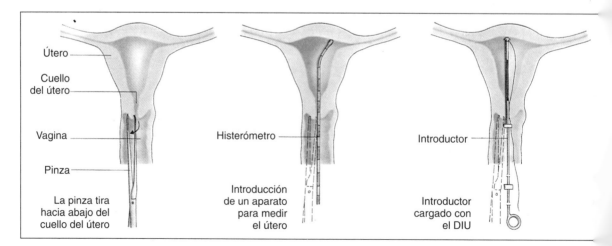

Útero

Cuello del útero

Vagina

Pinza

La pinza tira hacia abajo del cuello del útero

Histerómetro

Introducción de un aparato para medir el útero

Introductor

Introductor cargado con el DIU

de peligro o cree que el comprimido está causando problemas.

Anticoncepción oral después del parto

- La lactancia tiene poco efecto anticonceptivo, y no se puede confiar en que baste para evitar el embarazo.
- Las mujeres que amamantan a sus hijos no deben ingerir anticonceptivos, en especial los que contienen estrógenos. No se conocen los efectos que puedan tener estos esteroides en el lactante.
- Otra manera de evitar el embarazo en esta época es el empleo de espermicidas y condones.
- Las mujeres que no están amamantando deben evitar el uso de anticonceptivos orales durante un mes después del parto. En este período es muy grande el riesgo de tromboembolia y está contraindicada la ingestión de estrógenos.
- Después del aborto se puede iniciar de inmediato la anticoncepción oral sin ningún tipo de riesgo.

Dispositivo intrauterino (DIU)

El dispositivo intrauterino, DIU o «esterilet» es un pequeño adminículo de material plástico flexible, de diferente forma y tamaño, que generalmente lleva enrollado un filamento de cobre en su eje central y en algunos casos está impregnado con hormonas (progesterona). El DIU se inserta en el interior del útero a fin de que modifique las características del endometrio, al provocar una respuesta inflamatoria inespecífica, e impida así la implantación del óvulo fecundado y el desarrollo del embarazo. En la actualidad existen diferentes modelos, con forma de anillo (anillo de Ota), asa (asa de Lippes) o espiral (Saft-Coil), o bien en forma de 7 y de T, que son los más empleados. Todos los modelos disponen en su extremo de unos filamentos que, una vez colocado el DIU, sobresalen hacia la vagina y permiten el control de la situación del dispositivo y su posterior extracción.

La colocación se lleva a cabo en régimen ambulatorio, previa exploración genital, a veces complementada con ecografía, y determinación de las dimensiones internas del útero (histerometría) para descartar contraindicaciones y seleccionar el modelo y tamaño más adecuado para la paciente. El procedimiento suele realizarse durante la época de la menstruación, tanto para descartar un posible embarazo como para facilitar la introducción, ya que el canal cervical se encuentra más dilatado. Posteriormente no se necesita ningún cuidado especial, si bien suelen administrarse antibióticos de manera preventiva y suele desaconsejarse las duchas vaginales, los baños de inmersión y el coito durante la primera semana.

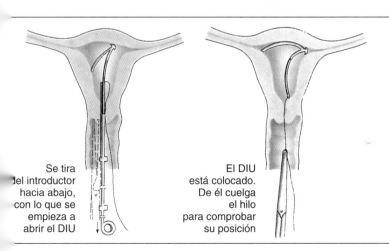

Se tira del introductor hacia abajo, con lo que se empieza a abrir el DIU

El DIU está colocado. De él cuelga el hilo para comprobar su posición

Dispositivo intrauterino. La colocación del DIU requiere una previa determinación de las dimensiones internas del útero (histerometría) que permita seleccionar el modelo y tamaño más adecuado para la paciente. El dibujo muestra de manera esquemática dicha medición y los pasos de la colocación de un DIU en forma de T mediante un introductor especial consistente en un tubo alargado que contiene el dispositivo plegado, el cual se despliega y adopta su forma definitiva cuando se libera en la cavidad uterina.

Ventajas

- No requiere la toma periódica de medicamentos (como la píldora), ni ninguna maniobra cada vez que se practica el coito (como los métodos de barrera) ni aprendizaje alguno.
- No tiene efectos colaterales generales, ya que actúa a nivel local.
- Tiene una elevada eficacia, con un índice de fracasos cifrado actualmente en el 0,5-2%.

Desventajas

- No es totalmente efectivo durante el primer mes de la colocación, por lo que se requiere otro método complementario en este período.
- Puede provocar hemorragias menstruales más prolongadas y abundantes, así como sangrado no menstrual.
- La mujer debe controlar la situación del DIU después de cada menstruación (mediante palpación del hilo vaginal), ya que puede modificarse su posición o ser expulsado.
- Es necesario cambiar el dispositivo periódicamente (la duración es de 1-2 años para los DIU con progesterona, y de hasta 4-5 años para el resto).
- Puede dar lugar a complicaciones: infecciones genitales, enfermedad inflamatoria pélvica, perforación uterina.

Señales de peligro en las usuarias de DIU

- Ausencia o retraso del período menstrual (debe practicarse prueba de embarazo).
- Dolor abdominal o pélvico.
- Fiebre, escalofríos.
- Hemorragias abundantes, coágulos, manchas de sangre en la ropa interior, períodos menstruales intensos.
- Ausencia del hilo vaginal del dispositivo intrauterino o percepción de un objeto duro en el cuello uterino.
- Flujo vaginal abundante, fétido o peculiar.

Métodos anticonceptivos de barrera

- Diafragma.
- Capuchón cervical.

- Compresa anticonceptiva vaginal (esponja vaginal).
- Espermicidas vaginales: espumas, jaleas, cremas, óvulos o supositorios, aerosol.
- Condón.

Usuarias de los anticonceptivos de barrera

Las mujeres que se inclinan más por los métodos de barrera son las que:
- Acaban de dar a luz o están amamantando.
- Tienen poca actividad sexual.
- Olvidan la toma de anticonceptivos orales.
- Están en espera de una esterilización.
- No tienen acceso a asistencia médica.
- Son promiscuas, lo que incrementa su riesgo de sufrir enfermedades transmitidas por contacto sexual.
- Desean complementar el DIU.
- Desean un método provisional antes de intentar el embarazo.
- Tienen compañeros que se han sometido recientemente a vasectomía.
- Mayores de 35 años.
- Son premenopáusicas.

Las mujeres que menos prefieren los métodos de barrera son las que:
- Quieren un método más eficaz.
- No desean insertarse un dispositivo justamente antes del coito.
- Encuentran grasosos o engorrosos estos productos, o les disgusta la sensación de ardor o prurito que causan algunos de ellos.
- No quieren esperar para el coito o interrumpirlo.
- Tienen un compañero al que le disgusta el método.
- Necesitan un método que pueda emplearse sin que lo sepa su compañero.
- Les molesta tocarse la vagina o insertar en ella dispositivos o espermicidas.

Diafragma

El diafragma es un casquete de goma provisto de un anillo metálico flexible que se coloca en el fondo de la vagina de tal modo que

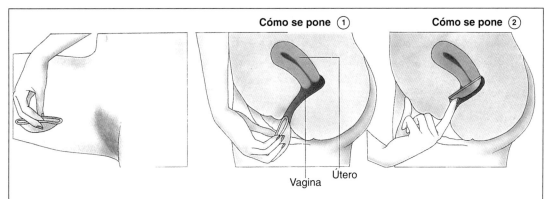

Cómo se pone ①   **Cómo se pone** ②

Vagina   Útero

Diafragma. Para colocar el diafragma, se presionan los bordes del anillo hasta que adopte una forma de 8, tras lo cual se introduce en la vagina (1) y se empuja hasta su fondo, de tal modo que el casquete cubra por completo la superficie del cuello del útero (2).

cubra totalmente el orificio externo del cuello uterino e impida el acceso de espermatozoides al útero. Su eficacia es regular, pero se incrementa cuando se complementa con el uso de espermicidas.

VENTAJAS

- No interfiere la lactancia.
- Puede insertarse de dos a seis horas antes del coito.
- Se evita la ingestión diaria de comprimidos.
- No altera los procesos metabólicos o fisiológicos.
- Los beneficios colaterales del empleo del diafragma consisten en cierta protección contra enfermedades de transmisión sexual y contra el desarrollo de displasia cervical.

EFECTOS SECUNDARIOS Y COMPLICACIONES

Son pocos los efectos secundarios o las complicaciones graves o mortales por el empleo del diafragma. Algunos efectos que podrían sobrevenir son:

- Prurito, ardor o inflamación del tejido vaginal, por alergia al látex, el caucho o a la jalea o crema espermicidas.
- Irritación vesical cuando el diafragma está mal ajustado. Cuando es demasiado grande y ha estado colocado durante varias horas, su reborde puede ejercer una fuerte presión sobre la vejiga o la uretra, lo que originará malestar

y quizá infecciones recurrentes. También puede producir erosión e hipersensibilidad en la pared vaginal.
- Posible dificultad en las evacuaciones o alteración del tamaño de las heces; asimismo, hemorroides cuando el dispositivo ejerce presión sobre el colon descendente a través de la pared vaginal, a causa de su gran tamaño.
- Dolor por tejido vaginal o episiotomía no cicatrizados cuando el dispositivo se coloca demasiado pronto después de parto a término.
- Síndrome de shock tóxico, eventualmente informado después del empleo del diafragma. Sus signos consisten en elevación de la temperatura a 38 °C o más, diarrea, vómitos, mialgias y erupción de tipo eritema solar.

CONTRAINDICACIONES

- Alergias al caucho o a los espermicidas.
- Antecedentes de infección recurrente de vías urinarias.
- Anomalías de las vías genitales a causa de musculatura débil, como prolapso uterino, cistocele, rectocele y disminución del tono vaginal, casi siempre en multíparas.
- Útero fijo en retroflexión o retroversión.
- Falta de tiempo o de personal capacitado para ajustar el diafragma e instruir a la paciente sobre su uso.
- Antecedentes de síndrome de shock tóxico.
- Incapacidad de la mujer para aprender a insertar y retirar el diafragma.

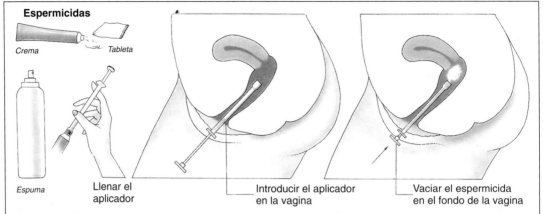

Espermicidas

Crema   Tableta

Espuma

Llenar el aplicador

Introducir el aplicador en la vagina

Vaciar el espermicida en el fondo de la vagina

Los espermicidas vienen en muy diversas formas de presentación, cada una de las cuales requiere ser aplicada un determinado período previo al coito y ofrece un tiempo limitado de actividad. Entre los preparados más utilizados destaca la espuma espermicida, que debe ser aplicada antes de cada coito y con suficiente antelación (hasta 30 minutos antes del coito), siguiendo el método ilustrado.

- Falta de medios y de intimidad para la inserción, la higiene, o de un sitio apropiado para guardar el dispositivo.
- Musculatura vaginal muy tensa que impide la inserción del diafragma.
- Escotadura por detrás del pubis demasiado superficial para dar apoyo al reborde del diafragma.

Capuchón cervical

Se trata de un dispositivo de caucho blando, en forma de capuchón, que se ajusta firmemente sobre el cuello uterino e impide el paso de los espermatozoides. Es más profundo y de menor diámetro que el diafragma, y se mantiene en su sitio por efecto de vacío.
- El capuchón debe llenarse hasta la mitad con jalea espermicida para mejorar su eficacia.
- El capuchón cervical puede ser más difícil de colocar y extraer que el diafragma.
- Se considera de eficacia semejante a la del diafragma.

CONTRAINDICACIONES

- Falta de personal capacitado para colocar el dispositivo e instruir a la paciente sobre su empleo.
- Alergia al caucho o a los espermicidas.

- Anomalías anatómica del cuello uterino o de la vagina.
- Incapacidad de la mujer para aprender la técnica de inserción.
- Infecciones cervicales o vaginales.
- Nacimiento de un bebé a término en los seis meses previos.
- Frotis de Papanicolau anormal.
- Antecedentes de síndrome de shock tóxico.

EFECTOS SECUNDARIOS Y COMPLICACIONES

- Molestias producidas por el dispositivo a cualquiera de los miembros de la pareja.
- Laceraciones o erosiones vaginales.

Compresa anticonceptiva vaginal

Se trata de compresas de colágeno natural o material sintético en las que se incorpora un agente espermicida. La compresa tiene la forma de una pequeña almohadilla, en uno de cuyos lados presenta una depresión cóncava para que se ajuste al cuello uterino, mientras que en el reverso dispone de una tira que facilita la extracción del dispositivo. Además de sus propiedades espermicidas, actúa como barrera cervical y atrapa los espermatozoides. Antes de su introducción, la compresa debe humedecerse con agua. El dispositivo brinda protección durante 24 horas, período durante el cual puede repetirse el coito varias veces sin tomar más precauciones, aunque conviene complementar el método con el añadido de espermicidas. A las 24 horas se extrae y se desecha.

La compresa anticonceptiva vaginal se considera de eficacia similar a la del diafragma, aunque tal vez sea menor.

CONTRAINDICACIONES

- Alergia al espermicida o al poliuretano.
- Anomalías de las estructuras pélvicas que dificultarían su colocación, retención o extracción.
- Incapacidad de la mujer para colocar o extraer el dispositivo.
- Incapacidad de recordar la manera de emplearlo.
- Antecedentes de síndrome de shock tóxico.
- Colonización vaginal por *Staphylococcus aureus*.

EFECTOS SECUNDARIOS Y COMPLICACIONES

- Enrojecimiento, irritación y prurito vaginales por alergia al espermicida.
- Desgarro del dispositivo durante la inserción, la extracción o el coito.
- Sequedad vaginal debida a la absorción de las secreciones vaginales por la compresa.

Espermicidas

Todos estos preparados contienen un vehículo inerte que actúa de dos maneras: 1) impide físicamente el paso de los espermatozoides hacia el cuello uterino, y 2) libera sustancias espermicidas o espermiostáticas que destruye o inmoviliza los espermatozoides.

Existen muy diferentes productos espermicidas y en diversas formas de presentación, cada una de las cuales requiere para la colocación un determinado período previo al coito y ofrece un tiempo limitado de actividad. En conjunto, es un método anticonceptivo bastante empleado, en parte por su seguridad y porque puede adquirirse sin receta. Se estima

que su uso como único método anticonceptivo tiene una eficacia media, con un índice de fracasos del 10-15%, aunque la eficacia alcanza hasta el 95% según la constancia en su empleo y el respeto a las normas de utilización de cada producto, y resulta potenciada cuando complementa el empleo de otros métodos (condón, diafragma).

ESPUMA ESPERMICIDA

Se vende sin receta y, si se cumplen las instrucciones de uso, impide la entrada de espermatozoides por el cuello uterino y los destruye por su acción espermicida. Es un método provisional o de refuerzo que se emplea junto con el condón, y es también un medio de protección contra las enfermedades de transmisión por contacto sexual.

Instrucciones para la paciente sobre el empleo de la espuma

- La espuma debe aplicarse antes de cada coito.
- Deben seguirse las instrucciones del envase. Para su introducción en la vagina debe emplearse el dispositivo aplicador, y también puede colocarse directamente sobre el condón o el diafragma.
- La espuma debe aplicarse con suficiente tiempo de anticipación, hasta 30 minutos antes del coito.
- Debe comprobarse en el envase el tiempo de actividad del producto, y si durante el mismo no se ha efectuado el coito, debe volver a aplicarse.
- Debe agitarse bien el envase para obtener una mezcla y una acción espumante óptimas y, a continuación, seguir las siguientes instrucciones:
1. Colocar el aplicador sobre el envase y llenarlo oprimiendo la parte de arriba. Empléense uno o dos aplicadores, según las instrucciones de uso.
2. Recostarse con las rodillas dobladas y separadas. Separar los labios vaginales con los dedos e introducir con suavidad el aplicador por la vagina lo más profundamente que se pueda.
3. Oprima el émbolo para que penetre la espuma.

4. Retirar el aplicador de la vagina. Repetir el procedimiento si se indican específicamente dos aplicaciones. Lavar el aplicador con agua y jabón.

• Si la mujer desea darse una ducha vaginal después del coito, debe esperar por lo menos ocho horas para lograr un óptimo efecto espermicida.

• Para evitar quedarse sin espuma, conviene tener siempre un envase de repuesto.

CREMAS, GELES, SUPOSITORIOS Y AEROSOLES ESPERMICIDAS

Estos productos tienen una eficacia semejante al anterior y las consideraciones generales de uso son parecidas. Se pueden comprar libremente, y es indispensable leer con cuidado las instrucciones acompañantes para evitar confusiones entre los espermicidas y los productos higiénicos.

• Las cremas espermicidas son eficaces al cabo de 2-3 minutos de aplicación, mientras que los geles requieren hasta una hora antes del coito para que puedan impregnar bien el fondo de la vagina.

• Las pastillas y óvulos vaginales se introducen en la vagina directamente con el dedo y requieren de 5 a 10 minutos para disolverse y ser eficaces.

• Los aerosoles se introducen con un aplicador y tienen un efecto espermicida inmediato.

Condón

El condón o preservativo es el principal método anticonceptivo de barrera, uno de los más utilizados, especialmente entre la población juvenil. También se emplea por su importancia como prevención de las enfermedades de transmisión sexual, en especial para evitar el contagio del SIDA.

En la actualidad hay una gran variedad de condones en el mercado, fabricados de goma sintética. Los de aparición más reciente son muy delgados y apenas alteran la sensibilidad. Algunos vienen prelubricados, e incluso impregnados con espermicidas, y tam-

El condón ofrece un amplio margen de seguridad siempre y cuando se emplee correctamente y, en especial, si se complementa con el uso de espermicidas.

bién los hay en colores brillantes, con rebordes eróticos, etc. La eficacia de este dispositivo utilizado como método único tiene un índice de fracasos de 10 a 15 embarazos al año por cada 100 parejas que lo utilizan, especialmente debido a fallos en su utilización; sin embargo, bien utilizado, y sobre todo cuando se complementa con espermicidas, ofrece un margen de eficacia del 97-99 %, similar a la de la píldora.

BENEFICIOS COLATERALES

• Prevención de infecciones vaginales o transmitidas por contacto sexual y, posiblemente, de enfermedad inflamatoria pélvica.

• Mayor comodidad y placer sexual con los dispositivos lubricados.

• Inclusión del condón en el juego sexual.

• Reducción de títulos de anticuerpos en las parejas en que la mujer los produce contra los espermatozoides de su compañero.

INSTRUCCIONES ACERCA DEL USO DEL CONDÓN

• Debe usarse en todo contacto sexual.

• Debe conservarse en un lugar fresco y seco, y comprobar siempre la fecha de caducidad.

• Debe manipularse con cuidado para evitar roturas.

- Hay que colocar el condón con el pene erecto (lo puede aplicar cualquiera de ambos), antes de la penetración y de cualquier contacto del pene con los genitales femeninos.
- Debe desenrollarse en toda su longitud sobre el pene, evitando que quede aire retenido en su interior y dejando alrededor de 1 cm libre en la punta, salvo si en la punta tiene un reservorio para el semen.
- Emplear como lubricante una crema espermicida si la vagina está seca, para evitar fricción o dolor, o rotura del condón. *No* utilizar vaselina, porque deteriora el material del condón.
- Al retirar el pene de la vagina, sostener el condón por la base contra el pene para evitar que se derrame semen en la vagina o cerca de ésta.
- Retirarlo del pene antes de perder la erección, para prevenir que el condón se deslice o quede en la vagina.
- No reutilizar el condón; si la relación sexual continúa, utilizar otro preservativo respetando las instrucciones anteriores.

Anticoncepción permanente: esterilización quirúrgica

La esterilización es un método de anticoncepción permanente, en principio irreversible, asequible tanto a varones como a mujeres. Este método puede elegirse por cualquiera de los siguientes motivos:

- Insatisfacción con los métodos anticonceptivos reversibles.
- Se considera que la familia está ya completa.
- Necesidad de protección definitiva contra el embarazo por motivos médicos, cuando se considera que la gestación puede comportar riesgos importantes para la mujer o el producto, en portadores de enfermedades hereditarias graves, etc.

Consentimiento informado

Antes de efectuar un procedimiento de esterilización es indispensable informar a conciencia al paciente sobre los siguientes aspectos:

- Naturaleza irreversible del procedimiento. Si bien en la actualidad las técnicas de microcirugía hacen posible la reversibilidad del método, tal eventualidad no puede garantizarse previamente, por lo que al someterse a la intervención el paciente debe considerarlo definitivo.
- Ejecución del procedimiento.
- Riesgos y posibles efectos secundarios.
- Otros métodos de control de la natalidad.
- Posibles beneficios.
- Derecho a hacer preguntas o a cambiar de parecer.
- Firma de un documento en el que se otorga permiso al médico, y de la hoja de consentimiento informado.

Esterilización femenina

La esterilización femenina corresponde a la interrupción de la luz de las trompas de Falopio, mediante ligadura con grapas o clips, sección o cauterización, de tal modo que se impida la migración del óvulo hacia el útero. Todos estos métodos se efectúan mediante acceso en la cavidad pélvica por la pared abdominal o por el fondo del saco vaginal posterior.

Ligadura de trompas abdominal

Minilaparotomía. Este procedimiento puede efectuarse bajo anestesia local a través de una incisión abdominal; requiere cerca de 20 minutos y se puede efectuar después del parto. La recuperación es rápida, y la mujer es dada de alta en pocas horas.

Ligadura tubaria laparoscópica. Se introduce un laparoscopio bajo anestesia general hacia el interior de la pelvis, para observar los órganos. Las trompas se ocluyen por cauterización, ligadura o pinzamiento con bandas o grapas. La recuperación es rápida, con una tasa de complicaciones muy baja. Se requiere el ingreso hospitalario durante 24 horas.

Ligadura de trompa vaginal

Colpotomía. Se efectúa en multíparas hospitalizadas o en pacientes ambulatorias. Con

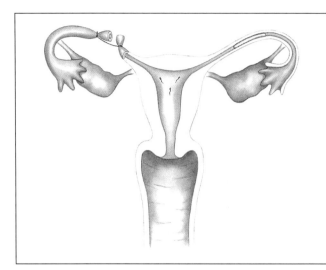

La esterilización femenina consiste en la interrupción de la luz de las trompas de Falopio mediante distintos procedimientos. En la parte izquierda del dibujo se representa una ligadura de trompas, método de máxima eficacia que debe considerarse definitivo, ya que una eventual reconstrucción mediante microcirugía no siempre tiene éxito. A la derecha, se muestra una trompa obturada con un tapón de silicona, método no tan eficaz como el anterior pero fácilmente reversible.

anestesia general o local, el cirujano efectúa una incisión en el fondo del saco posterior para alcanzar con el cauterio las trompas de Falopio. El procedimiento requiere aproximadamente media hora.

Culdoscopia. Con un endoscopio se obtiene el acceso hacia las trompas de Falopio a través del fondo del saco posterior. Por lo general, culdoscopia y culdotomía han sido reemplazadas por la minilaparotomía o la laparoscopia abdominal, que es un procedimiento más seguro y fiable.

Esterilización masculina: vasectomía

La vasectomía parcial bilateral es un procedimiento quirúrgico sencillo y constituye el método más fácil y seguro de esterilización quirúrgica. La intervención se realiza mediante una incisión en el escroto, en ambos lados, y produce esterilidad al interrumpir la continuidad de los conductos deferentes e impedir que se eliminen espermatozoides en el semen de la eyaculación.

El procedimiento se efectúa con anestesia local y requiere menos de 30 minutos. Es indispensable informar al paciente que no quedará estéril de inmediato, puesto que los conductos deferentes contienen espermatozoides que sobrevivirán de uno a tres meses y no serán eliminados antes de unas doce eyaculaciones.

Durante este período puede producirse un embarazo si no se toman precauciones, por lo que es necesario recurrir a otro método anticonceptivo. Pasado ese lapso, se practica un análisis de semen, y si está libre de espermatozoides, se concluirá que la esterilización es completa. La reversibilidad del procedimiento depende en gran medida de la técnica empleada. Sólo se logran del 18 al 60 % de las reanastomosis intentadas.

Anticoncepción por métodos naturales

Muchas parejas buscan métodos menos intrusivos y más personalizados de anticoncepción, conocidos en conjunto como métodos naturales, motivadas a menudo por consideraciones religiosas. Es indispensable que tales parejas dediquen tiempo y esfuerzos a aprender el procedimiento y llevar un control de su propia fecundidad. Todos los métodos naturales de planificación familiar requieren la abstinencia periódica del coito durante un número específico de días, durante el período del ciclo menstrual femenino en que se supone que puede producirse la fecundación (período fértil).

Algunos métodos naturales o de abstinencia periódica dependen del cálculo de los períodos fértiles en base a la duración de los ciclos precedentes, pero los más fiables se basan en

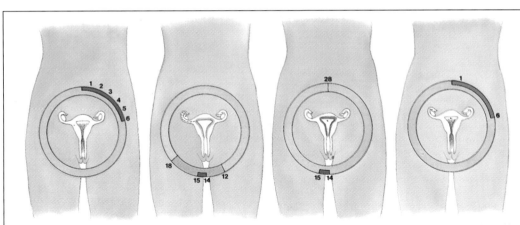

El ciclo menstrual comienza con el desprendimiento de la mucosa uterina que provoca la regla. A continuación vuelve a crecer un nuevo revestimiento uterino y hacia el día 14 se produce la ovulación (se considera que los días anteriores y posteriores constituyen el período de fecundidad). El endometrio sigue desarrollándose y, si el óvulo no es fecundado, hacia el día 28 comienza una nueva menstruación.

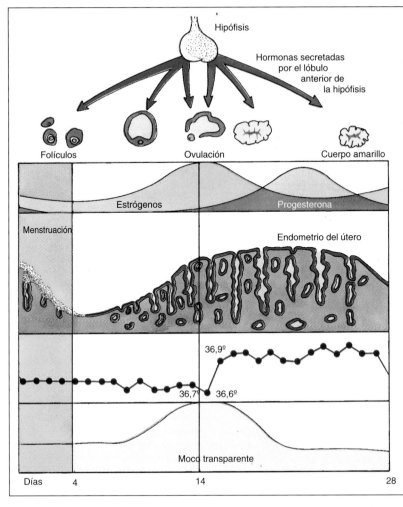

Ciclos ovárico y menstrual. En el esquema pueden verse los cambios que ocurren simultáneamente en el ovario, bajo la influencia de las hormonas hipofisarias (FSH y LH), y el en endometrio, bajo la influencia de las hormonas ováricas (estrógenos y progesterona). También se incluye una gráfica de la temperatura basal en relación con la ovulación, con el característico incremento a partir del desprendimiento del óvulo, y los cambios que se producen en la viscosidad del moco uterino, que se vuelve más claro durante el período de fecundidad para facilitar el paso de los espermatozoides.

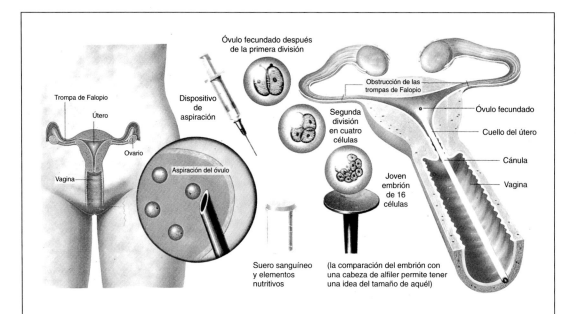

Óvulo fecundado después de la primera división

Dispositivo de aspiración

Trompa de Falopio

Útero

Ovario

Vagina

Aspiración del óvulo

Obstrucción de las trompas de Falopio

Segunda división en cuatro células

Óvulo fecundado

Cuello del útero

Cánula

Vagina

Joven embrión de 16 células

Suero sanguíneo y elementos nutritivos

(la comparación del embrión con una cabeza de alfiler permite tener una idea del tamaño de aquél)

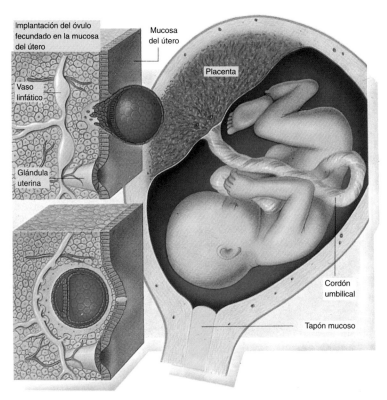

Implantación del óvulo fecundado en la mucosa del útero

Mucosa del útero

Placenta

Vaso linfático

Glándula uterina

Cordón umbilical

Tapón mucoso

Fecundación in vitro. La principal aplicación de este método es la esterilidad femenina por obstrucción de las trompas de Falopio. Se obtienen varios óvulos maduros mediante una punción abdominal (laparoscopia) y se ponen en contacto con espermatozoides en el laboratorio, para que se produzca la fecundación. Cuando se producen las primeras divisiones celulares, los embriones jóvenes se transfieren a la cavidad uterina, momento a partir del cual la gestación se desarrolla con toda normalidad.

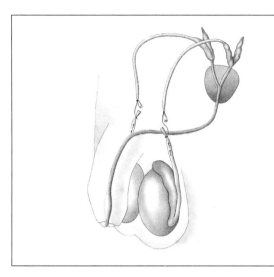

La esterilización masculina corresponde a la vasectomía bilateral, es decir, la sección y ligadura de ambos conductos deferentes, de tal modo que se interrumpa el paso de los espermatozoides y su eliminación en el semen de la eyaculación. La intervención se practica bajo anestesia local mediante una incisión a cada lado del escroto. Se trata de un procedimiento rápido, sencillo y seguro que suele efectuarse de forma ambulatoria.

el estudio de determinados signos y síntomas de fecundidad. En la actualidad se emplean básicamente cuatro tipos de técnicas:

- Método del calendario: método de Ogino y método de Knaus.
- Método de la temperatura basal.
- Método de la fluidez del moco cervical o método de Billings.
- Método sintotérmico.

El aprendizaje de las técnicas de planificación familiar natural es un proceso complejo y lento, que requiere un alto grado de concienciación, dedicación y motivación.

Interrupción voluntaria del embarazo (aborto electivo, provocado o terapéutico)

MOTIVOS COMUNES DE EMBARAZO NO DESEADO

- Falta de acceso a los medios de control de la natalidad.
- Falta de conocimientos sobre dónde buscar ayuda, o temor de hacerlo.
- Fallo del método anticonceptivo utilizado.
- No emplear un método de refuerzo al comenzar a utilizar un nuevo método después de suspender los anticonceptivos orales.

- Uso de métodos menos eficaces, como duchas vaginales, coito interrumpido o método del ritmo.
- Consultas tardías, o falta de asistencia a las mismas, para obtener más píldoras o someterse a restitución del DIU o reajuste del diafragma.
- Falta de dinero para pagarse un método anticonceptivo determinado.
- Conflictos psicosociales:
  — Negación de que pueda ocurrir embarazo (más común en adolescentes).
  — Creencia de que el acto sexual debe ser totalmente espontáneo.
- Ambivalencia en cuanto al embarazo.
- Deseo de independencia (entre adolescentes).
- Intento de hacer que el compañero se case o retenerlo por medio del embarazo.
- Aborto provocado previo por presión familiar o de otras personas.
- Deseo de confirmar la feminidad.
- Deseo de afrontar riesgos.
- Conflictos de identidad.

Métodos

PÍLDORA ABORTIVA

De reciente introducción en algunos países, el compuesto denominado RU-486, administrado en forma de píldora, inhibe la acción de la hormona progesterona e interrumpe la continuación del embarazo.

Tabla 5 Tipos de aborto provocados

Método	Descripción	Observaciones
Primer trimestre Píldora del día siguiente	Se administran dosis relativamente altas de estrógenos sintéticos durante los primeros tres días después de una posible concepción	Náuseas y vómitos. Debe aparecer una menstruación tres días después de la toma de la medicación
Aspirado con vacío (extracción menstrual, mini aborto)	Se dilata el cérvix mediante: 1. Laminaria (tronco de un alga marina, desecada y estéril) que se inserta en el canal cervical y se deja durante una noche con lo que se dilata el cérvix 2. Sondas de tamaño progresivamente mayor Se extraen los productos de la concepción mediante una sonda y aspiración (dilatación y aspiración, D y C) La técnica puede completarse mediante curetaje. Puede emplearse bloqueo paracervical o anestesia de apoyo durante el procedimiento	La laminaria, generalmente insertada la noche anterior del aborto, puede caer. En ese caso debe notificársele al médico Durante el procedimiento puede experimentarse algún espasmo y molestia Después no suelen existir molestias. La hemorragia debe ser mínima La paciente debe notificar la aparición de fiebre, secreciones malolientes y malestar general, ya que indican infección
Dilatación y curetaje (D y C), antes de la duodécima semana de gestación	Se dilata el cérvix mediante sondas. El producto de la concepción se raspa de la pared uterina. Puede emplearse anestesia regional o general. Puede pautarse oxitocina EV	Algún espasmo con hemorragia vaginal mínima después del procedimiento
Prostaglandinas (óvulos vaginales) o prostaglandinas intraamnióticas a finales del primer trimestre o principios del segundo	Las prostaglandinas dan lugar a contracción de la musculatura lisa, estimulando la contractibilidad del miometrio	
En ocasiones pueden requerirse hasta tres óvulos vaginales cada 4 o 6 horas para inducir el parto	El médico introduce un óvulo vaginal en el fondo de saco de la cavidad	El contenido uterino se expulsa en las siguientes 24 horas. No es raro que la placenta quede retenida Hemorragia
Prometazina clorhidrato, puede administrarse junto al óvulo vaginal para prevenir las náuseas	Inyección intraamniótica Se inyecta lentamente una pequeña dosis para valorar los efectos secundarios. Si no se presentan, se administran lentamente de 20 a 40 mg de prostaglandinas. Puede ser necesario el curetaje para extraer el material retenido	Las protaglandinas suelen dar lugar a vómitos, diarrea y fiebre. Suelen ser más frecuentes con los óvulos que con la administración intraamniótica. También pueden presentarse escalofríos, así como reacción tisular en el punto de inyección

Tabla 5 Tipos de aborto provocados *(continuación)*

Método	Descripción	Observaciones
Segundo trimestre Urea intraamniótica Inyección salina, sólo después de la decimosexta semana de gestación	Se administran sedantes, analgésicos y tranquilizantes. La paciente debe hallarse consciente La paciente debe vaciar la vejiga urinaria, se administra un enema, se depila y se le prepara para amniocentesis Las técnicas son variadas, pero se produce la extracción de líquido amniótico inyectándose a continuación una pequeña cantidad de suero salino hipertónico en el saco amniótico como prueba	Pueden presentarse síntomas de deshidratación y alteración de los factores de la coagulación
	Si aparecen efectos secundarios graves, se interrumpe el procedimiento administrándose una solución EV de suero glucosado al 5 % para prevenir la deshidratación cerebral Si no se producen efectos secundarios, se extraen 250 ml de líquido amniótico siendo reemplazados por suero salino al 20 %	En la primera hora pueden presentarse efectos secundarios graves debido a la inyección de suero fisiológico en un vaso placentario. Pueden aparecer signos de shock tales como dolor abdominal, cefalea importante, dolor de espalda, taquicardia, confusión y convulsiones Hipernatremia: fiebre, enrojecimiento cutáneo, oliguria, sed y delirio
	La muerte fetal suele producirse al cabo de una hora, comenzando el parto hacia las 24 horas Puede administrarse oxitocina EV para acelerar el parto Puede ser necesario el curetaje para extraer la placenta retenida	Signos y síntomas de parto (véase: Parto); contracciones Hemorragia, especialmente si la placenta ha quedado retenida

EXTRACCIÓN MENSTRUAL (5 A 7 SEMANAS)

Rara vez se efectúa la extracción del contenido uterino por aspiración al vacío de cinco a siete semanas después del último período menstrual. Gracias a las pruebas especializadas del embarazo, este procedimiento se ha vuelto obsoleto y sustituido por la extracción precoz por aspiración, a partir de la séptima semana.

ABORTO PRECOZ POR ASPIRACIÓN (HASTA LAS 12 SEMANAS)

Llamado también *legrado por aspiración*, en la actualidad es el método de interrupción temprana del embarazo más utilizado. Puede efectuarse sin anestesia, previa administración de sedantes y antiespasmódicos, o bien bajo anestesia local o general. Se procede a la introducción de una cánula conectada a un sistema de vacío a través del orificio externo del útero, previa dilatación del conducto del cuello uterino, y se extrae el contenido uterino por aspiración.

DILATACIÓN Y EVACUACIÓN (13 A 24 SEMANAS)

Para este procedimiento se recurre al legrado por aspiración y al raspado quirúrgico, al

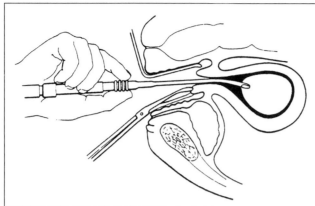

El aborto precoz por aspiración es el método más utilizado en la actualidad para proceder a la interrupción temprana del embarazo, es decir, hasta las doce semanas de gestación. El dibujo muestra un esquema del procedimiento, que se efectúa mediante la introducción de una cánula conectada a un sistema de vacío través del orificio externo del útero, a veces tras previa dilatación del cuello uterino, y posterior evacuación del contenido uterino por aspiración.

igual que en el aborto precoz por aspiración. Como el producto de la concepción es de mayor tamaño, resulta indispensable una dilatación cervical mayor y recurrir a maniobras instrumentales adicionales. Este método es más seguro para la madre que el aborto por inducción de las contracciones uterinas, pero genera mayor tensión en el personal médico.

Aborto por inducción de las contracciones uterinas - Inyección intraamniótica (15 a 24 semanas)

La inducción de las contracciones uterinas puede efectuarse mediante la utilización de prostaglandinas, con diferentes procedimientos. Estos medicamentos, por ejemplo, pueden administrarse en forma de óvulos vaginales introducidos profundamente o como gel aplicado sobre el cuello uterino. Después de 15 semanas de gestación, suele recurrirse a una amniocentesis, insertando una aguja de calibre 18 a través del abdomen, hasta llegar al saco amniótico en el interior del útero, y administrando prostaglandinas en su interior para inducir las contracciones uterinas. Dichas contracciones se desencadenan en un lapso de 12 a 48 horas, y terminan con la expulsión del producto de la gestación.

Instrucciones para la paciente después del aborto

Dejando al margen las diferentes complicaciones que pueden conducir a una interrupción del embarazo, las siguientes recomendaciones tienen carácter general:

- La paciente puede volver a las actividades normales, pero es necesario que evite trabajo o ejercicio agotadores durante unos cuantos días.
- Puede reanudar los hábitos normales de alimentación e ingestión de líquidos.
- Puede haber hemorragia y dolor tipo cólico durante una o dos semanas. Si alguna de estas manifestaciones es intensa, debe solicitar asistencia médica. Son normales la hemorragia leve y las manchas de sangre en la ropa interior aproximadamente durante un mes.
- La menstruación reaparece en un plazo de cuatro a seis semanas.
- Debe utilizarse un método de control de la natalidad si se tienen relaciones sexuales antes de la menstruación. De lo contrario, es posible que se produzca un nuevo embarazo durante este período.
- No emplear tampones vaginales en la semana siguiente al aborto, para evitar una infección. En su lugar, usar compresas sanitarias.
- Abstenerse del coito durante una semana después del aborto. Habrá mayor susceptibilidad a la infección hasta que se haya recuperado el endometrio.
- No aplicar duchas vaginales durante una semana, para prevenir infecciones.
- Conviene que la paciente se tome la temperatura dos veces al día, para identificar una posible infección. Si la temperatura llega hasta 38 °C, solicitar ayuda médica.
- Informar a la paciente que debe asistir a una cita de control, por lo general en un plazo de dos semanas, para comprobar su total recuperación.

Adaptaciones del embarazo y desarrollo fetal

21

Adaptaciones fisiológicas durante el embarazo

El período que transcurre desde la concepción hasta el parto abarca aproximadamente 40 semanas. Durante este tiempo, el cuerpo de la madre experimenta cambios fisiológicos cuya magnitud y complejidad han impedido su comprensión plena. Muchos de esos cambios son regidos por las hormonas femeninas, lo mismo que por otras que se activan durante el embarazo. Los cambios fisiológicos son tan impresionantes que se considerarían patológicos en la no embarazada; constituyen la reacción adaptativa del cuerpo a las necesidades crecientes del feto en cuanto a nutrición, eliminación de desechos, protección contra lesiones y espacio para crecer.

OBJETIVOS DE ENFERMERÍA EN LA VALORACIÓN DE LAS ADAPTACIONES DEL EMBARAZO

- Identificar los cambios corporales del embarazo que son reflejo de los cambios fisiológicos normales.
- Valorar las manifestaciones físicas y emocionales de la paciente a través de su historia clínica y exploración física.
- Estar al tanto de posibles signos y síntomas patológicos y solicitar consulta.
- Identificar las preocupaciones de la paciente sobre su familia y otros problemas que pueden afectar a su embarazo, y demostrar interés por estos problemas.
- Vigilar la evolución de la paciente mediante revisión del expediente o comentarios con el prestador primario de asistencia.

Adaptaciones fisiológicas y biológicas del aparato reproductor

En el siguiente cuadro se señalan las principales adaptaciones fisiológicas y biológicas que experimenta el aparato reproductor durante el embarazo.

Adaptaciones fisiológicas de los aparatos y sistemas corporales

Durante el embarazo, el aparato cardiovascular experimenta los cambios más profundos de todos los aparatos y sistemas corporales. El aparato circulatorio de la madre soporta la carga progresivamente creciente de proporcionar nutrientes al feto, lo mismo que de eliminar sus desechos. Conforme avanza el embarazo, el trabajo de mantener el feto incrementa la carga metabólica de la madre.

649

Tabla 1 Adaptaciones fisiológicas y biológicas del aparato reproductor durante el embarazo

Órgano o sistema	Adaptación	Estimulación	Importancia clínica

Útero	• Crecimiento: su peso aumenta de 70 a 900 y a 1 200 g al término. Su volumen se incrementa desde 10 ml hasta 2 a 10 litros al término (aumento de 1 000 veces el tamaño)	• Estrógenos y progesterona	• Estimulan el crecimiento y la adaptabilidad del útero
			• La progesterona prepara el sitio de implantación e inhibe la contractilidad del miometrio
			• Palpación del útero
			  – Sínfisis a los tres meses
			  – Ombligo a los cinco meses
			  – Apéndice xifoides a los nueve meses
			• Observación de los movimientos fetales

	• Posición: se ha elevado hasta la pelvis a las 12 semanas • Efectúa dextrorrotación (es decir, hacia la derecha)	• Presión por el rectosigmoides	• Hace presión sobre el uréter derecho • Durante el último trimestre el peso del útero sobre la vena cava y la aorta puede producir síndrome de hipotensión supina
	• Conserva la posición longitudinal alineada al eje pélvico • Apoyo anterior por la pared abdominal		• Palpación del crecimiento fetal • Pérdida del centro de gravedad conforme crece el útero • Diastasis de los rectos abdominales
	• Contractilidad: hasta la mitad del embarazo el útero es menos propenso a las contracciones • Durante la segunda mitad de la gestación el útero es más propenso a las contracciones	• Oxitocina	• Provoca contracciones del miometrio • Las contracciones tempranas pueden producir aborto • Puede plantear el riesgo de parto prematuro (antes del término) • Se inicia el trabajo de parto a término • Produce maduración, dilatación y borramiento del cuello uterino al término

Tabla 1 Adaptaciones fisiológicas y biológicas del aparato reproductor durante el embarazo *(continuación)*

Órgano o sistema	Adaptación	Estimulación	Importancia clínica
Útero *(cont.)*	Contracciones de Braxton Hicks: Contracciones irregulares esporádicas y no rítmicas que prosiguen durante todo el embarazo	• Estrógenos, estiramiento y distensión del miometrio	• La paciente percibe tensión y presión uterinas indoloras • Las puede palpar el examinador • Durante el tercer trimestre pueden confundirse con trabajo de parto
Endometrio	• Proliferación de la túnica uterina, en preparación para la implantación del óvulo • Almacenamiento de glucógeno para nutrir el blastocisto si ocurre embarazo	• Estrógenos • Progesterona	• Si resulta inadecuado, no ocurrirá proliferación de la túnica • Cuando es insuficiente, no se produce implantación y sobreviene aborto temprano
Cuello uterino	• Aumento de la vascularidad, edema y reblandecimiento • Hipertrofia de las glándulas cervicales	• Estrógenos	• Signo de Chadwick, signo de Goodell • Forma un tapón mucoso que protege el feto contra una invasión mecánica o bacteriana • Al principio del trabajo de parto se separa, se rompen sus vasos sanguíneos y se expulsa el tapón mucoso para constituir la «señal sanguinolenta»
Ovarios	• Formación del cuerpo amarillo (lúteo) del embarazo	• Progesterona • HCG	• Garantiza la implantación del blastocisto y el desarrollo placentario • Hacia el octavo día de la gestación empiezan a proporcionar nutrición y hormonas para sostener el cuerpo amarillo durante siete a 10 semanas, hasta que la placenta se hace cargo • La HCG puede conservarse en la circulación durante tres días después del parto

Tabla 1 Adaptaciones fisiológicas y biológicas del aparato reproductor durante el embarazo *(continuación)*

Órgano o sistema	Adaptación	Estimulación	Importancia clínica
Trompas de Falopio	• Facilitan la fecundidad del óvulo por el espermatozoide • Regulan el tiempo de transporte del huevo fecundado hacia el útero	• Estrógenos y progesterona	• El líquido presente en el oviducto transmite señales que condicionan los acontecimientos de capacitación de los espermatozoides y segmentación de los gametos • Preparación adecuada del endometrio para la implantación del huevo
Vagina	• Se vasculariza y congestiona • Aumento de las secreciones, que son densas, blancas y ácidas	• Estrógenos	• La proliferación de células hace que las paredes se engrosen y se vuelvan flexibles y distensibles, en preparación para el paso de la cabeza fetal • La acidez de la vagina, preservada por la producción de ácido láctico por los lactobacilos, es favorable para la supervivencia de los espermatozoides. La acidez regula la proliferación de bacterias patógenas en la vagina (pH 3,5 a 5,0)
Mamas	• Aumento del tamaño y la nodularidad, hipersensibilidad • El crecimiento del sistema de conductos es intenso durante los tres primeros meses • Hacia el final del embarazo las células alveolares se vuelven secretoras	• Estrógenos y progesterona	• Las mamas aumentan de tamaño; el pezón crece, y se hace más oscuro y erecto; las areolas se oscurecen; las glándulas de Montgomery aumentan de tamaño • Preparación para la lactancia • Producción de calostro • Continúa el crecimiento de las mamas

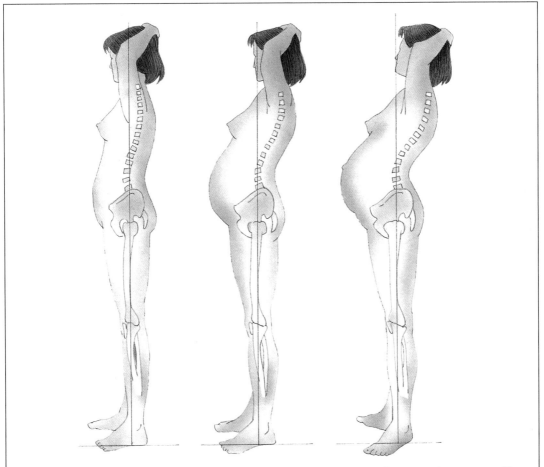

Cambios posturales durante el embarazo. A medida que el abdomen aumenta de peso y volumen, se modifica el centro de gravedad, debido a lo cual la embarazada tiende a desplazar el tronco y la cabeza hacia atrás, exagerándose las curvaturas de la columna vertebral, en especial la lordosis lumbar.

En la tabla 1 se describen las principales adaptaciones fisiológicas de los aparatos y sistemas corporales.

Influencias hormonales en el embarazo

En la mujer no embarazada los ovarios producen las hormonas esteroides estrógenos y progesterona. Durante el embarazo se interrumpe este mecanismo y, entonces, la unidad maternofetoplacentaria se encarga de sintetizar dichas hormonas. Activado desde el momento de la concepción, este proceso garantiza al feto un mecanismo por el cual puede regular su propio ambiente.

En el cuadro se resumen las influencias hormonales durante el embarazo.

FUNCIONES DE LAS HORMONAS EN LA LACTANCIA

Estrógenos y progesterona

- Crecimiento de los sistemas de conductos lactíferos, lóbulos y alvéolos mamarios.
- Inhibición de la producción de leche durante el embarazo.
- Inicio de la producción de leche, facilitado por la menor secreción de estrógenos y pro-

---

Tabla 2 Adaptaciones fisiológicas de los aparatos y sistemas corporales durante el embarazo

Cambios fisiológicos	*Importancia clínica*
Cambios cardiovasculares	

Cambios mecánicos
• El volumen cardiaco se incrementa en un 10% (hasta 75 ml)
• La elevación del diafragma por la presión del útero desplaza el corazón hacia la izquierda y hacia arriba
	• En las radiografías se aprecia crecimiento del corazón
	• Ocurren cambios en los ruidos cardiacos (soplos) que se considerarían anormales en estado no gestacional:
	    Son comunes los soplos pulmonares sistólicos
	    Se escuchan soplos apicales sistólicos en el 60% de las embarazadas

• Disminuye la viscosidad de la sangre y ocurre la torsión de los grandes vasos a causa del mayor volumen del útero	• Se puede escuchar desdoblamiento intensificado del primer ruido cardiaco, con tercer ruido agudo • Son anormales los soplos diastólicos (el 18% de las mujeres tienen soplos transitorios suaves)
Cambios del volumen sanguíneo • El volumen plasmático se incrementa en un 50% (600 a 1 250 ml), y alcanza su máximo entre las semanas 30 y 40 • Disminuye la albúmina plasmática total desde el valor no gestacional de 4,0 a 4,5 g/dl hasta el valor de la gestación de 3,0 a 3,5 g/dl	• Hay hidratación importante de los tejidos maternos • Ocurre anemia fisiológica por hemodilución • Son más permeables las paredes vasculares
Cambios del gasto cardiaco • Se incrementa la frecuencia cardiaca	• El pulso se incrementa de 10 a 15 lat/min, y llega a su máximo en el tercer trimestre • Se incrementa la filtración renal • Se incrementa el transporte de oxígeno
• Aumenta el gasto cardiaco. El corazón impulsa 5,0 a 5,5 litros/min en la no embarazada. Este volumen se incrementa de un 30 a un 50% hacia el final del primer trimestre. Se eleva el 10% más durante los dos últimos trimestres, cuando la paciente se encuentra en decúbito lateral • Cambia la distribución del gasto cardiaco	 • Durante el periodo final del embarazo la circulación maternoplacentaria recibe sangre a un volumen de 1 000 ml/min. Esto constituye el 10% del gasto cardiaco • Los siguientes factores reducen el flujo sanguíneo uterino:

Tabla 2 Adaptaciones fisiológicas de los aparatos y sistemas corporales durante el embarazo *(continuación)*

Cambios fisiológicos	Importancia clínica

Cambios del gasto cardiaco (cont.)	Contracciones uterinas
	Hipertonía, hipertensión, hipotensión
	Ejercicio agotador
	Tabaquismo
	Estados patológicos: anemia, problemas
	   placentarios, infartos, desprendimiento
	   prematuro de placenta, preeclampsia
	• Incrementan el flujo sanguíneo:
	   Reposo en cama
	   Decúbito lateral

• El incremento del volumen de eritrocitos es menor del 33% del aumento del volumen plasmático • Se acelera la producción de eritrocitos	• Disminuyen el valor del hematócrito y las concentraciones de hemoglobina • Se incrementa la cuenta de reticulocitos. Con una dieta ordinaria (sin complementos de hierro), el volumen eritrocítico se incrementa un 18% hasta alcanzar 250 ml. Cuando se complementa con fines terapéuticos la ingesta de hierro, se incrementa en un 30% hasta alcanzar de 400 a 450 ml • El suplemento oral con hierro elemental en dosis de 60 a 80 mg/día desde el principio del embarazo permite que se amplíe casi al máximo el volumen de eritrocitos, pero no conserva ni restablece las reservas del mineral. Por tanto, las mujeres que tienen reservas de hierro deben recibir de 30 a 60 mg/día de hierro elemental, y las que carecen de ellas deben recibir una cantidad terapéutica de 120 a 240 mg/día
• De los eritrocitos que se añaden a la circulación materna, el 50% (cerca de 600 ml) se pierde durante el parto y el puerperio	• Se requieren en total 800 mg de hierro durante el embarazo para satisfacer las demandas maternas y fetales
Cambios circulatorios periféricos • Disminuye la resistencia periférica total • La circulación uteroplacentaria es un sistema de baja reistencia que funciona como derivación arteriovenosa y disminuye la resistencia vascular corporal total al salvar la circulación general • El útero comprime las venas pélvicas y la vena cava inferior • Se incrementa el flujo de sangre hacia la piel	• Se incrementa el retorno venoso • Pueden ocurrir estasis de sangre en las extremidades inferiores • La disipación del calor fetal precede a las sensaciones de calor en la madre • La dilatación vascular de la mucosa nasal puede producir epistaxis • El mayor flujo de sangre hacia la piel de las manos puede producir eritema

Tabla 2   Adaptaciones fisiológicas de los aparatos y sistemas corporales durante el embarazo *(continuación)*

Cambios fisiológicos	*Importancia clínica*

Cambios de la presión arterial
• Las presiones sistólica y diastólica disminuyen durante la primera mitad del embarazo (5 a 10 mmHg), después de lo cual se incrementan hasta el nivel de la no embarazada
	• Cualquier aumento de 30 mmHg en la presión sistólica por encima del promedio es un dato anormal
	• La presión de la arteria humeral varía según la posición de la paciente:
	    Es más elevada en posición sedente
	    Es intermedia en posición supina
	    Es más baja en decúbito lateral

• Durante el tercer trimestre del embarazo, la compresión de la vena cava inferior y de la aorta, que ocurre en las embarazadas que descansan sobre el dorso, puede producir disminución del gasto cardiaco. Deben recostarse sobre el lado izquierdo	• Puede ocurrir síndrome de hipotensión ortostática. La disminución del 8 al 30% de la presión arterial sistólica podría producir desvanecimiento. Hay peligro de bradicardia, y la frecuencia cardiaca puede disminuir en un 50%. Esto entraña el riesgo de que disminuya la presión arterial uterina, lo que podría ser nocivo para el feto si provoca hemorragia o cuando se aplica anestesia durante el parto
Cambios respiratorios *Cambios anatómicos* • Ocurren cambios que mejoran el intercambio de gases. Mucho antes de que sobrevenga la presión mecánica, las costillas más bajas se ensanchan para incrementar el espacio. El diafragma se eleva 4 cm, y el diámetro transverso del torax aumenta 2 cm	• Se incrementa el volumen inspiratorio máximo (volumen de aire con cada respiración) • Es posible la espiración más dificultosa
Influencias hormonales • Se incrementan las concentraciones de estrógenos • Se elevan las concentraciones de progesterona	• Los estrógenos disminuyen la resistencia pulmonar al incrementar la flexibilidad del tejido conectivo • La progesterona disminuye la resistencia pulmonar al relajar el músculo liso • La ventilación aumenta en un 37% por minuto • Pueden ocurrir hiperventilación y alcalosis respiratoria
• El centro respiratorio es sensible a la progesterona, por lo que conserva bajas las concentraciones séricas de CO_2. La concentración plasmática fetal de CO_2 excede la del plasma materno • Las cuerdas vocales se congestionan a causa del incremento de la circulación generado por la progesterona	• Esto facilita el paso de CO_2 de la circulación fetal a la materna • Puede ocurrir disnea a consecuencia de las bajas concentraciones de CO_2. Su causa inmediata no se relaciona necesariamente con el esfuerzo • La voz se vuelve más grave

Tabla 2 Adaptaciones fisiológicas de los aparatos y sistemas corporales durante el embarazo *(continuación)*

Cambios fisiológicos	Importancia clínica
Cambios de las vías urinarias	
Cambios mecánicos • Al crecer el útero comprime la vejiga contra la pelvis • El útero agrandado y en dextrorrotación comprime los uréteres a su paso por el estrecho pélvico, sobre todo en el lado derecho. (El rectosigmoides protege en cierta medida el uréter izquierdo.) • Puede ocurrir reflujo vesicoureteral • El complejo de la vena ovárica se dilata sobre el uréter derecho • La base de la vejiga se ve desplazada hacia delante y hacia arriba, a causa de la parte de presentación encajada	• Se reduce la capacidad vesical, con lo que la micción se vuelve más frecuente • Sobreviene la dilatación de uréteres y pelvis renales. Pueden contener hasta 200 ml de orina, lo que origina estasis y aumento de la propensión de las vías urinarias a las infecciones (un 2% de las embarazadas sufren pielonefritis) • Esto puede originar cambios en las muestras de orina de 24 horas (para las pruebas de HCG o estriol) • Disminuye el flujo de sangre • Puede aumentar el edema y el riesgo de traumatismo • Se incrementa la posibilidad de infección
Cambios circulatorios • El flujo sanguíneo renal se incrementa hasta que llega el tercer trimestre	• La filtración glomerular se incrementa en 50% (es mayor en decúbito lateral y menor en las posiciones sedente o de pie) • Disminuye el umbral renal para glucosa (los túbulos alcanzan la resorción máxima); se elimina glucosa en la orina
Influencias hormonales • Bajo la influencia de los estrógenos la retención total de agua es de 6 a 8 litros al final del embarazo, distribuidos entre madre, feto, placenta y líquido amniótico • La progesterona incrementa el tamaño del riñón • La secreción de aldosterona por las glándulas suprarrenales y la de estrógenos por la placenta equilibran la progesterona, lo que produce dilatación de los uréteres y relajación de vejiga y trígono	• Puede haber edema fisiológico • Puede ocurrir pérdida de sodio y electrólitos en la orina (natriuresis) • Se produce resorción de cloruro de sodio y agua por los túbulos renales • No aumenta el volumen de orina a causa de secreción • Disminuye la secreción de orina en la etapa tardía del embarazo; se incrementa la retención de líquidos • La vejiga se vuelve edematosa y se lesiona con facilidad
Efectos posturales • La postura afecta al riego sanguíneo y las funciones renales	• Cuando la paciente se sienta o se pone de pie ocurre disminución de:

Tabla 2   Adaptaciones fisiológicas de los aparatos y sistemas corporales durante el embarazo *(continuación)*

Cambios fisiológicos	Importancia clínica

Efectos posturales (cont.)	– Flujo sanguíneo renal y filtración glomerular, por acumulación de sangre en la pelvis y las piernas
	– Volumen y secreción de orina
	– Gasto cardiaco, con vasoconstricción renal compensatoria
	• Se acumula agua en el cuerpo durante el día, lo que produce edema en porciones en declive
	• Cuando la paciente duerme acostada de lado, se elimina el efecto de la gravedad, con lo que se distribuye líquido por todo el cuerpo, con los siguientes efectos:
	  – Aumento de la filtración renal, con nicturia
	  – Aumento de la excreción de agua y sal

Cambios en los valores de nutrientes de la orina • La proporción de nutrientes en la orina de la embarazada es elevada	• Ocurre mayor excreción de folatos, glucosa, lactosa, aminoácidos, vitamina B_{12} y ácido ascórbico • El mayor contenido de nutrientes de la orina favorece la pronta proliferación de bacterias urinarias, con mayor riesgo de infección de estas vías
Cambios del aparato digestivo *Cambios mecánicos* • Al aumentar de tamaño el útero, aplica una presión mayor al estómago e intestino • Se desplazan el estómago y el intestino; el apéndice se desplaza hacia arriba y a la derecha • La presión venosa se incrementa por debajo del útero agrandado	• Puede ocurrir hernia hiatal al abrirse paso el estómago hacia el tórax a través del diafragma • Son comunes el estreñimiento y la pirosis • Pueden ocurrir hemorroides y varices
Influencias hormonales • Disminuye el tono y la movilidad del tubo digestivo. Ocurre lo mismo con el tiempo de vaciamiento gástrico • Se incrementa la absorción de agua por el colon • Puede haber colestasis (supresión del flujo biliar)	• Puede presentarse esofagitis por reflujo, estreñimiento y náuseas • Puede haber estreñimiento • Sobreviene prurito (comezón generalizada de la piel) a causa del aumento de retención de sales biliares • Puede ocurrir ictericia

Tabla 2   Adaptaciones fisiológicas de los aparatos y sistemas corporales durante el embarazo *(continuación)*

Cambios fisiológicos	*Importancia clínica*
Influencias hormonales (cont.) • Disminuye la secreción gástrica del ácido clorhídrico y pepsina (por lo general después del primer trimestre) • Los estrógenos afectan a la adherencia de las fibras de colágeno • Ocurren trastornos de la alimentación cuya causa se desconoce • Se incrementa la producción de saliva. (No se ha identificado la causa.) • Aumenta la frecuencia de caries dental durante el embarazo	• Puede haber indigestión • Las úlceras pépticas mejoran al disminuir la reacción secretoria a la histamina • Puede ocurrir épulis. Las encías sangran • En algunas mujeres sobreviene pica, es decir, el deseo vehemente de sustancias que pueden ser o no nutritivas, como arcilla, almidón de lavandería, jabón, pasta dental, yeso, etc. • El ptialismo es un problema en algunas pacientes. Sin embargo, algunos investigadores creen que a las mujeres que tienen náuseas les resulta difícil deglutir saliva, lo que hace creer que su secreción es excesiva • Se requiere asistencia dental constante durante el embarazo
Cambios metabólicos • El embarazo tiene un profundo efecto sobre el metabolismo de los carbohidratos. La principal fuente energética para el cerebro y la unidad fetoplacentaria es la glucosa • El metabolismo de los lípidos durante el embarazo hace que se acumulen reservas de grasa durante los periodos de crecimiento fetal y lactación • El feto consume proteínas para crecer	• Durante el embarazo disminuyen las concentraciones plasmáticas de glucosa en ayunas • Las concentraciones plasmáticas de insulina cambian poco hasta el tercer trimestre, época en la cual se incrementan aproximadamente un 30% • Se han acumulado cerca de 3,5 kg de grasa excedente hacia la semana 30 de la gestación • Probablemente no se acumulan proteínas durante el embarazo. Si se ingieren en cantidad insuficiente, la masa muscular de la embarazada puede actuar como reserva de proteínas
Cambios musculoesqueléticos *Influencias hormonales y mecánicas* • Las articulaciones se relajan por acción de la relaxina • Aumenta el peso del útero con el aumento de tamaño • Ocurren cambios posturales	 • La movilidad y flexibilidad de las articulaciones sacroilíaca, sacrococcígea y púbica se incrementan en preparación para el parto • Puede haber dolor del ligamento redondo • Cambia el centro de gravedad, y algunas mujeres presentan dorsalgia. La inclinación hacia atrás para compensar el peso del útero y su contenido puede producir lordosis y distensión dorsal

---

Tabla 2   Adaptaciones fisiológicas de los aparatos y sistemas corporales durante el embarazo *(continuación)*

Cambios fisiológicos	*Importancia clínica*
Influencias hormonales y mecánicas (cont.)	• Puede ocurrir espasmo de los ligamentos uterosacros • Las mujeres pueden experimentar dolor o adormecimiento de las extremidades superiores, a causa de la inclinación de los hombros y el tórax hacia delante
• Puede ocurrir diastasis de los músculos rectos	• El útero puede experimentar herniación parcial
Cambios cutáneos *Influencia hormonal* • Los estrógenos tienen efectos francos sobre la piel	• En muchas mujeres, la influencia de los estrógenos aumenta la pigmentación (cloasma, línea negra), las marcas de estiramiento, las telangiectasias y el eritema palmar

---

gesterona una vez que se ha desprendido la placenta.

Prolactina

• Es una hormona esencial para la lactancia eficaz.
• Fomenta la maduración final del sistema lobuloalveolar.
• Regula la producción de azúcar de la leche (lactosa) y el contenido de agua y electrólitos en ésta.
• Se descarga cuando la succión del lactante produce inhibición del factor inhibidor de prolactina (PIF) del hipotálamo.

Insulina

• Sintetiza y metaboliza nutrientes para la madre y el bebé durante la lactancia, de las siguientes maneras:
—Promueve la captación de glucosa desde la sangre materna.
—Induce la síntesis de enzimas necesarias para el metabolismo de carbohidratos.

—Contribuye a estimular la producción de proteínas y lípidos en la glándula mamaria activa.

Glucocorticoides

• Regulan el transporte de agua a través de las membranas celulares durante el embarazo y la lactancia.

Hormona paratiroidea

• Limita el contenido de calcio de la leche.
• Ajusta el contenido de hierro de la leche a las necesidades del lactante.
• Protege a la madre contra la hipocalcemia y la pérdida excesiva de calcio.

Hormona tiroidea

Regula los procesos metabólicos de la madre al:
• Estimular el apetito.
• Fomentar la absorción de nutrientes.
• Conservar la concentración de glucosa y prolactina en el plasma materno.

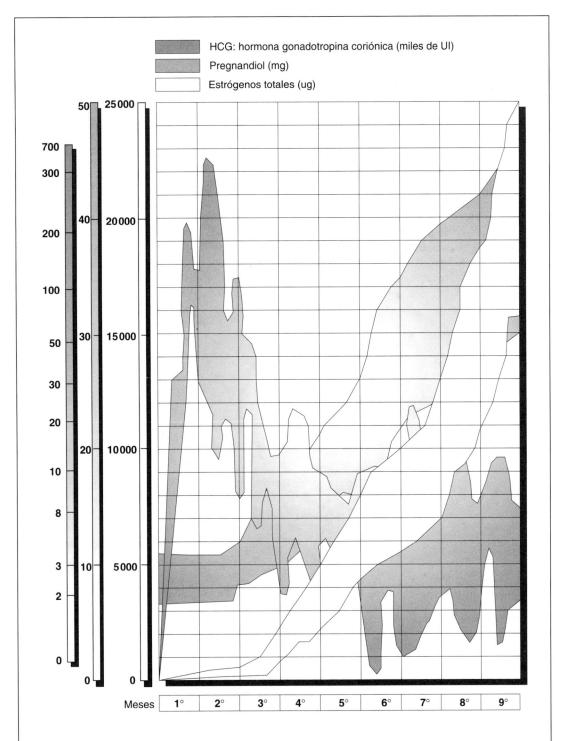

Influencias hormonales en el embarazo. En la gráfica se indica la evolución de los tres tipos de hormonas de mayor relevancia durante el embarazo: la gonadotropina coriónica humana, el pregnandiol (derivado de la progesterona) y los estrógenos. Para cada hormona se indican los niveles máximo y mínimo considerados como normales a lo largo de la gestación.

Tabla 3   Influencias hormonales durante el embarazo

Lugar de producción	Efectos	Implicaciones clínicas

Estrógenos
(Primordialmente estriol E$_3$)
(Se incrementa unas 1000 veces durante el embarazo)
Ovario
Corteza suprarrenal
Unidad fetoplacentaria
(después de la séptima semana de la gestación se atribuye un 50% del aumento a la placenta)
Hígado y suprarrenales fetales
(secretados con sus precursores)
	• Crecimiento y función del útero:
	    Hipertrofia de la musculatura uterina
	    Proliferación endometrial
	    Aumento del flujo sanguíneo hacia la unidad placentaria
	
	• Desarrollo de conductos, alveolos y pezones en la mama
	• Crecimiento de los genitales externos
	• Mayor flexibilidad del tejido conectivo (los tejidos se vuelven higroscópicos y más blandos):
	    Relajación de las articulaciones y los ligamentos pélvicos
	    Distensibilidad del cuello uterino
	• Disminución de la secreción gástrica de ácido clorhídico y pepsina
	• Aumento de la pigmentación de la piel (incremento de la hormona estimulante de melanocitos de la hipófisis)
	• Retención de sodio y agua
	
	• Aumento del 50% del potencial de coagulación del fibrinógeno sanguíneo (factor 1)
	• Mayor producción de estriol hacia el final del tercer trimestre (puede estimular la producción de prostaglandinas)
	
	• Cambios psicológicos
		• Índice del bienestar fetal proporcionado por la determinación de estriol en orina o líquido amniótico
		    El tamaño del útero, según las mediciones de McDonald, debe reflejar un crecimiento fetal apropiado o inapropiado
		• Crecimiento e hipersensibilidad mamarias
		
		• Lordosis, dorsalgia
		• Hipersensibilidad de la sínfisis del pubis
		• Dilatación cervical
		
		• Indigestión, náuseas, pirosis, menor absorción de grasas
		
		• Hiperpigmentación: cloasma, genitales más oscuros y areolas de color, línea negra
		
		• Edema, aumento del volumen plasmático (anemia fisiológica)
		• Aumento de la sedimentación globular
		• Eritema palmar, telangiectasias (angiomas)
		• Aumento de las contracciones uterinas rítmicas; aumento de la vascularidad y de la capacidad de reacción al estímulo con oxitocina
		• Inestabilidad emocional; posiblemente cambios en la libido

Tabla 3   Influencias hormonales durante el embarazo *(continuación)*

Lugar de producción	*Efectos*	*Implicaciones clínicas*

Progesterona
(Se incrementa 10 veces durante el embarazo)
Cuerpo amarillo o lúteo en el ovario durante las siete primeras semanas de la gestación; a continuación unidad maternofetal
	• Desarrollo de células deciduales y fijación endometrial
	• Posible efecto en la supresión de la reacción inmunitaria materna hacia el feto
	• Disminuye la contractilidad del útero grávido
	• Desarrollo del sistema lobulo alveolar de las mamas (carácter secretor)
	• Reprogramación manifiesta de los tres centros hipotalámicos, con producción de :
	
	    Gran acumulación de grasa para proteger a la madre y al feto durante la inanición y el esfuerzo físico extenuante
	
	    Estimulación del centro respiratorio; disminuye la pCO_2 para facilitar la transferencia de CO_2 de la sangre fetal a la materna
	
	    Incremento de 0,3 °C en la temperatura corporal basal hasta la mitad del embarazo; después normalización de la temperatura
	
	• Estimulación de la natriuresis
	
	• Relajación del músculo liso
	
	• Disminución de la motilidad gástrica y de la actividad del colon
	
	• Disminución del tono vesical ureteral; dilatación de todo el sistema
		• Satisface las necesidades nutricionales iniciales del embrión al depositar glucógeno
		
		• Impide el trabajo de parto prematuro
		• Hipersensibilidad mamaria
		
		• Cambios en el almacenamiento de grasa, la respiración y la sensibilidad
		
		• Almacenamiento promedio de 3,5 kg de grasa corporal
		
		• Disminución de la pCO_2 alveolar y arterial en la madre; hiperventilación
		
		• Sensación de demasiado calor; mayor perspiración
		
		• Secreción de aldosterona (ahorradora de sodio) para conservar el equilibrio hidroelectrolítico
		• Náuseas, esofagitis por reflujo, indigestión
		• Retraso del vaciamiento con resorción de agua en el intestino, lo que origina estreñimiento y hemorroides
		• Estasis urinaria, infecciones de las vías urinarias

Tabla 3 Influencias hormonales durante el embarazo *(continuación)*

Lugar de producción	Efectos	Implicaciones clínicas
Gonadotropina coriónica humana Placenta, secretada por el sincitiotrofoblasto (aparece ya a los ocho días de la concepción; alcanza el máximo entre los días 60 y 90, época en que ya no se requiere la función del cuerpo amarillo para conservar el embarazo) (Su secreción máxima es de 50 000 a 100 000 mUI/ml/día; disminuye a un nivel de 50 000 mUI/ml después de los cuatro meses de la gestación)	• Conservación de la función del cuerpo amarillo al principio del embarazo • Posible aplicación para regular la producción de esteroides en el feto	• Posible relación con las náuseas • Empleo en las pruebas de embarazo (la prueba es negativa después de 16 a 20 semanas) • Empleo para las pruebas de embarazo múltiple (se incrementa la cantidad) • Indicación de amenaza de aborto (disminuye la cantidad) • Empleo en el diagnóstico de enfermedad trofoblástica y de embarazo ectópico (se mide mediante radioinmunovaloración de la subunidad de HCG; no tiene reacción cruzada con la hormona luteinizante)
Lactógeno placentario humano (HPL) Placenta, secretada por sincitiotrofoblasto (se identifica en el suero de la madre a las seis semanas de la gestación; alcanza una concentración de 6 000 ng/ml al término)	• Acción semejante a la de las hormonas del crecimiento • Efecto antiinsulínico; ahorra glucosa materna • Conserva la producción adecuada de nutrimentos para el feto cuando la madre está en ayunas (la cantidad de HPL secretada guarda correlación con el peso fetal y placentario) • Posible aumento de la incorporación de hierro en los eritrocitos (actualmente en estudio) • Estimulación del desarrollo mamario, síntesis de caseína y producción de leche	• Mayor disponibilidad de glucosa para consumo fetal • Aumenta la síntesis de proteínas • Aumento de los ácidos grasos circulantes para satisfacer las necesidades metabólicas incrementadas; conservación de la glucosa y los aminoácidos para el consumo del feto • Prevención de posible cetosis por insuficiente ingestión materna de glucosa, que alteraría el desarrollo cerebral del feto • Hay relación entre concentraciones elevadas de HPL y embarazo múltiple

Tabla 3   Influencias hormonales durante el embarazo *(continuación)*

Lugar de producción	*Efectos*	*Implicaciones clínicas*
Prostaglandinas Unidad maternofetoplacentaria (muy distribuidas en todas las células del cuerpo)	• Papel incierto durante el embarazo: la prostaglandina F_2 se encuentra en líquido amniótico, decidua y sangre venosa materna antes del trabajo de parto	• Posible efecto oxitócico sobre músculo uterino • La prostaglandina E se emplea por vía vaginal o durante amniocentesis para abortos del segundo trimestre e inducción del trabajo de parto
Prolactina Hipófisis fetal, hipófisis materna, útero (concentraciones sanguíneas elevadas a las ocho semanas de la gestación, que llegan a un máximo de 200 ng/ml a término)	• Conserva el contenido de proteína, caseína, ácidos grasos y lactosa en la leche, y el volumen de la secreción láctea durante la lactación	• Se requiere la reacción a la succión para la descarga de prolactina
Tiroxina Glándula tiroides, estimulada por adenohipófisis (T_3 disminuye hasta el final del primer trimestre, y a continuación se estabiliza; se ha normalizado 12 a 13 semanas después del parto; T_4 se incrementa durante el embarazo)	• Crecimiento de la glándula tiroides, con incremento del 20% en su función por hiperplasia y aumento de la vascularidad tisular	• Aumento del 25% del metabolismo basal, por la actividad metabólica de la unidad fetoplacentaria • Aumento del yodo fijo en proteínas de 3,6-8,8 hasta 10-12 unidades/dl durante el embarazo • Palpitaciones, taquicardia, labilidad emocional, intolerancia al calor, fatiga
Oxitocina Del hipotálamo a la hipófisis para su descarga	• Estimula la «bajada» o descenso y expulsión de la leche • Estimula las contracciones uterinas (no induce el trabajo de parto, pero intensifica las contracciones) • Reflejo de Ferguson: descarga de oxitocina por distensión cervical y vaginal durante el trabajo de parto	• Lactación • Involución uterina • No se conoce su función en el inicio del trabajo de parto

Oxitocina

- Produce la eyección de leche por los pezones después de la estimulación de las células mioepiteliales.
- Produce contracciones uterinas durante el amamantamiento.

APLICACIONES CLÍNICAS DE LAS PROSTAGLANDINAS Y SUS INHIBIDORES

Prostaglandinas

Aplicaciones establecidas:
- Supresión del embarazo durante el primer y segundo trimestres.
- Supresión del embarazo molar en caso de muerte fetal o de aborto fallido.
- Inducción menstrual.
- Dilatación cervical preoperatoria entre el primer y el segundo trimestres del embarazo.
- Supresión del embarazo durante el tercer trimestre, en caso de anomalía fetal.
- Asistencia en la tercera etapa del trabajo de parto y prevención de la hemorragia puerperal.
- Inducción y aceleración del trabajo de parto a término.
- Ablandamiento cervical previo a la inducción, y dilatación del cuello uterino a término.
- Conservación de la permeabilidad del conducto arterioso en caso de insuficiencia cardiaca congestiva neonatal.

Aplicaciones posibles:
- Tratamiento de la toxemia del embarazo.
- Tratamiento de la coagulación intravascular diseminada.
- Tratamiento de la esterilidad masculina.

Inhibidores de las prostaglandinas

Aplicaciones establecidas:
- Prevención del trabajo de parto prematuro.
- Tratamiento de la dismenorrea.
- Cierre del conducto arterioso.

Aplicaciones posibles:
- Prevención del aborto espontáneo.
- Bloqueo de la ovulación.
- Anticoncepción masculina.

Valoración de la salud antes de la concepción

Las parejas que desean prepararse para el embarazo, pueden hacerlo mejorando su salud antes de la concepción. Al pensar en adoptar tal conducta y buscar asistencia, los miembros de la pareja incrementan la probabilidad de tener un hijo sano normal.

VALORACIÓN

- Elaborar la historia clínica de ambos compañeros, que debe incluir:
  — Trastornos médicos y procedimientos quirúrgicos previos.
  — Empleo de anticonceptivos.
  — Antecedentes familiares de ambas partes para identificar enfermedad o rasgo de drepanocitosis, diabetes, factor Rh, enfermedad de Tay-Sachs, trisomía 21 y otras alteraciones genéticas.
  — Estado de inmunización de la mujer (en especial respecto a la rubéola).
  — Antecedentes de infección herpética.
- Exploración física completa de la mujer, en especial del aparato reproductor, para valorar la existencia de flujo anormal, infección, lesiones, anomalías estructurales y operaciones anteriores.
- Exploración urológica del varón en busca de infecciones, lesiones, masas tumorales, quistes y hernias; testículos no descendidos o pequeños; por último, recuento de espermatozoides (normal, 20 millones/ml).
- Pruebas hemáticas: títulos de rubéola, citología hemática completa, electroforesis de hemoglobina (para descartar hemoglobinopatías), determinaciones de glucosa, evaluación de los títulos de toxoplasmosis y citomegalovirus, y VDRL.
- Cultivos cervicales: frotis de Papanicolau, frotis para gonorrea, cultivo de clamidias; herpes, si es necesario.
- Análisis general de orina.

INTERVENCIONES DE ENFERMERÍA

Enseñanza sobre la salud

- Llevar un calendario menstrual.
- Suspender los anticonceptivos orales tres meses antes de la concepción.

- Retirar el DIU un mes antes de la concepción.
- Suspender el empleo de espermicidas.
- Emplear condones en el intervalo.
- Evitar el consumo de alcohol, fármacos no prescritos y cigarrillos.
- Volver óptima la nutrición y subir o bajar de peso según se requiera.
- Evitar las radiografías o realizarlas sólo en la primera mitad del ciclo menstrual; en caso necesario, emplear una protección de plomo.
- Conocer los síntomas del embarazo; después de la falta de un período menstrual, debe efectuarse una prueba de embarazo.

Diagnóstico de embarazo

OBJETIVOS DE ENFERMERÍA EN EL DIAGNÓSTICO DE EMBARAZO

- Comprender que las mujeres que solicitan el diagnóstico pueden manifestar disgusto por los resultados positivos.
- Tener presente que las mujeres indecisas sobre si proseguir o no con el embarazo requieren orientación especial.
- Apoyar a las que desean embarazarse y explicarles los factores que intervienen en la concepción, así como los medios oportunos para su consecución.
- Brindar apoyo a las mujeres que desean tener un hijo y no han podido lograr un embarazo. Cuando no sobreviene la gestación después de 18-24 meses de relaciones coitales sin protección alguna, comentar la posibilidad de solicitar una investigación de la fecundidad.

POSIBLES DIAGNÓSTICOS DE ENFERMERÍA EN RELACIÓN CON EL EMBARAZO

- Falta de información sobre la asistencia prenatal.
- Falta de información sobre la asistencia neonatal.
- Molestias (*p.e.*, náuseas) propias del embarazo.
- Alteración de los procesos familiares relacionado con la actitud de la pareja con respecto a tener o no un hijo.

- Nutrición alterada, inferior a las necesidades corporales, relacionada con el malestar matutino.
- Posible incumplimiento del tratamiento médico sugerido por la edad de la paciente (adolescentes).

Valoración: métodos para el diagnóstico de embarazo

CAMBIOS CLÍNICOS

Signos sugerentes de embarazo en mujeres sexualmente activas

- Interrupción súbita de la menstruación.
- Náuseas y vómitos.
- Micción frecuente (poliaquiuria).
- Hipersensibilidad mamaria.
- Fatiga.

Signos probables de embarazo en mujeres sexualmente activas

- Aumento de tamaño del abdomen.
- «Peloteo» del feto.
- Ablandamiento del segmento uterino inferior (signo de Hegar).
- Signo de Chadwick (tonalidad purpúrea de la vagina y cuello uterino).
- Sensación de movimientos fetales.

Signos que confirman el embarazo

- Latidos cardiacos fetales.
- Movimientos fetales.
- Diagnóstico ecográfico.

PRUEBAS DE EMBARAZO (TITULACIÓN DE GONADOTROPINA CORIÓNICA HUMANA [HCG] EN SANGRE U ORINA)

- Inmunológicas:
  1. Orina en portaobjetos.
  2. Orina en tubo.
- Radioinmunoanálisis (prueba sanguínea por radioinmunoanálisis para identificar la subunidad beta de la HCG).

667

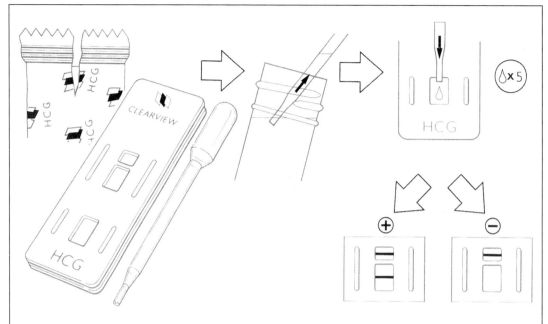

Diagnóstico de embarazo. Las pruebas de embarazo se basan en la titulación de la hormona gonadotropina coriónica humana (HCG) en sangre o en orina, como es el típico test cuya forma de realización y resultados se muestran en la ilustración.

• Pruebas de embarazo caseras en el hogar (pruebas inmunológicas de orina en tubo).

DIAGNÓSTICO ECOGRÁFICO DE EMBARAZO

La ecografía pone de manifiesto:
• Saco gestacional en el útero, que se detecta a partir de las seis semanas del último período menstrual.
• Movimientos del corazón fetal, a las diez semanas.
• Movimientos del feto, a las doce semanas.
• Cabeza y tórax fetales, a las catorce semanas.

Desarrollo fetal
Períodos de crecimiento fetal

DENOMINACIÓN DE LOS PERÍODOS DE CRECIMIENTO FETAL

En el crecimiento y desarrollo del producto de la gestación se consideran tres etapas diferenciales:

Semanas 1 a 3: período preembrionario

• Se produce la fecundación del óvulo y el desarrollo del producto de la concepción hasta que se forman las tres capas del disco embrionario.

Semanas 3 a 8: período embrionario

• Crecimiento rápido, diferenciación tisular y formación de todos los órganos principales.

Semanas 9 a 40: período fetal

• Se produce el crecimiento y desarrollo de los principales órganos, y diferenciación de los aparatos y sistemas corporales.

PERÍODO I: PERÍODO PREEMBRIONARIO

Primera semana

• Fecundación y formación del cigoto (30 horas).
• Segmentación del cigoto en 12 a 16 blastómeros: mórula (días 2 y 3).

- Formación del blastocisto (día 4).
- Fijación del blastocisto (días 5 a 8).

Segunda semana

- Formación de las capas citotrofoblástica (interior) y sincitiotrofoblástica (exterior) (días 7 y 8).
- El trofoblasto invade el endometrio y los sinusoides maternos (día 8).
- Aparición de la cavidad amniótica (día 8).
- Formación de las redecillas lagunares (día 9).
- Establecimiento de la circulación uteroplacentaria primitiva (día 11).
- Formación de las vellosidades coriónicas primitivas (día 13).
- Decidualización de la mucosa uterina (día 14).
- Desarrollo de la lámina procordal (día 14).

Tercera semana

- Formación de los vasos sanguíneos dentro de las vellosidades coriónicas (día 13).
- Gastrulación o conversión del disco embrionario bilaminar en el disco trilaminar (de tres capas) (día 14).
- Desarrollo sostenido del corion, con formación de las vellosidades coriónicas terciarias (días 15 a 20).

- Desarrollo del tubo neural (día 18).
- Formación de somitas (día 21).
- Inicio de la circulación sanguínea (día 24).

PERÍODO II: PERÍODO EMBRIONARIO

Durante este breve lapso (cuatro semanas), el desarrollo embrionario es extremadamente rápido. Se forman todos los órganos internos y externos importantes y los aparatos y sistemas corporales, proceso llamado organogénesis. El embrión cambia de forma, y a las ocho semanas ya son reconocibles los principales aspectos externos del cuerpo (morfogénesis). Esta etapa de crecimiento y desarrollo entraña el potencial de las principales malformaciones congénitas si el embrión queda expuesto a diversos agentes teratógenos, como fármacos, productos químicos, virus y otras sustancias.

Semanas 4 a 8

- Conversión del disco embrionario trilaminar en un embrión cilíndrico con forma de C.
- Formación de cabeza, cola y pliegues laterales.
- Formación del intestino primitivo al incorporarse el saco vitelino en el embrión.

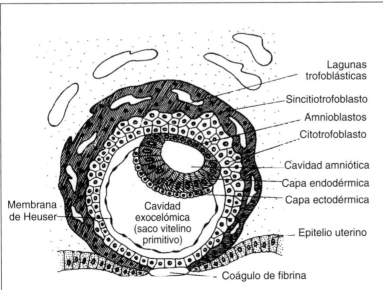

Período preembrionario: blastocisto humano de nueve días, que ya penetra en el endometrio. El trofoblasto se ha diferenciado en citotrofoblasto y sincitiotrofoblasto, donde se forman las lagunas. El embrioblasto se dispone en dos capas celulares, la endodérmica y la ectodérmica, a la par que se forma la cavidad amniótica. El interior del blastocele está recubierto por una capa celular que constituye el saco vitelino primitivo.

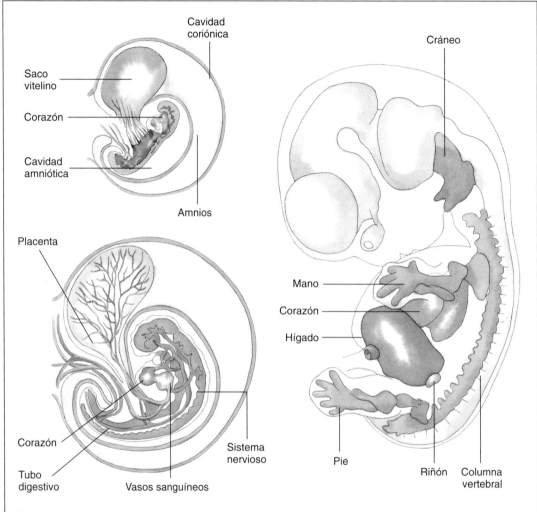

Cavidad coriónica

Cráneo

Saco vitelino

Corazón

Cavidad amniótica

Amnios

Placenta

Mano

Corazón

Hígado

Corazón

Tubo digestivo

Vasos sanguíneos

Sistema nervioso

Pie

Riñón

Columna vertebral

Período embrionario. En esta fase, el desarrollo del producto de la gestación es muy rápido. Se forman los esbozos de todos los órganos corporales importantes (proceso de organogénesis) y el embrión cambia progresivamente de forma, siendo ya reconocibles los principales aspectos externos del cuerpo (proceso de morfogénesis). En la ilustración se muestran distintas fases de la evolución embrionaria.

- Adquisición de una cubierta epitelial por el ombligo mediante ampliación del amnios.
- Establecimiento de la posición ventral del corazón y desarrollo del cerebro en la región craneal del embrión.
- Diferenciación de las tres capas germinales en los diversos tejidos y capas que quedarán establecidos como aparatos y sistemas orgánicos principales.
- Aparición del cerebro, extremidades, ojos, orejas y nariz.
- Adquisición del aspecto humano.

PERÍODO III: PERÍODO FETAL

Una vez establecidas las estructuras orgánicas básicas del embrión y cuando ya es reconocible éste como ser humano, se le llama feto. Durante el período fetal, que abarca de la semana 9 a la 40 de la gestación, continúan el crecimiento y diferenciación de tejidos y órganos que iniciaron su desarrollo durante el período embrionario. El crecimiento es considerable: la longitud de la coronilla a la rabadilla pasa a ser de unos 30 mm hasta cerca de 300 mm. Cambian las proporciones corporales, y los minúsculos órganos fetales empiezan a funcionar para satisfacer parte de sus necesidades metabólicas.

En este período se producen los siguientes acontecimientos principales:

Semanas 9 a 12

- El tamaño de la cabeza fetal corresponde a la mitad del tamaño total del cuerpo.
- La longitud de la coronilla a la rabadilla se duplica entre las semanas 9 y 12.
- Los párpados se encuentran fusionados.
- Las extremidades superiores alcanzan sus proporciones normales, en tanto que las inferiores no se desarrollan tanto.
- Son reconocibles los genitales masculinos y femeninos a las 12 semanas.
- A las 12 semanas, la producción de eritrocitos se transfiere del hígado al bazo.

Semanas 13 a 16

- El crecimiento fetal es rápido.
- El feto duplica su tamaño.
- Empieza a crecer el lanugo.
- Se forman las uñas de las manos.
- Los riñones empiezan a excretar orina.
- El feto empieza a deglutir líquido amniótico.

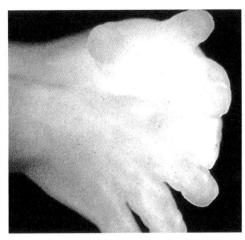

Período fetal. *Detalle de las manos de un feto de catorce semanas, ya formadas y con movimientos activos.*

- El feto adopta aspecto humano.
- La placenta está totalmente formada.

Semanas 17 a 23

- El crecimiento fetal se vuelve lento.
- Las extremidades inferiores completan su formación.

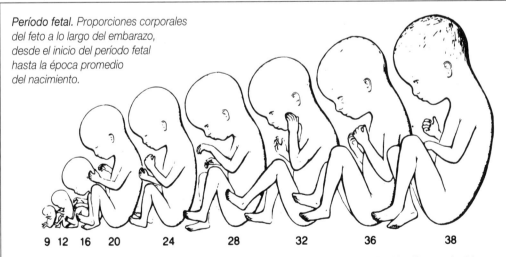

Período fetal. *Proporciones corporales del feto a lo largo del embarazo, desde el inicio del período fetal hasta la época promedio del nacimiento.*

9 12 16   20   24   28   32   36   38

Hacia las 20 semanas empieza a aparecer pelo en la cabeza. La cejas y las pestañas suelen identificarse a las 24 semanas, y los ojos se abren a las 26 semanas. La duración media del embarazo es de 266 días (38 semanas) desde el momento de la fecundación, con una desviación estándar de 12 días. En el ejercicio clínico suele considerarse como término completo el de 40 semanas a partir del primer día de la fecha de la última menstruación, suponiendo que la concepción ocurra dos semanas después de iniciado dicho periodo. Por tanto, cuando un profesional de la salud se refiere al embarazo de 20 semanas, la edad real del feto es de sólo 18 semanas. Los fetos nacidos antes de término (22 semanas o más) pueden sobrevivir, pero requerirán cuidados intensivos.

- El cuerpo fetal queda cubierto por el lanugo.
- El cuerpo queda cubierto por vérnix caseosa, que protege la piel del feto frente al líquido amniótico.
- La madre percibe por primera vez los movimientos fetales cerca de la vigésima semana.
- Se forma la grasa parda.

Semanas 24 a 27

- La piel crece rápidamente; se observa roja y arrugada.
- Se abren los ojos y se forman las pestañas y las cejas.
- El feto se vuelve viable a las 24 semanas.

Semanas 28 a 31

- Se deposita grasa subcutánea.
- Si el feto nace durante esta época, puede sufrir síndrome de insuficiencia respiratoria por inmadurez pulmonar.

Semanas 32 a 36

- El aumento de peso es constante.
- Ha desaparecido el lanugo del cuerpo, pero persiste sobre la cabeza.
- Crecen las uñas de las manos.
- Está admitido que las probabilidades que tiene el feto de sobrevivir si nace durante estas semanas son buenas.

Semanas 37 a 40

- La grasa subcutánea se incrementa de manera constante, y los contornos fetales se redondean.
- Las uñas de manos y pies están totalmente formadas, y rebasan las puntas de los dedos.
- Han descendido ambos testículos (en el varón).
- El cráneo está muy bien desarrollado y es más grande que cualquiera otra parte del cuerpo.

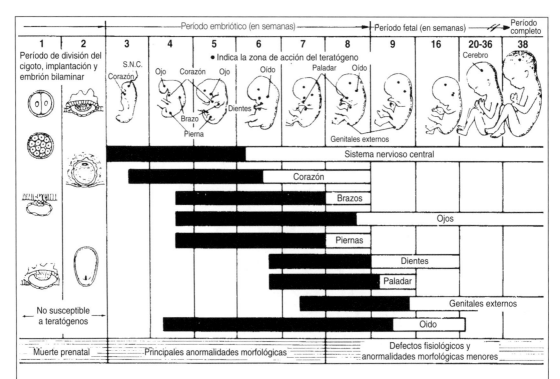

Agentes teratógenos. *En la ilustración se refleja el desarrollo embrionario y fetal en relación con la sensibilidad a la acción de los agentes teratógenos de diferentes órganos y sistemas corporales. Las bandas oscuras indican el intervalo en que las diferentes estructuras orgánicas en formación son susceptibles a la teratogénesis.*

Tabla 4   Efectos nocivos de algunos agentes infecciosos durante el embarazo

Agentes	Mayor frecuencia de pérdida del producto	Malformaciones congénitas	Premadurez por retraso del crecimiento
Víricos			
Citomegalovirus	+	+	+
Rubéola (sarampión de tres días)	+	+	+
Varicela (*varicela-zoster*)	0	+	+
Herpes simple 1 y 2	+	+	+
Parotiditis	+	?	0
Polio	+	0	+?
Sarampión	+	?	+
Encefalitis equina de Venezuela	+	+	0
Coxsackie B	+	?	0
Bacterianos			
Sífilis (*Treponema pallidum*)	+	+	?
Tuberculosis	+	0?	+
Listeriosis (*Listeria monocytogenes*)	+	0	+?
Parasitarios			
Paludismo (*Plasmodium*)	+	0	+
Toxoplasmosis (*Toxoplasma gondii*)	+	+	+
Enfermedad de Chagas (*Trypanosoma cruzi*)	+	0	?
Micóticos			
Fiebre del valle (*Coccidioides immitis*)	+	0	+

+ = establecido, 0 = sin pruebas hasta la fecha, ? = posible pero no establecido.

Nota: No se han incluido los virus de viruela y vaccinia a causa de la erradicación de la viruela.

(Cohen F: Clinical Genetics in Nursing Practice, Philadelphia, JB Lippincott.)

Agentes teratógenos

Véanse la figura adjunta y la tabla correspondiente a los efectos de la exposición del feto a los fármacos en el último volumen de esta obra.

AGENTES INFECCIOSOS DURANTE EL EMBARAZO

Diversos agentes infecciosos pueden producir aborto, malformaciones congénitas y retraso del crecimiento, como se detalla en el cuadro.

EFECTOS DEL SÍNDROME DE ALCOHOLISMO FETAL EN EL LACTANTE

Anomalías en la cara

- Ojos: fisuras palpebrales acortadas, ptosis, estrabismo, miopía, microftalmía (tamaño anormalmente pequeño de los ojos), tortuosidad de vasos retinianos.
- Nariz: corta y respingada; puente bajo y amplio; filtrum hipoplásico (surco plano o ausente por arriba del labio superior); distancia mayor que la normal entre labio superior y nariz.

Tabla 5   Efectos de algunas drogas sobre el feto

Droga	Efectos
Tabaco	Deficiencia de oxigenación Desarrollo más lento de lo normal Bajo peso al nacer Aumento del riesgo de aborto espontáneo Lesiones en el SNC Aumento del riesgo de tumores
Alcohol	Aumento del riesgo de malformaciones Alteraciones del desarrollo Síndrome alcohólico fetal Síndrome de abstinencia en el recién nacido
Marihuana	Alteraciones del desarrollo Aumento del riesgo de malformaciones Alteraciones inmunológicas
Opiáceos	Síndrome de abstinencia al nacer Alteraciones en el SNC
Cocaína	Alteraciones en el SNC

• Orejas: grandes y bajas vueltas hacia atrás.
• Maxilares: ambos hipodesarrollados.

Anomalías cardiovasculares

• Defecto del tabique interventricular, tetralogía de Fallot, conducto arterioso permeable o persistente, defectos de grandes vasos.

Anomalías urogenitales

• Hidronefrosis, hipoplasia renal, agenesia renal (falta de uno o ambos riñones), testículos no descendidos (criptorquidia), hipertrofia del clítoris, hipoplasia de los labios vulvares.

Deformidades del esqueleto

• Microcefalia, uñas hipoplásicas (desarrollo defectuoso), dedos cortos de las manos o los pies, fusión raquídea cervical, clinodactilia (desviación permanente de uno o más dedos de las manos), pliegues palmares aberrantes, múltiples deformidades menos comunes.

Trastornos del sistema nervioso central

• Retraso mental, hiperactividad (impulsividad y dificultades para centrar la atención), trastornos del sueño, retraso del desarrollo, disminución del tono muscular, succión débil.

Deficiencia del crecimiento

• Retraso intrauterino del crecimiento.

EFECTOS DEL TABAQUISMO EN EL FETO

El tabaquismo coincide con peso bajo en el nacimiento, y puede ejercer efectos dañinos sobre el SNC durante el tercer trimestre. Además de relacionarse con el síndrome de muerte súbita infantil durante el puerperio, se acompaña también de los siguientes fenómenos:
• Aborto espontáneo.
• Producto muerto al nacer.

EFECTOS DE LA MARIHUANA

Véase la tabla 5.

Aspectos nutricionales del embarazo y el puerperio

22

OBJETIVOS DE ENFERMERÍA EN LA
ASISTENCIA NUTRICIONAL DURANTE
EL EMBARAZO Y EL PUERPERIO

- Valorar el estado nutricional de la mujer, mediante la investigación de sus antecedentes
médicos y dietéticos, y la interpretación de algunos estudios de laboratorio.
- Identificar las necesidades alimentarias y planear la asistencia nutricional para satisfa-
cerlas.
- Enseñar a la embarazada la importancia de la
buena nutrición durante el embarazo, para
prevenir complicaciones y garantizar el crecimiento y desarrollo fetales normales.
- Ayudar a la embarazada a conservar o mejorar su propio estado nutricional.
- Mejorar los conocimientos de la madre en
cuanto a sus necesidades nutricionales en el
puerperio durante el primer trimestre, sea que
vaya a amamantar a su bebé o a alimentarlo
con leche artificial.

POSIBLES DIAGNÓSTICOS DE ENFERMERÍA
RELACIONADOS CON LA ASISTENCIA
NUTRICIONAL DURANTE EL EMBARAZO
Y EL PUERPERIO

- Falta de conocimiento con respecto a las necesidades nutricionales durante el embarazo
y la lactancia.
- Nutrición alterada, inferior a las necesidades
corporales, a causa de náuseas u otros pro-

Los aspectos nutricionales adquieren una
máxima importancia en el embarazo: resulta tan
importante que se cubran las necesidades de la
madre como las del feto en desarrollo.

Tabla 1   Necesidades energéticas durante el embarazo

Edad en años	Proporción recomendada de kcal/kg de peso corporal	Necesidades de la no embarazada (kcal/día)	Necesidades de la embarazada (kcal/día)
11-15	50	2 200	2 500
15-22	40	2 100	2 400
23-50	36	2 000	2 300

(Adaptado de National Research Council: Recommended Dietary Allowances, 9th ed. Washington, DC, National Academy of Science.)

blemas digestivos, o alimentación incorrecta durante el embarazo.

- Nutrición alterada, superior a las necesidades corporales, relacionada con el aumento del apetito o alimentación incorrecta durante el embarazo.
- Estreñimiento relacionado con disminución del peristaltismo y administración de suplementos de hierro durante el embarazo.
- Alteración en el mantenimiento de la salud relacionada con patrones dietéticos variables por reacción a las demandas del lactante.
- Nutrición alterada, inferior a las necesidades corporales, atribuible al amamantamiento.
- Nutrición alterada, superior a las necesidades corporales, por consumo excesivo de calorías durante la época de lactancia.
- Lactancia materna ineficaz relacionada con problemas de la madre o del bebé.

Necesidades nutricionales en el embarazo

NECESIDADES DE ENERGÍA

El costo energético total del embarazo es de 80 000 Kcal, lo que representa, de promedio, unas 300 Calorías más al día que cuando la mujer no está embarazada. Como las necesidades calóricas difieren entre las mujeres, los requerimientos individuales se calculan tomando como base un mínimo de 36 Kcal/kg de peso corporal durante el embarazo. Las necesidades energéticas de las adolescentes embarazadas pueden llegar a 50 Kcal/kg/día, según los niveles de actividad y la magnitud del crecimiento. En la tabla adjunta se resumen las necesidades energéticas propias del embarazo.

Tabla 2   Necesidades de proteínas durante el embarazo

Edad en años	Proporción recomendada de g/kg de peso corporal	Necesidades de la no embarazada (g/día)	Necesidades de la embarazada (g/día)
11-15	1,7	46	76
15-18	1,5	46	76
19-50	1,3	44	74

(Adaptado de National Research Council: Recommended Dietary Allowances, 9a ed. Washington, DC, National Academy of Science.)

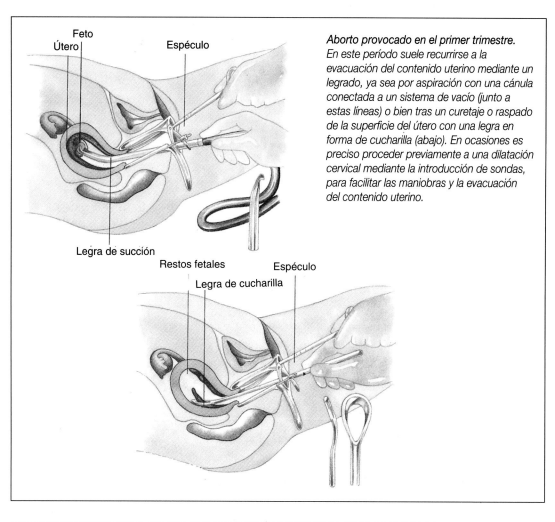

Feto
Útero
Espéculo

Legra de succión

Restos fetales
Legra de cucharilla
Espéculo

Aborto provocado en el primer trimestre. En este período suele recurrirse a la evacuación del contenido uterino mediante un legrado, ya sea por aspiración con una cánula conectada a un sistema de vacío (junto a estas líneas) o bien tras un curetaje o raspado de la superficie del útero con una legra en forma de cucharilla (abajo). En ocasiones es preciso proceder previamente a una dilatación cervical mediante la introducción de sondas, para facilitar las maniobras y la evacuación del contenido uterino.

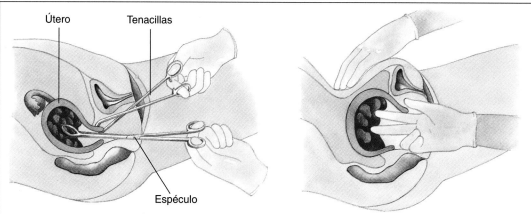

Útero
Tenacillas

Espéculo

Aborto provocado en el segundo trimestre. En este período suele recurrirse a la interrupción del embarazo por inducción de las contracciones uterinas o mediante el método de inyección intraamniótica, pero muchas veces es preciso completar el procedimiento con la extracción de los restos gestacionales mediante un curetaje o bien con el legrado digital, menos traumático para el útero.

Ejercicios de preparación al parto. Actualmente, en la mayoría de los centros sanitarios en los que se ofrece asistencia al embarazo y el parto se realizan cursos de preparación para las mujeres gestantes en los que se enseñan diversos ejercicios y técnicas destinados a mejorar los factores físicos y psíquicos que intervienen en el parto. Una de las funciones del personal de enfermería es proporcionar a las embarazadas los elementos de aprendizaje necesarios para que puedan realizar este entrenamiento en su propio domicilio, con ayuda de la pareja.

X

Tabla 3 Ingestión recomendada de vitaminas liposolubles

Edad en años	Estado no grávido			Embarazo		
	Vitamina A (µg ER)*	Vitamina D (µg)	Vitamina E (mg ET)	Vitamina A (µg ER)*	Vitamina D (µg)	Vitamina E (mg ET)
11-14	800	10,0	8	1 000	15,0	10
15-18	800	10,0	8	1 000	15,0	10
19-22	800	7,5	8	1 000	12,5	10
23-50	800	5,0	8	1 000	10,0	10

*ER = equivalentes de retinol.
800 - 4 000 UI (unidades internacionales).
1 000 = 5 000 UI (unidades internacionales).
ET = equivalentes de tocoferol.

(Adaptado de National Research Council: Recommended Dietary Allowances, 9a ed. Washington, DC, National Academy of Science.)

Tabla 4 Ingestión recomendada de vitaminas hidrosolubles

Vitamina	Edad en años			
	11 a 14	15 a 18	19 a 22	23 a 50
Ingestión por la no embarazada				
Vitamina C (mg)	50,0	60,0	60,0	60,0
Tiamina C (mg)	1,1	1,1	1,1	1,0
Ribloflavina (mg)	1,3	1,3	1,3	1,2
Niacina (mg)	15,0	14,0	14,0	13,0
Vitamina B_6 (mg)	1,8	2,0	2,0	2,0
Ácido fólico (µg)	400,0	400,0	400,0	400,0
Vitamina B_{12} (µg)	3,0	3,0	3,0	3,0
Ingestión por la embarazada				
Vitamina C (mg)	70,0	80,0	80,0	80,0
Tiamina (mg)	1,5	1,5	1,5	1,4
Ribloflavina (mg)	1,6	1,6	1,6	1,5
Niacina (mg)	17,0	16,0	16,0	15,0
Vitamina B_6 (mg)	2,4	2,6	2,6	2,6
Ácido fólico (µg)	800,0	800,0	800,0	800,0
Vitamina B_{12} (µg)	4,0	4,0	4,0	4,0

(Adaptado de National Research Council: Recommended Dietary Allowances, 9a ed. Washington, DC, National Academy of Science.)

NECESIDADES PROTEÍNICAS

Las embarazadas adultas requieren 30 g/día más de proteínas, o una ración total de 1,3 g/kg/día más que las mujeres no gestantes, como se ilustra en la tabla 2.

NECESIDADES DE VITAMINAS

En general, durante el embarazo se incrementa la necesidad de todas las vitaminas. Una que requiere atención especial en este período es el ácido fólico, que fomenta el crecimiento fetal y previene las anemias relacionadas con el embarazo. La ingestión diaria de ácido fólico es dos veces mayor durante la gestación, de 400 μ/día a 800 μg/día. Se recomienda complementar su ingestión durante el embarazo a un nivel de 400 a 800 μg/día cuando la mujer está en riesgo debido a pobreza y malos hábitos de alimentación.

NECESIDADES DE MINERALES

Véase el cuadro correspondiente.

Valoración

FACTORES A TENER EN CUENTA PARA VALORAR EL ESTADO NUTRICIONAL DE LA MUJER EMBARAZADA

- Antecedentes médicos.
  —Intolerancia a la lactosa.
- Datos de la exploración física (véase el cuadro referente a signos clínicos de deficiencia nutricional).
- Datos de las pruebas de laboratorio (véase el cuadro de valores de laboratorio que reflejan el estado nutricional durante el embarazo).
- Antecedentes dietéticos.

Tabla 5   Ingestión recomendada de minerales

Mineral	Edad en años			
	11 a 14	15 a 18	19 a 22	23 a 50
Ingestión por la no embarazada				
Calcio (mg)	1200	1200	800	800
Fósforo (mg)	1200	1200	800	800
Magnesio (mg)	300	300	300	300
Hierro (mg)	18	18	18	18
Cinc (mg)	15	15	15	15
Yodo (mg)	150	150	150	150
Ingestión por la embarazada				
Calcio (mg)	1600	1600	1200	1200
Fósforo (mg)	1600	1600	1200	1200
Magnesio (mg)	450	450	450	450
Hierro (mg)*	18	18	18	18
Cinc (mg)	20	20	20	20
Yodo (mg)	175	175	175	175

* Se requieren de 30 a 60 mg de hierro complementario, además del de las fuentes dietéticas.
(Adaptado de National Research Council: Recommended Dietary Allowances, 9a ed. Washington, DC, National Academy of Science.)

—Hábitos alimentarios de orden cultural o religioso.
—Preferencias y tolerancias de alimentos.
—Recordatorio dietético de 24 horas.
- Consumo de cafeína, alcohol y tabaco.
- Molestias comunes del embarazo que afectan al estado nutricional: náuseas, vómito, pirosis, estreñimiento.
- Valoración nutricional continua: aumento ponderal.

IDENTIFICACIÓN DE LOS FACTORES DE RIESGO NUTRICIONAL

Los principales factores de riesgo nutricional relacionados con el embarazo son:
- Adolescencia (15 años de edad o menos).
- Antecedente de tres o más embarazos durante los dos últimos años.
- Falta de recursos económicos.
- Manías alimentarias, antecedentes de dietas poco comunes o restrictivas.
- Consumo intenso de tabaco, alcohol o fármacos.
- Dieta terapéutica a causa de enfermedad crónica.
- Peso antes del embarazo inferior al 85% o superior al 120% del normal correspondiente a la edad, estatura y complexión física.

Conforme progresa la asistencia prenatal, es necesario vigilar a las pacientes con respecto a los siguientes factores de riesgo:
- Valores de hemoglobina y hematocrito bajos o deficientes (bajos = Hgb: 11 g/Hct: 33; deficientes = Hgb: 10 g/Hct: 30).
- Aumento ponderal insuficiente (cualquier pérdida durante el embarazo o cualquier aumento menor de 900 g/mes).
- Aumento ponderal excesivo (más de 900 g/mes).
- Decisión de amamantar (en mujeres con aumento ponderal insuficiente, anorexia o mala salud).

RIESGO NUTRICIONAL PARA LA ADOLESCENTE EMBARAZADA

Los siguientes factores inciden en la adolescente y constituyen un riesgo nutricional:
- Crecimiento musculoesquelético que prosigue durante uno o dos años después de hacerse posible la concepción.
- Necesidad de nutrientes para el crecimiento y la maduración de la adolescente —además de los del feto— que incrementan las demandas energéticas, de proteínas y demás nutrientes.
- Niveles elevados de actividad.
- Abandono de los buenos hábitos de alimentación, con ingestión de alimentos «basura», bocadillos entre comidas y hábitos alimentarios erráticos.
- Influencia de la publicidad de productos dirigidos a las adolescentes.
- Preocupación por la imagen corporal y dietas muy estrictas.
- Restricción de la ingestión de alimentos para reducir el aumento ponderal u ocultar el estado de gravidez.

VALORACIÓN DEL AUMENTO PONDERAL

El aumento ponderal suficiente debe vigilarse pesando la paciente con cierta regularidad. Un patrón satisfactorio de aumento de peso para la mujer promedio sería:

- 10 semanas de gestación: 650 g.
- 20 semanas: 4 000 g.
- 30 semanas: 8 500 g.
- 40 semanas: 12 500 g.

Durante el embarazo se recomienda un incremento ponderal total de 11,5 a 13,5 kg, tanto en la mujer no obesa como en la obesa. Durante el segundo y el tercer trimestres se considera conveniente un aumento de 450 g a la semana.

Intervenciones de enfermería

ASESORAMIENTO DIETÉTICO DURANTE EL EMBARAZO

- Aconsejar a la madre sobre los cambios que se requieren para remediar las deficiencias. Planear la dieta prenatal con la madre para que logre una nutrición suficiente.
- Explicar la importancia de la buena nutrición para la salud global de la madre y su familia.
- Indicar la importancia de los suplementos de hierro y ácido fólico durante el embarazo.

Iniciar la administración con 30 a 60 mg/día de hierro elemental y 400 a 800 µg/día de ácido fólico. Fomentar la ingestión de alimentos ricos en hierro y ácido fólico.

- Destacar la importancia del aumento ponderal óptimo. Explorar las preocupaciones sobre la imagen corporal.
- Fomentar el consumo de alimentos con proteínas de alta calidad para incrementar la ingestión proteínica y calórica.
- Identificar los alimentos ricos en calorías «insustanciales». Fomentar el consumo de alimentos saludables para satisfacer el hambre.
- Valorar a la mujer en busca de edema en la cara y las extremidades, proteinuria y glucosuria. Verificar que la presión arterial sea normal.

- Sugerir fuentes complementarias de calcio y vitamina B, como tofú (queso de leche de soya) y alimentos elaborados con espinas de pescado y huesos de animales.
- Explicar que el consumo de alcohol y tabaco afecta de manera adversa al crecimiento fetal. Brindar apoyo para efectuar cambios estableciendo objetivos realistas.
- En cuanto a las náuseas y el vómito, recomendar comidas frugales y frecuentes, líquidos calientes o fríos entre las comidas, y galletas secas o pan tostado antes de levantarse de la cama por la mañana.
- Contra el estreñimiento, estimular la ingestión de alimentos ricos en fibra, aumentar el ejercicio diario, comer con regularidad, eliminar los malos hábitos de alimentación e ingerir suficiente líquido (seis a ocho vasos de agua al día).

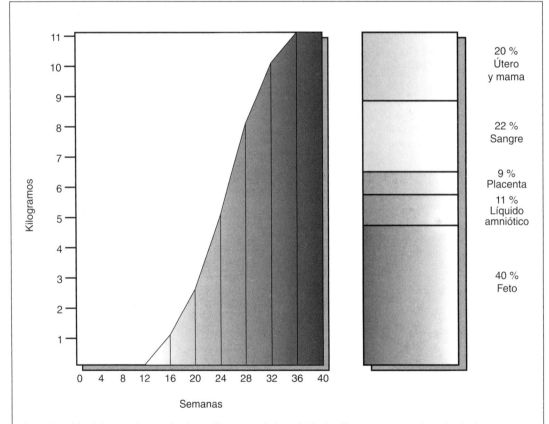

La valoración del aumento ponderal constituye una de las principales fórmulas para evaluar el estado nutricional de la embarazada. En el gráfico de la izquierda se indica el peso medio considerado normal según la edad gestacional. A la derecha se indica el porcentaje de aumento de peso correspondiente a las distintas estructuras maternas y fetales.

Tabla 6 Guía de grupos de alimentos para el embarazo

Grupos de alimentos y ración	Raciones por día	Fundamentos
Alimentos proteínicos Carnes, aves, pescado (60 g), huevos (2); frijoles (judías) (1 taza hervidos); cremas de nuez (1/4 de taza) o nueces y semillas (1/2); tofú (crema de leche de soya) (1 taza) o requesón (queso «cottage») (1/2 taza)	4	Refuerzan los tejidos en la madre y el feto. Estos alimentos contienen hierro, proteínas, cinc y otros muchos nutrimentos
Alimentos lácteos Leche descremada, baja en grasa o entera (1 taza); leche búlgara simple (yogur) (1 taza); leche de soya o tofú (1 taza); queso (45 a 60 g); leche descremada en polvo (1/3 de taza)	4	Contribuyen a la formación sana de huesos y dientes. Estos alimentos son fuente importante de calcio. Contienen vitaminas A y D, necesarias para el desarrollo fetal
Alimentos ricos en carbohidratos Pan, bollos (1 rebanada); macarrón, arroz, tallarín (1/2 taza); cereal caliente (1/2 taza); cereal frío (30 g); germen de trigo (1 cucharada)	4+	Proporcionan vitaminas del grupo B que favorecen a la sangre y los nervios; contienen hierro y oligominerales, además de fibra para una función intestinal óptima
Alimentos ricos en vitamina C Jugo de naranja o de toronja (1/2 taza); 1 naranja o 1/2 toronja; pimientos dulces, hortalizas, tomate rojo, melón, bróculi (brécol), col, coliflor (1 taza)	2+	Brindan vitamina C (ácido ascórbico) que beneficia el tejido conectivo y da resistencia contra infecciones y enfermedades. Es necesaria su ingestión diaria. La vitamina C es especialmente importante en fumadoras. Son preferibles las frutas enteras a sus jugos; deben evitarse las bebidas de frutas a las que se ha añadido azúcar
Vegetales de hoja verde Bróculi (brécol), coles de Bruselas, espárragos, col, verduras, lechuga romana (romanita), berros (1 taza del producto crudo o 3/4 taza del cocido)	1-2+	Aportan folacina, hierro y vitamina A para la suavidad de la piel y buena visión. Estos alimentos contienen también vitaminas E, C y K y fibra natural
Otras frutas y vegetales Todas las frutas y vegetales no señalados antes, y sus jugos: manzanas, zanahorias, plátanos, camotes (boniatos), ejotes (judías), etc., (aproximadamente 1/2 taza)	2+	Fomentan la buena salud. Estos alimentos contienen muchos nutrientes y fibra
Grasas y aceites Mantequilla, margarina, mantequilla enriquecida, aderezos para ensaladas, queso crema, manteca, quesos grasosos	3 cucharaditas	Para obtener energía y una piel sana. Sin embargo, estos alimentos deben consumirse *con moderación*

Asesoramiento dietético durante el embarazo. Entre las intervenciones de enfermería relacionadas con el embarazo, una de las más importantes es la de asesorar a la madre en los aspectos dietéticos y brindar los oportunos consejos nutricionales para evitar carencias o excesos, y en este punto se debe insistir en la importancia de limitar o evitar el consumo de productos nocivos para el desarrollo fetal, como las bebidas alcohólicas.

Necesidades nutricionales de la madre en el puerperio

Todas las nuevas madres necesitan una adecuada cantidad de nutrientes, además de la ejecución de ejercicios tonificadores musculares, para fomentar la cicatrización de los tejidos traumatizados por el trabajo de parto y el parto. En este proceso se alteran de manera impresionante la química corporal y el equilibrio hidroelectrolítico de la mujer, por lo que se requiere de tiempo y de una nutrición suficiente para recuperar la homeostasia.

En las tablas 6 y 7 se resumen los alimentos y sus cantidades apropiadas para las madres (sea que amamanten o no) durante el puerperio, y se señalan las recomendaciones diarias para mujeres adultas.

Intervenciones de enfermería

Instrucciones para la paciente sobre nutrición
Llevar una alimentación completa y variada

La dieta debe contener alimentos de todos los grupos:
- Frutas.
- Verduras y hortalizas.
- Cereales y derivados.
- Leche, queso y yogur.
- Carnes, aves, pescado y huevos.

Evitar el exceso de grasas, las grasas saturadas y el colesterol

- Es preferible consumir carnes magras, pescados, aves, judías (frijoles) y guisantes (chícharos) como buenas fuentes de proteínas.
- Consumir con moderación yemas de huevo y vísceras (*p.e.*, hígado).
- Limitar la ingestión de mantequilla, crema de leche, margarinas hidrogenadas, manteca, aceite de coco y alimentos elaborados con estos productos.
- Recortar la grasa excesiva de las carnes.
- Es preferible preparar alimentos asados, al horno a la plancha, a la brasa o hervidos, en vez de fritos.
- Verificar la cantidad y el tipo de grasas contenidas en los alimentos envasados.
- Hacer más comidas sin carne, o con poca carne.
- Emplear productos lácteos con poca grasa o desnatados.
- Consumir más carbohidratos complejos todos los días.
- Sustituir grasas y azúcares por almidones.
- Dar preferencia a alimentos que sean buena fuente de fibra y almidón, como pan integral y cereales enteros, frutas, verduras y legumbres.

Tabla 7   Guía de alimentos para el puerperio

| Grupo de alimentos | Raciones diarias sugeridas | | | Opciones de alimentos con pocas calorías |
| | Mujeres que amamantan | | Mujeres que no amamantan | |
	Lácteos	No lácteos		
Alimentos proteínicos (vegetales o animales) 1 ración = 60 g de carne, pollo o pescado cocidos 2 huevos 2 cucharadas a 1/4 de taza de crema de nuez 1/2 taza de nueces o semillas 1 taza de frijoles o chícharos cocidos 1/2 taza de queso *cottage* desgrasado	4	6 a 8	4	Recortar la grasa de todas las carnes Consumir más pollo y aves (carne blanca) que carne roja. Quitar la piel a las aves. Emplear pescado enlatado en agua. Limitar las carnes enlatadas (ricas en grasas). Emplear nueces tostadas y secas, y crema de cacahuete al estilo clásico
Lácteos 1 ración = 1 taza de leche o yogur 1/3 de taza de leche en polvo 1 taza de tofú o leche de soya 45 g de queso macizo 1 1/3 de taza de helado 1 taza de yogur suave congelado	5	0-1 *	2	Leche descremada sola o en combinación con leche con poca grasa Yogur descremado o simple. Limitar la ingestión de helado Consumir yogur en lugar de crema agria Cocinar con leche descremada
Cereales (son mejores de grano entero) 1 ración = 1 rebanada de pan 30 g de cereal (frío) 1/2 taza de cereal caliente cocido 1/2 taza de pasta o arroz cocido 1 cucharada de germen de trigo 1 tortilla	4+	4+	3+	Limitar la cantidad de grasas (margarina, mantequilla, mayonesa), salsas y postres dulces (jaleas) que se añaden a los cereales. Evitar bollos dulces, buñuelos, galletas, diversos tipos de bizcochos y las galletas enriquecidas (consultar el contenido de grasas en la lista de ingredientes). Emplear cereales sin añadirles aceite, manteca, azúcar o miel

Tabla 7   Guía de alimentos para el puerperio *(continuación)*

| Grupo de alimentos | Raciones diarias sugeridas | | | Opciones de alimentos con pocas calorías |
| | Mujeres que amamantan | | Mujeres que no amamantan | |
	Lácteos	No lácteos		
Vegetales ricos en vitamina C 1 ración = 1/2 a 3/4 de taza de jugo de cítricos o de bróculi (brécol), col, pimientos, melón chino, tomate, fresas	2+	2+	1+	La cocción excesiva destruye la vitamina C Consumir frutas frescas o enlatadas sin azúcar Beber licuados de jugo con agua en lugar de jugos concentrados
Verduras 1 ración = 1 taza, crudas o cocidas	1+	1+	1+	Cocinar al vapor, freír o ingerir crudas. Evitar salsas, grasas añadidas, etc. Emplear aderezo para ensaladas con poca grasa
Otras frutas y vegetales 1 ración = 1/2 taza a 3/4 de taza	2+	2+	2+	Bocadillos frecuentes de frutas y vegetales Limitar los aguacates (ricos en calorías)

* Solo para madres que deben evitar los lácteos a causa de alergia o deficiencia de lactasa

Evitar el exceso de azúcar

- Limitar el consumo de todos los azúcares: azúcar refinada, azúcar morena, miel y jarabes.
- Ingerir menos productos que contengan estos azúcares, como caramelos, refrescos embotellados (gaseosas), helados, pasteles y galletas.
- Consumir frutas frescas o enlatadas sin azúcar; en el caso de estas últimas, deben evitarse las muy almibaradas.
- Verificar el contenido de azúcar de los alimentos envasados; una palabra terminada en

Tabla 8   Indicadores clínicos de deficiencia de nutrientes

Dato físico	Nutriente en déficit
Edema importante en regiones no declive	Proteínas
Atrofia papilar filiforme de la lengua	Hierro, folato
Glándula tiroides visible y con crecimiento difuso	Yodo
Hiperqueratosis folicular en la parte superior de los brazos	Vitamina A
Papilas interdentales rojas y con inflamación difusa en una boca por lo demás sana	Vitamina C
Fisuras angulares y queilosis	Riboflavina

El ejercicio físico, siempre que sea practicado con regularidad, es uno de los principales factores a tener en cuenta para favorecer la evolución del embarazo. Siempre deben darse las instrucciones correspondientes sobre actividades físicas en relación con el asesoramiento dietético, ya que la inactividad de la madre –siempre que no sea por indicación médica– es uno de los motivos más destacados de aumento de peso perjudicial, debido a una desproporción entre el aporte y el gasto energéticos. Por ello es fundamental insistir en la importancia de llevar a cabo una actividad física regular y moderada, evitando las prácticas deportivas peligrosas y los excesos o ejercicios agotadores. Además, la preparación física permitirá afrontar en mejores condiciones el esfuerzo suplementario que supone el momento del parto y es un factor a tener en cuenta en la prevención de complicaciones.

«osa» (*p.e.*, sacarosa, maltosa, dextrosa, fructosa, lactosa) o la palabra «jarabe» en el nombre del producto, son sinónimos de una gran cantidad de azúcar.

- Recordar que es tan importante la frecuencia con que se toma azúcar como la cantidad que se ingiere cada vez.

Evitar el exceso de sodio (sal)

- Aprender a disfrutar del sabor de los alimentos sin condimentar.
- Cocinar con poca sal.
- Añadir poca o nada de sal a los alimentos ya servidos.

- Limitar la ingestión de alimentos salados como patatas fritas, galletas, semillas y palomitas (rosetas) de maíz, sazonadores (salsa de soya, salsa para carnes, sal de ajo), quesos, alimentos en salmuera y carnes curadas.
- Verificar el contenido de sodio de los alimentos envasados.
- Si se tiene antojo de sal durante el embarazo, usarla, pero advertir de ello al médico.

Otros consejos

- Hacer ejercicio con regularidad.
- Asegurar para el lactante una dieta que sea suficiente.

685

Tabla 9   Valores de laboratorio que reflejan el estado nutricional durante el embarazo

Prueba de laboratorio	Límites normales		Datos en caso de deficiencia
	No embarazada	Embarazada	
Hgb/Hct	>12/36	>11/33*	<11/33*
Ácido fólico sérico	5 a 21 ng por ml	3 a 15 ng por ml	<3 ng por ml
Fe sérico, capacidad de fijación del Fe	>50/250 a 400 µg por 100 ml	>40/300 a 450 µg por 100 ml	<40/450 µg 100 ml
Acetona urinaria	Negativa	Vagamente positiva por la mañana	Positiva
Glucosa sanguínea en ayunas	70 a 100 mg por 100 ml	65 a 100 mg por 100 ml	<65 mg por 100 ml
Glucosa sanguínea posprandial a las dos horas	<110 mg por 100 ml	<120 mg por 100 ml	–
Proteínas séricas totales	6,5 a 8,5 g por 100 ml	6 a 8 g por 100 ml	<6 g por 100 ml*
Albúmina sérica	3,5 a 5 g por 100 ml	3 a 4,5 g por 100 ml	<3,5 g por 100 ml*
Nitrógeno de la urea sanguínea	10 a 25 mg por 100 ml	5 a 15 mg por 100 ml	<5 mg por 100 ml
Nitrógeno de la urea en orina; proporción total de nitrógeno	>60	>60	>60
Colesterol	120 a 290 mg por 100 ml	200 a 335 mg por 100 ml	–
Vitamina A sérica	20 a 60 ng por 100 ml*	20 a 60 ng por 100 ml*	<20 ng por 100 ml
Caroteno sérico	50 a 300 ng por 100 ml	80 a 325 ng por 100 ml	<80 ng por 100 ml*
Calcio sérico	4,6 a 5,5 mEq por litro	4,2 a 5,2 mEq por litro	<4,2 mEq por litro o normal
Fosfato sérico	2,5 a 4,8 mg por 100 ml	2.3 a 4.6 mg por 100 ml	Sin cambios
Fosfatasa alcalina	35 a 48 UI por litro	35 a 150 UI por litro	Sin cambios
Ácido ascórbico sérico	0,2 a 2,0 mg por 100 ml*	0,2 a 1,5 mg por 100 ml*	<0,2 mg por 100 ml*
Tiempo de protrombina	12 a 15 seg	12 a 15 seg	Prolongado
Tiamina sanguínea	1,6 a 4,0 ng por 100 ml	–	Disminuida
Tiamina urinaria	>55 ng por g de creatinina	–	<50
Ácido láctico sanguíneo	5 a 20 mg por 100 ml	–	Elevado
Riboflavina urinaria	>80 mg por g de creatinina	–	<90*
N-metilnicotinamida	1,6 a 4,3 mg por g de creatinina	2,5 a 6 mg por g de creatinina	<2,5 por g de creatinina*
Excreción de ácido cinurénico	3 mg por 24 horas	–	Elevada
Excreción de ácido xanturénico	3 mg por 24 horas	–	Elevada

Tabla 9   Valores de laboratorio que reflejan el estado nutricional durante el embarazo *(continuación)*

Prueba de laboratorio	Límites normales		Datos en caso de deficiencia
	No embarazada	Embarazada	
Excreción del FIGLU (ácido forminoglutámico) (después de administrar 15 g de L-histidina)	<3 mg por 24 horas 1 a 4 mg por 24 horas	– –	Elevada Elevada
Vtamina B$_{12}$ sérica	330 a 1025 pg por ml	Disminuida	Disminuida
Ácido metilmalónico	<10 mg por 24 horas	–	Elevado
Calcio sérico	4,6 a 5,5 mEq por litro	4,2 a 5,2 mEq por litro	Normal
Tiroxina sérica (T$_4$)	4,6 a 10,7 mg por ml	6 a 12,5 ng por ml	Disminuida o normal

* Se requieren de 30 a 60 mg de hierro complementario, además del de las fuentes dietéticas.
(Adaptado de National Research Council: Recommended Dietary Allowances, 9a ed. Washington, DC, National Academy of Science.)

- Amamantar al niño, a menos que haya problemas especiales de salud que puedan agravarse o afectar al bebé.
- Retrasar la administración de alimentos sólidos al lactante hasta que tenga de cuatro a seis meses de edad.
- No añadir sal o azúcar a los alimentos del niño.

INSTRUCCIONES PARA LA PACIENTE DE CÓMO CONSERVARSE FÍSICA Y MENTALMENTE BIEN

- Caminar como ejercicio. Ésta es una excelente manera de evitar la fatiga excesiva y ayuda a eliminar los cambios de humor.
- Relacionarse con los padres de otros niños pequeños, y hablar con ellos de lo que agrada o desagrada de la maternidad.
- Dedicar al arreglo personal un poco más de tiempo que al principio del embarazo; esto resguarda la confianza en sí misma y evita el desánimo por los cambios físicos que se van presentando.
- Tratar de conocer madres experimentadas y comentar con ellas todas sus dudas y preocupaciones.
- Darse tiempo para divertirse con el compañero desde el principio del embarazo; así ambos podrán exteriorizar sus preocupaciones y lograr un mejor apoyo mutuo.

Necesidades nutricionales del lactante durante el primer año de vida

- La leche materna es suficiente para satisfacer las necesidades nutricionales del lactante durante los cuatro a seis primeros meses de vida, aunque después de esta edad se requiera un complemento de nutrientes específicos.
- Las fórmulas lácteas bastan también para satisfacer las necesidades del lactante durante los cuatro a seis primeros meses de vida; después, la dieta debe complementarse con alimentos sólidos.

TIPOS DE FÓRMULAS LÁCTEAS COMERCIALES

- Concentradas (líquidas): requieren dilución con cantidades iguales de agua.
- En polvo: necesitan mezclarse con agua según las instrucciones que se anexan en el envoltorio.
- Listas para emplearse: requieren medición en biberones individuales.
- Listas para emplearse, preenvasadas: listas para administrarse en útiles biberones desechables.

Tabla 10   Ingesta recomendada de nutrientes para lactantes

Nutriente	Ingesta recomendada	
	Nacimiento a seis meses	Seis meses a un año
Calorías	kg × 115	kg × 105
* Proteínas (g)	kg × 2,2	kg × 2
Vitamina A (μg ER)	420	400
* Vitamina D (μg, colecalciferol)	10	10
Vitamina E (mg, α ET)	3	4
* Vitamina C (mg)	35	35
Folacina (μg)	30	45
Niacina (mg, EN)	6	8
Riboflavina (mg)	0,4	0,6
Tiamina (mg)	0,3	0,5
* Vitamina B_6 (mg)	0,3	0,6
Vitamina B_{12} (μg)	0,5	1,5
* Calcio (mg)	360	540
Fósforo (mg)	240	360
Yodo (μg)	40	50
Magnesio (mg)	50	70
Cinc (mg)	3	5
* Hierro (mg)	10	15

* Sólo se ha hablado de estos nutrientes en este capítulo.

ER = equivalentes de retinol. ET = equivalentes de tocoferol. EN = equivalentes de niacina.

(National Academy of Science, National Research Council: Recommended Dietary Allowances, 9a. ed. Washington, DC, Government Printing Office.)

CARACTERÍSTICAS GENERALES DEL LACTANTE BIEN ALIMENTADO

- Incremento constante de peso y estatura.
- Patrones regulares de sueño.
- Eliminación fisiológica de desechos.
- Actividad vigorosa.
- Alegría en general.
- Músculos firmes.
- Cantidad moderada de grasa subcutánea.
- Inicio de la dentición entre los cinco y los seis meses de edad.

Tabla 11   Patrón típico de alimentación del lactante

Edad	Número de comidas	Volumen por comida	Total
Nacimiento a dos semanas	Seis a diez	60 a 90 ml	350 a 900 ml
Dos semanas a un mes	Seis a ocho	90 a 120 ml	530 a 950 ml
Uno a tres meses	Cinco a seis	120 a 180 ml	740 a 1 000 ml
Tres a siete meses	Cuatro a cinco	180 a 210 ml	740 a 1 000 ml
Siete a doce meses	Tres a cuatro	210 a 240 ml	740 a 1 000 ml

1

2

3

4

5

La preparación de los biberones debe respetar una serie de pasos básicos que garanticen la elaboración de una fórmula adecuada.
A continuación constan las instrucciones para la preparación de varios biberones: 1, hervir agua y llenar la jarra graduada hasta el nivel necesario para todos los biberones; 2, llenar la cucharilla dosificadora al ras, sin apretar el polvo; 3, añadir a la jarra tantas medidas de leche en polvo como sean necesarias para la preparación de la fórmula y agitar bien; 4, llenar los biberones hasta el nivel correspondiente; 5, tapar sin demora.

Intervenciones de enfermería

INSTRUCCIONES PARA LA PACIENTE SOBRE LA ALIMENTACIÓN DEL LACTANTE

- La leche materna o las fórmulas lácteas son suficientes para la alimentación de casi todos los lactantes durante los primeros cuatro a seis meses de vida.
- Muchos lactantes dan muestras de hallarse preparados para los alimentos sólidos hacia los seis meses de edad. Cuando se tenga la certeza de que el bebé está listo para recibir estos alimentos, observar estas recomendaciones:
  1. Incluir primero los sólidos más sencillos en la dieta.
  2. Añadir sólo un alimento nuevo cada vez (no mezclas), y esperar entre unos días para ver cómo se adapta el pequeño a ese alimento. Si el lactante manifiesta una reacción alérgica, suspender el alimento y explicar la reacción al médico.
  3. Tener en cuenta que los síntomas de alergia suelen sobrevenir dos o tres días después de la introducción del nuevo alimento. Tales síntomas son: vómitos, diarrea, cólicos, erupción cutánea, eccema, sibilancias y rinorrea.
  4. Tener en cuenta que los alimentos que más tienden a producir alergias son: leche de vaca, clara de huevo, trigo, cacahuetes, maíz, cítricos, fresas, tomates, chocolate y pescado.
  5. Al principio se ofrecerán cantidades pequeñas (una cucharada o menos) del nuevo alimento. Diluir y ablandar el alimento mezclándolo con un poco de leche materna o de fórmula.
  6. Conforme crece el niño, recordar la necesidad de variar la textura de los alimentos que se le ofrezcan. El bebé de seis meses requiere alimentos bien machacados (en papilla); a los ocho meses, la mayoría acepta perfectamente los alimentos machacados y triturados; hacia los diez meses deben recibir pedacitos de alimentos blandos bien cocidos para que los coman solos.

El alimento, ¿debe comprarse ya hecho o elaborarse en casa?

Es fácil y divertido elaborar en el hogar los alimentos para el lactante. La enfermera o el nu-

triólogo orientarán sobre la manera de prepararlos. La cocina debe estar limpia y contar con ciertos utensilios baratos. Los alimentos comerciales son nutritivos si se siguen estas sugerencias al adquirirlos:

- Comprar alimentos no mezclados (hay tantas proteínas en un frasco de pollo picado como en 4,3 frascos del mismo tamaño de pollo y fideos).
- Leer el rótulo del envase para evitar alimentos que contienen azúcares, sal y almidones.
- Verificar la fecha de caducidad en la tapa del frasco y asegurarse de que no se ha roto el sello al vacío.
- No alimentar al lactante directamente del frasco, a menos que pueda comerse toda la porción de una sola vez; los sobrantes refrigerados pueden más tarde producir intoxicación.

Uso correcto del biberón

- Los biberones sólo deben utilizarse para dar al bebé agua, leche materna o leche artificial.
- No deben darse en biberón alimentos sólidos (cereales, etc.), que deben administrarse con cuchara.
- Las bebidas dulces preparadas con polvos comerciales, los refrescos (gaseosas) e incluso los jugos pueden producir caries al lactante cuando se administran con biberón. Los jugos deben darse en taza. Deben evitarse bebidas a base de polvos y las embotelladas, ya que proporcionan sólo calorías «insustanciales».
- Sostener siempre en brazos el lactante al darle el biberón. El amor de la madre es tan importante como el alimento que proporciona. Dejar «puesto» el biberón junto al bebé acostado puede producir problemas como ahogamiento, caries e infecciones auditivas.

Otros consejos

- Nunca debe obligarse al lactante a terminar los alimentos o la leche que ya no quiere. La sobrealimentación puede causar sobrepeso, con los problemas consiguientes.
- Durante el primero o los dos primeros años de vida, no debe darse al lactante lo siguiente: nueces, zanahorias crudas, palomitas (rosetas) de maíz, semillas y otros alimentos con los que podría ahogarse.

Valoración de enfermería de la embarazada

Cuidados prenatales

La asistencia de la maternidad ha experimentado un sustancial cambio en los últimos tiempos. En general, cada vez son más las mujeres que reconocen su necesidad especial de apoyo y de adquirir conocimientos sobre su cuerpo, los cambios que se experimentan durante el embarazo y lo que podría ocurrir durante este período y en el parto. La enfermería es la profesión de la salud cuyos objetivos parecen ajustarse mejor a las necesidades particulares de las embarazadas. Por tanto, ahora más que nunca el personal de enfermería debe prepararse para adoptar la responsabilidad de instruir, informar y brindar asistencia a las gestantes y a sus familiares.

OBJETIVOS DE ENFERMERÍA EN LA ASISTENCIA PRENATAL

- Lograr que el embarazo culmine con el nacimiento de un producto sano sin que se altere la salud de la madre.
- Hacer lo posible para que la experiencia de la familia tenga un desarrollo positivo.

POSIBLES DIAGNÓSTICOS DE ENFERMERÍA RELACIONADOS CON LA ASISTENCIA PRENATAL

- Alteración del bienestar a causa de náusea y vómito, por aumento de la concentración de estrógenos, disminución de la glucemia o disminución de la motilidad gástrica.
- Molestias relacionadas con la pirosis, a causa de la presión sobre el cardias por el crecimiento uterino.
- Intolerancia a la actividad relacionada con la fatiga y la disnea secundarias a la presión del útero en constante crecimiento sobre el diafragma y al aumento del volumen sanguíneo.
- Estreñimiento relacionado con la disminución de la motilidad gástrica y la presión del útero sobre la porción baja del colon.
- Posible alteración de la autoestima de la mujer relacionada con los efectos del embarazo sobre los patrones biológicos y psicológicos.
- Posible falta de información sobre efectos del embarazo en los sistemas corporales, crecimiento y desarrollo fetales, necesidades nutricionales, dominio psicosocial y cambios en la unidad familiar.

TRIMESTRES DEL EMBARAZO

El embarazo se divide en tres trimestres, cada uno de aproximadamente 13 semanas:
- Semanas 1 a 13.
- Semanas 14 a 27.
- Semanas 28 a 40.

A veces se considera un cuarto trimestre que se refiere a las semanas correspondientes al puerperio.

691

Primera consulta prenatal

OBJETIVOS DE ENFERMERÍA DURANTE LA PRIMERA CONSULTA PRENATAL

- Determinar los factores —entre los antecedentes de la paciente, su compañero y sus familiares— que pudieran afectar a la evolución prenatal de la embarazada, los resultados del embarazo y la salud a largo plazo.
- Valorar la salud física y emocional previa y actual de la paciente.
- Informar a la paciente y a su compañero sobre la asistencia de maternidad y las necesidades prenatales correspondientes.
- Establecer pronto una relación armónica, que se enriquecerá conforme la enfermera y la futura madre establezcan juntas prioridades en cuanto a asistencia prenatal y problemas relacionados.

VALORACIÓN DE ENFERMERÍA

La primera consulta prenatal suele ser extensa, ya que puede durar entre una y dos horas. Por lo general consta de las siguientes etapas:
1. Orientar a la paciente sobre el sitio en que se encuentra. Darle la bienvenida y ofrecerle una breve descripción del lugar, horarios, números telefónicos para consulta, y una explicación sobre lo que ocurre en la primera consulta prenatal.

2. Obtener los antecedentes médicos. Esto constituye una biografía breve, y debe proporcionar la siguiente información:
   - Datos demográficos.
   - Antecedentes menstruales.
   - Embarazo actual: problemas, medicaciones, tabaquismo, psicofármacos, consumo de alcohol, peligros ocupacionales.
   - Embarazos previos: abortos (espontáneos, terapéuticos); partos a término y pretérmino; lugar en que ocurrió el parto; tipo de parto, tiempo del trabajo de parto y estado del recién nacido; complicaciones del trabajo de parto, el parto y el puerperio.
   - Antecedentes médicos y familiares.
   - Revisión por aparatos y sistemas.

3. Diagnóstico de embarazo
   - Véase Enfermería obstétrica: Adaptaciones del embarazo y desarrollo fetal, diagnóstico de embarazo.

ÚLTIMA MENSTRUACIÓN Y FECHA PROBABLE DE PARTO

La duración promedio del embarazo, calculada a partir del primer día de la última mens-

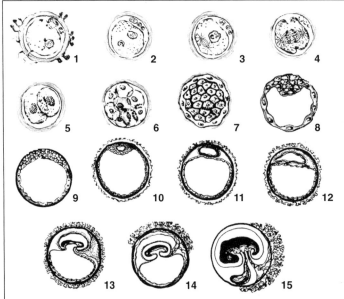

La asistencia durante el embarazo debe incluir las explicaciones de los acontecimientos y cambios fisiológicos propios de la gestación. En la ilustración, proceso de la evolución del embrión: penetración del espermatozoide en el óvulo (1); fusión con el núcleo femenino (2) y primera división celular (3); el huevo continúa su desarrollo en la trompa (4, 5 y 6); luego, en forma de mórula, ingresa en la cavidad uterina (7 y 8), transformándose más tarde en blástula (9); a continuación, en el blastocisto se forma la cavidad amniótica (10, 11 y 12) y luego el saco vitelino y el disco embrionario (13); finalmente, el embrión queda definido y empieza su metamorfosis, mientras se desarrolla el corion frondoso (14 y 15).

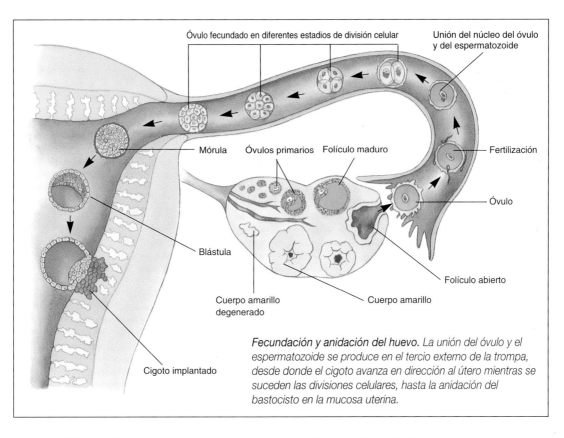

Óvulo fecundado en diferentes estadios de división celular

Unión del núcleo del óvulo y del espermatozoide

Mórula

Óvulos primarios

Folículo maduro

Fertilización

Blástula

Óvulo

Cuerpo amarillo degenerado

Cuerpo amarillo

Folículo abierto

Cigoto implantado

Fecundación y anidación del huevo. *La unión del óvulo y el espermatozoide se produce en el tercio externo de la trompa, desde donde el cigoto avanza en dirección al útero mientras se suceden las divisiones celulares, hasta la anidación del bastocisto en la mucosa uterina.*

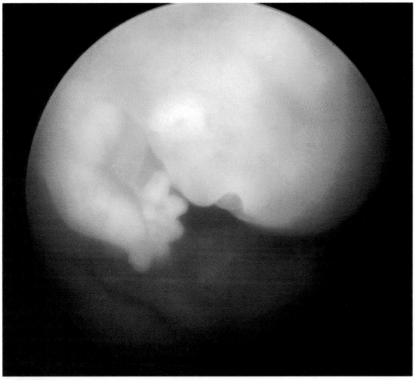

Feto de nueve semanas. *En el comienzo del período fetal ya están establecidas todas las estructuras orgánicas y es reconocible la forma humana. En la ilustración puede distinguirse la cabeza, que proporcionalmente tiene un tamaño muy grande en relación al cuerpo, así como el detalle de una mano, que ya dispone de todos sus dedos.*

La placenta es el órgano materno-fetal encargado de proporcionar la nutrición al feto y también de eliminar los productos de desecho del organismo fetal hacia la circulación materna. Este órgano se forma a partir del momento de la implantación del huevo en la mucosa uterina, pero su desarrollo no se completa hasta el segundo mes, cuando adquiere su máxima funcionalidad. En este esquema se representa la circulación placentaria: la sangre materna entra en la placenta por la vena umbilical y se distribuye por las vellosidades coriales, donde se realiza el intercambio de sustancias nutritivas con la circulación del feto; los productos de desecho fetales son filtrados en las vellosidades y pasan a la circulación materna a través de las arterias umbilicales. Las flechas indican el sentido de la circulación y los puntos donde se producen los intercambios entre la circulación materna y la fetal.

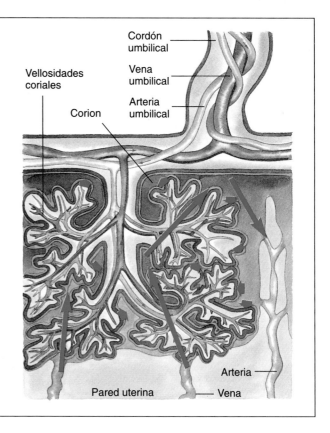

Vellosidades coriales

Corion

Cordón umbilical

Vena umbilical

Arteria umbilical

Pared uterina

Arteria

Vena

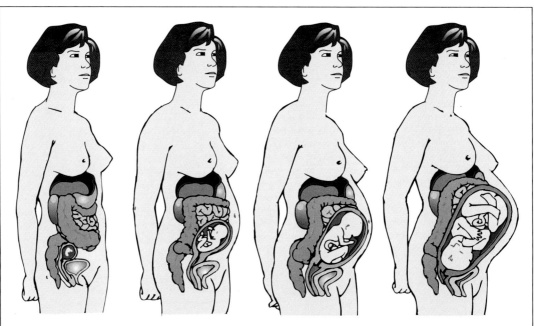

Crecimiento uterino. En esta ilustración se muestran las relaciones que mantiene el útero con los órganos pélvicos y abdominales a medida que aumenta de volumen, desde el inicio hasta el final del embarazo.

Tabla 1   Calendario obstétrico

Enero	1 2 3 4 5 6 7 8 9 10 11 12 13 14 15 16 17 18 19 20 21 22 23 24 25 26 27 28 29 30 31	Enero
Octubre	8 9 10 11 12 13 14 15 16 17 18 19 20 21 22 23 24 25 26 27 28 29 30 31 1 2 3 4 5 6 7	Noviembre
Febrero	1 2 3 4 5 6 7 8 9 10 11 12 13 14 15 16 17 18 19 20 21 22 23 24 25 26 27 28	Febrero
Noviembre	8 9 10 11 12 13 14 15 16 17 18 19 20 21 22 23 24 25 26 27 28 29 30 1 2 3 4 5	Diciembre
Marzo	1 2 3 4 5 6 7 8 9 10 11 12 13 14 15 16 17 18 19 20 21 22 23 24 25 26 27 28 29 30 31	Marzo
Diciembre	6 7 8 9 10 11 12 13 14 15 16 17 18 19 20 21 22 23 24 25 26 27 28 29 30 31 1 2 3 4 5	Enero
Abril	1 2 3 4 5 6 7 8 9 10 11 12 13 14 15 16 17 18 19 20 21 22 23 24 25 26 27 28 29 30	Abril
Enero	6 7 8 9 10 11 12 13 14 15 16 17 18 19 20 21 22 23 24 25 26 27 28 29 30 31 1 2 3 4	Febrero
Mayo	1 2 3 4 5 6 7 8 9 10 11 12 13 14 15 16 17 18 19 20 21 22 23 24 25 26 27 28 29 30 31	Mayo
Febrero	5 6 7 8 9 10 11 12 13 14 15 16 17 18 19 20 21 22 23 24 25 26 27 28 1 2 3 4 5 6 7	Marzo
Junio	1 2 3 4 5 6 7 8 9 10 11 12 13 14 15 16 17 18 19 20 21 22 23 24 25 26 27 28 29 30	Junio
Marzo	8 9 10 11 12 13 14 15 16 17 18 19 20 21 22 23 24 25 26 27 28 29 30 31 1 2 3 4 5 6	Abril
Julio	1 2 3 4 5 6 7 8 9 10 11 12 13 14 15 16 17 18 19 20 21 22 23 24 25 26 27 28 29 30 31	Julio
Abril	7 8 9 10 11 12 13 14 15 16 17 18 19 20 21 22 23 24 25 26 27 28 29 30 1 2 3 4 5 6 7	Mayo
Agosto	1 2 3 4 5 6 7 8 9 10 11 12 13 14 15 16 17 18 19 20 21 22 23 24 25 26 27 28 29 30 31	Agosto
Mayo	8 9 10 11 12 13 14 15 16 17 18 19 20 21 22 23 24 25 26 27 28 29 30 31 1 2 3 4 5 6 7	Junio
Septiembre	1 2 3 4 5 6 7 8 9 10 11 12 13 14 15 16 17 18 19 20 21 22 23 24 25 26 27 28 29 30	Septiembre
Junio	8 9 10 11 12 13 14 15 16 17 18 19 20 21 22 23 24 25 26 27 28 29 30 1 2 3 4 5 6 7	Julio
Octubre	1 2 3 4 5 6 7 8 9 10 11 12 13 14 15 16 17 18 19 20 21 22 23 24 25 26 27 28 29 30 31	Octubre
Julio	8 9 10 11 12 13 14 15 16 17 18 19 20 21 22 23 24 25 26 27 28 29 30 31 1 2 3 4 5 6 7	Agosto
Noviembre	1 2 3 4 5 6 7 8 9 10 11 12 13 14 15 16 17 18 19 20 21 22 23 24 25 26 27 28 29 30	Noviembre
Agosto	8 9 10 11 12 13 14 15 16 17 18 19 20 21 22 23 24 25 26 27 28 29 30 1 2 3 4 5 6 7	Septiembre
Diciembre	1 2 3 4 5 6 7 8 9 10 11 12 13 14 15 16 17 18 19 20 21 22 23 24 25 26 27 28 29 30 31	Diciembre
Septiembre	7 8 9 10 11 12 13 14 15 16 17 18 19 20 21 22 23 24 25 26 27 28 29 30 1 2 3 4 5 6 7	Octubre

Localizar la fecha del primer día del último período menstrual en la línea superior de cualquiera de los pares de líneas que están arriba. La fecha que está directamente debajo es la fecha esperada del internamiento (fecha probable del parto).

truación, es de unos 280 días, es decir, 40 semanas, 10 meses lunares o 9 meses de calendario. La fecha probable de parto, en la que se estima que se produzca el ingreso, puede calcularse empleando la regla de Nägele. Según esta regla, la fecha probable de parto se calcula añadiendo siete días a la fecha del primer día de la última menstruación, y a continuación restando tres meses. Así, el primer día de la última menstruación, más siete días, menos tres meses, es igual a la fecha probable de ingreso para el parto. Por ejemplo, si la última menstruación normal de la paciente se inició el 4 de febrero, la fecha esperada de parto será el 11 de noviembre:

Febrero 4 + 7 = Febrero 11
Febrero 11 − 3 meses = Noviembre 11

Para facilitar el cálculo, puede usarse el calendario obstétrico que aparece en la tabla 1. También se pueden emplear dispositivos de cálculo de la gestación en forma de rueda no sólo para calcular la fecha probable de parto, sino también las semanas de la gestación y la longitud y el peso esperados del feto cada semana del feto.

Consultas prenatales subsecuentes

PROGRAMA PARA LAS CONSULTAS PRENATALES DE VIGILANCIA

- Cada cuatro semanas hasta la semana 28 del embarazo.
- Cada dos semanas hasta la semana 36 del embarazo.
- Cada semana hasta el parto.

ACTIVIDADES DURANTE ESTAS CONSULTAS

- Valoración del estado del embarazo entre las consultas.
- Valoración de las prácticas actuales de alimentación.

- Exploración física, que debe incluir especialmente:

1. Medición de la presión arterial

La presión arterial medida al principio del embarazo es un dato de referencia para la valoración y comparación ulteriores de lecturas que pueden elevarse al avanzar la gestación. Tiene importancia un incremento sistólico de 30 mm Hg o uno diastólico de 15 mm Hg respecto de la presión arterial de referencia.

2. Peso

Se mide el peso al inicio del embarazo para valorar el aumento secuencial total durante la gestación. Una pérdida ponderal temprana por debajo de los niveles previos al embarazo puede significar que la mujer ha experimentado náuseas y vómitos: se requiere envío inmediato a asesoría nutricional con objeto de evitar deshidratación o cetosis. Un aumento mayor que el promedio durante la parte final del embarazo (2,250 kg o más en una semana) puede indicar sobrealimenta-

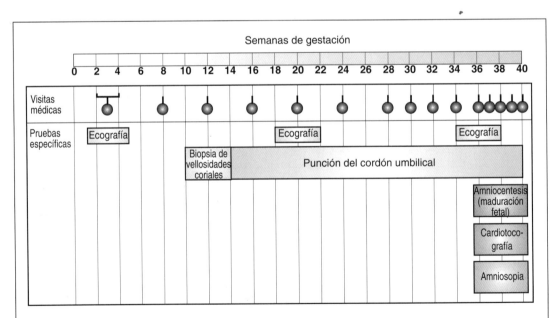

Programa para las consultas prenatales de vigilancia. Si no surgen complicaciones que impongan la necesidad de un control más frecuente, las visitas médicas suelen efectuarse con la periodicidad indicada en la parte superior del gráfico. En la parte inferior se señalan las pruebas complementarias que más se practican de manera rutinaria (ecografía, cardiotocografía) o bajo indicación precisa para evaluar el estado fetal y época de la gestación en que se realizan.

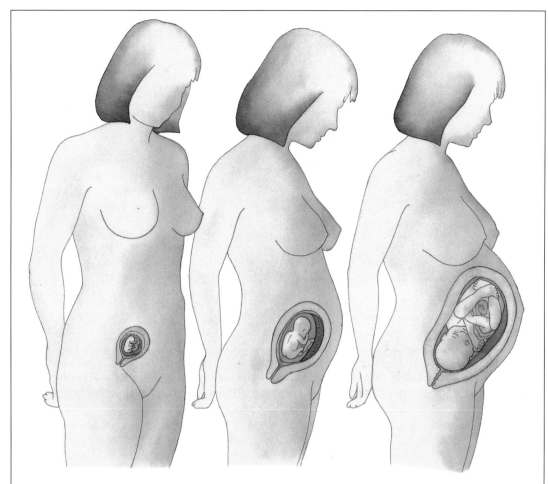

La palpación abdominal permite evaluar la altura del fondo uterino, que se encuentra a distintos niveles en las diferentes épocas de la gestación: hasta las semanas 12-13 se mantiene dentro de la cavidad pélvica, hacia la semana 20 llega a la altura del ombligo y en la semanas 36-38 alcanza el nivel máximo.

ción, consumo excesivo de sal, retención de agua o posible preeclampsia.

Valoración de enfermería
Examen físico

EXPLORACIÓN FÍSICA COMPLETA

Debe efectuarse la exploración física completa de toda embarazada. Los datos físicos saldrán de lo normal en las mujeres en que son más acentuados los cambios del embarazo. La valoración física consiste en:

• Palpación de glándula tiroides.
• Auscultación de ruidos cardiacos maternos.
• Inspección y palpación de mamas.
• Inspección y palpación de abdomen.
• Medición de la altura del fondo uterino.
• Auscultación de los ruidos cardiacos fetales.
• Exploración pélvica.

Los cambios corporales que pueden valorarse durante la exploración física se describen en la tabla 2.

PALPACIÓN ABDOMINAL

Antes de las semanas 12-13 de la gestación, el útero ocupado se mantiene como órgano pél-

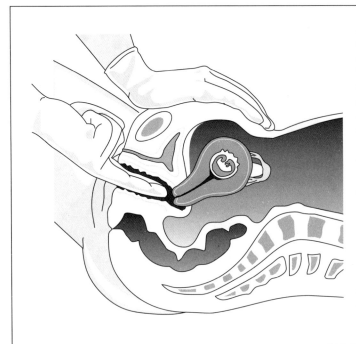

La palpación bimanual permite explorar el estado del cuello del útero, con la mano colocada en situación vaginal, y sirve así mismo para evaluar la altura del fondo uterino, con la mano colocada sobre la superficie abdominal. La palpación del útero entre las manos vaginal y abdominal, efectuando movimientos de lado a lado con un dedo en cada uno de los fondos de saco laterales, permite percibir la forma y superficie uterinas. Esta maniobra es de utilidad para controlar que el tamaño del útero se corresponda con la edad gestacional, así como para detectar irregularidades en la superficie uterina o desviaciones producidas por tumoraciones o adherencias pélvicas.

vico, y no se puede palpar por el abdomen. Desde el momento en que su fondo llega a la cavidad abdominal, a las 12 semanas, hasta que llega al ombligo, a las 20 semanas de la gestación, se mide en traveses de dedo. Después de esta época se puede seguir midiendo así o en centímetros. Pueden emplearse las mediciones de McDonald en lugar de los traveses de dedo después de las 20 semanas, cuando la medición de la altura uterina se aproxima a los 15 centímetros de estatura. En caso de que existieran discrepancias entre el tamaño del útero y el tiempo de embarazo, puede recurrirse a los siguientes parámetros referenciales:

- Tamaño del útero durante la primera consulta prenatal.
- Presencia del útero en la pelvis (< 12 semanas de gestación).
- Presencia del útero en el abdomen (> 12 semanas de gestación).
- Fecha de la primera prueba positiva de embarazo.
- Semanas de embarazo en relación con la última menstruación.
- Tamaño del útero en relación con la edad gestacional fetal estimada.

- Ruidos cardiacos fetales escuchados con fetoscopio por arriba mismo de la sínfisis, a las 20 semanas de gestación.
- Movimientos fetales percibidos hacia la semana 20 de la gestación.
- Informe de sonografía entre las semanas 13 y 16.

MANIOBRAS DE LEOPOLD

Las maniobras de Leopold se emplean para palpar el feto, con objeto de identificar su posición, variedad de presentación y actitud. Se efectúan durante el embarazo una vez que el tamaño del útero permite ya distinguir por palpación las partes fetales, según se ilustra a continuación.

Primera maniobra

- Responde a la pregunta: *¿Qué está en el fondo uterino: la cabeza o la pelvis fetal?*
- Aspecto que se identifica: *presentación.* Esta maniobra identifica la parte del cuerpo que se encuentra sobre el orificio cervical inferior, hacia la pelvis. Las presentaciones más comunes son: *cefálica* (primero la cabeza) y *pélvica* (primero la pelvis).

Ejecución de la primera maniobra

Mirando hacia la cabeza de la paciente, se palpa el fondo uterino con las puntas de los dedos de ambas manos.
- Cuando en el fondo uterino está la cabeza fetal, se percibe como una masa dura, lisa, globular, móvil y desplazable.
- Cuando en el fondo uterino está la pelvis, se percibe como una masa blanda, irregular, redonda y menos móvil.

Segunda maniobra

- Responde a la pregunta: *¿Dónde se encuentra el dorso (espalda)?*
- Aspecto que se identifica: *posición.* Esta maniobra identifica las relaciones entre una parte del cuerpo del feto y el frente, dorso o lados de la pelvis materna. Las posibles posiciones fetales son variadas.

Ejecución de la segunda maniobra

El explorador debe mirar hacia la cabeza de la paciente. Coloca las manos a cada lado del abdomen, sostiene el útero con una mano y palpa el lado opuesto para localizar el dorso fetal.
- El dorso se percibe firme, liso, convexo y resistente.

- Las partes menores (brazos y piernas) se perciben pequeñas, de ubicación irregular y nudosas, y pueden ser activa o pasivamente móviles.

Tercera maniobra

- Responde a la pregunta: *¿Cuál es la parte de presentación?*
- Aspecto que se identifica: *parte de presentación.* Esta maniobra identifica la parte más baja del feto, esto es, la más cercana al cuello uterino. Es la parte del feto que primero hace contacto con el dedo durante la exploración vaginal, y constituye con más frecuencia la cabeza o la región pélvica.

Ejecución de la tercera maniobra

El explorador vuelve la cara hacia los pies de la paciente. Coloca las puntas de los tres primeros dedos y el pulgar de una mano a cada lado del abdomen, justo por arriba de la sínfisis, y le pide que inhale profundamente y deje salir todo el aire. Conforme la mujer exhala, se hunden los dedos hacia abajo con lentitud y profundidad alrededor de la parte de presentación. Se revisan de este modo el contorno, el tamaño y la consistencia de la parte palpada.

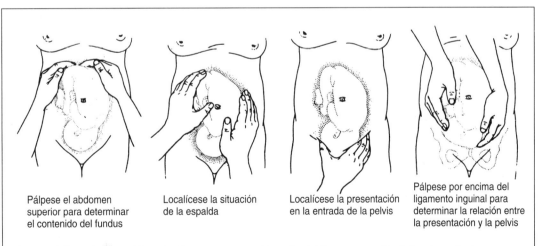

Pálpese el abdomen superior para determinar el contenido del fundus

Localícese la situación de la espalda

Localícese la presentación en la entrada de la pelvis

Pálpese por encima del ligamento inguinal para determinar la relación entre la presentación y la pelvis

Las maniobras de Leopold se efectúan una vez que el tamaño del útero ya permite distinguir mediante una palpación abdominal las diversas partes del feto y sirven para determinar su posición, la variedad de presentación y actitud. En la ilustración se muestra la posición de las manos del explorador en la ejecución de cada una de las cuatro maniobras.

Tabla 2   Cambios corporales durante el embarazo que se pueden valorar en la exploración física

Cambios normales	Molestias	Problemas
Cabeza y cuello Aumento de la vascularidad nasal	Epistaxis	
Cloasma (máscara del embarazo)	Preocupación estética; puede persistir	
Epulis (hipertrofia gingival)	Encías sangrantes, dificultad para comer y conservar los dientes limpios	Malnutrición
	Náuseas	
Ptialismo (salivación excesiva)	Palpitaciones, taquicardia, fatiga	
Hipertrofia del tiroides; incremento del metabolismo basal		
Tórax Aumento de la circunferencia de la pared torácica	Hiperventilación, disnea	
Desplazamiento lateral de la punta del corazón		
Desdoblamiento intensificado del primer ruido cardiaco, tercer ruido agudo		
Soplo sistólico en el 90% de las embarazadas; presión arterial humeral más elevada cuando la paciente está sentada		Presión arterial elevada
Angiomas en araña		
Mamas Aumento de tamaño de las mamas, erección de los pezones, oscurecimiento de las areolas, secreción de calostro	Hipersensibilidad, hormigueo	Crecimiento del tejido mamario supernumerado en la axila
Abdomen y tubo digestivo Agrandamiento del útero; elevación del útero desde la pelvis entre las semanas 12 y 13 de la gestación	Náuseas, vómitos	Pérdida de peso, hiperemesis gravídica
Sensación de movimientos fetales entre las semanas 18 y 20 de la gestación		Ausencia de movimientos fetales; dolor abdominal bajo
Estrías de la gravidez		
Línea negra		

Tabla 2 Cambios corporales durante el embarazo que se pueden valorar en la exploración física *(continuación)*		
Cambios normales	*Molestias*	*Problemas*
Dorso Acentuación de la curvatura lumbar		Dorsalgia
Pelvis Aumento del flujo vaginal blanco Mayor riesgo de infección de las vías urinarias; disminución del tono vesical	Aumento de la urgencia y frecuencia urinarias	Mayor riesgo de infección vaginal Nicturia, disuria, hipersensibilidad del ángulo costovertebral; proteínas, glucosa y cetonas en orina
Extremidades Eritema palmar Presión sobre la circulación venosa de las piernas Edema de pies y piernas (proporciones declive)		Manos pruríticas Varicosidades Edema duro

- La cabeza se percibe dura y lisa, móvil si no está encajada e inmóvil si lo está.
- La región pélvica se percibe blanda e irregular.

Cuarta maniobra

- Responde a la pregunta: *¿Dónde está la prominencia cefálica?*
- Aspecto que se identifica: *prominencia cefálica.* Esta maniobra identifica la mayor prominencia de la cabeza fetal palpada sobre el estrecho pélvico superior. Cuando la cabeza está flexionada (actitud de flexión) la frente forma la prominencia cefálica; cuando está extendida (actitud de extensión) la prominencia cefálica corresponde al occipucio.

Ejecución de la cuarta maniobra

El examinador mira hacia los pies de la paciente, mueve suavemente los dedos por los lados del abdomen en dirección hacia la pel-vis, hasta que los dedos de una de las manos encuentren una prominencia ósea, que corresponde a la prominencia cefálica.

EXPLORACIÓN PÉLVICA

La exploración pélvica consiste en:
- Exploración y palpación de los genitales externos.
- Examen con espéculo vaginal.
- Exploración bimanual y rectovaginal.

Estudios prenatales de laboratorio

CONSULTA INICIAL

- Analítica sanguínea, incluyendo hemograma completo y determinación de hemoglobina.
- Determinación de grupo sanguíneo y factor Rh.
- Pruebas serológicas para investigación de anticuerpos.

Tabla 3   Inspección y palpación de los genitales

Órgano o estructura	Acción	Datos normales	Cambios del embarazo	Cambios anormales
Inspección *Monte de Venus*	Ajustar la luz y sentarse en un banquito al pie de la mesa, mirando hacia el perineo de la paciente. Inspeccionar los genitales externos	Caracteres sexuales secundarios maduros	Ninguno	
		Piel cubierta por un triángulo invertido de vello rizado (pubis o escudo femenino)	Ninguno	Pediculosis púbica (piojo púbico o ladilla) o sus liendres (huevecillos en el vello). Prurito (comezón), excoriación por rascado, foliculitis (folículos pilosos infectados)
Labios mayores		Se encuentran muy unidos entre sí en nulíparas, y pueden estar muy separados en multíparas; se sienten blandos; su superficie interior está húmeda	Superficie interior más seca con aspecto de piel	Prurito, excoriación por rascado, lesiones diversas, vesículas, varicosidades, secreción entre los pliegues por infección vaginal, hipersensibilidad de las glándulas de Bartholin, edema, enrojecimiento
Inspección y palpación	Se avisa a la paciente de que se la va a tocar. Con la mano enguantada se separan los labios mayores para exponer los labios menores			

Tabla 3   Inspección y palpación de los genitales *(continuación)*

Órgano o estructura	Acción	Datos normales	Cambios del embarazo	Cambios anormales
Labios menores		Ocultos bajo los labios mayores en nulíparas, proyectados más allá de los labios mayores en multíparas; su tamaño y forma varían grandemente; se sienten blandos	Ninguno en multíparas	Enrojecimiento producido por infección vaginal o reacción alérgica al material de las duchas y el jabón perfumado; crecimientos verrugosos, otras lesiones
Clítoris	Observar el clítoris y retraer su prepucio	Organillo pequeño, eréctil y muy vascularizado que rara vez tiene más de 2 cm de longitud; cubierto por un prepucio que se puede retraer	Ninguno	Hipertrofia del clítoris, prepucio fijo que no se puede retraer (puede dificultar la estimulación sexual), diversas lesiones, chancros de enfermedades transmitidas por contacto sexual
Meato uretral	Se separan los labios con los dedos índice y medio de la mano enguantada y se inspecciona la uretra	Hendidura vertical con aspecto sonrosado y plegado	Ninguno observable; dilatación del conducto uretral por aumento de la progesterona	Pólipos, crecimientos tisulares, secreción, carúncula, eritema
Conductos de Skene (a cada lado de la uretra a las 4 y a las 8 del reloj)	Insertar el dedo índice de la mano derecha 2,5 cm por el introito y empujar suavemente la uretra hacia arriba. Esta maniobra se llama «exprimir»	Puede observarse o no el conducto; no hay secreción	Ninguno	Secreción blancoamarillenta que rezuma por el conducto de Skene (se requiere cultivo para gonorrea)
Musculatura vaginal	Al retirar los dedos de la vagina, abrir suavemente el orificio vaginal.	Tono muscular firme o relajado	Tono muscular más relajado, particularmente en las multigrávidas	Cistocele (prolapso de vejiga por la pared anterior de la vagina);

Tabla 3 Inspección y palpación de los genitales *(continuación)*

Órgano o estructura	Acción	Datos normales	Cambios del embarazo	Cambios anormales
Musculatura vaginal *(cont.)*	Dejando los dedos fijos, se pide a la paciente que tosa			rectocele (prolapso del recto hacia la parte posterior de la vagina)
Musculatura pubcoccígea	Se insertan los dedos más a fondo en la vagina y se pide a la paciente que apriete los músculos alrededor de ellos. (Son los músculos que retienen el chorro de orina durante la micción)	Control muscular firme	Tono muscular más relajado, particularmente en las multigrávidas	Pérdida del tono vesical a consecuencia del embarazo; fuga de orina, sobre todo en mujeres maduras, cuando no se conserva el tono muscular perineal
Glándulas de Bartholin	Se deslizan los dedos introducidos en la vagina hacia los lados de la horquilla posterior, para palpar las glándulas de Bartholin a las 4 y a las 8 del reloj	No se perciben las glándulas	Ninguno	Aumento del tamaño glandular por infección, generalmente unilateral; exudado por el conducto; enrojecimiento de la piel circundante; estas lesiones pueden estar tan doloridas que impiden que la paciente camine
Perineo (región situada entre vagina y ano)	Se retiran de la vagina los dedos enguantados y, con ambas manos, se separan las regiones glúteas para observar perineo y ano	No hay lesiones, posiblemente cicatriz de episiotomía por parto previo	Ninguno	Lesiones, quistes, infección
Ano		Piel más oscura	Ninguna	Hemorroides, inflamación, lesiones, fisuras

Tabla 4 Procedimientos para la exploración con espéculo

Procedimiento	Cambios del embarazo	Datos anormales
Con la luz colocada para una visión óptima: 1. Se inspecciona el cuello uterino	El orificio cervical de la nulípara es pequeño y redondo; el de la mujer que ya ha dado a luz tiene forma de hendidura, puede mostrar cicatrices por desgarros durante partos previos. Cuello uterino azuloso y friable (sangra con facilidad); ectopia, flujo blanco	Orificio cervical dilatado; exuda un flujo amarillento, verdoso o de mal olor, inflamación
2. Se obtienen muestras: *Cervicales*: Frotis de Papanicolau; frotis para investigar gonorrea u otros problemas si se sospecha infección *Vaginales*: Portaobjetos húmedo con solución salina y KOH para diagnosticar probables infecciones vaginales	Mayor cantidad de flujo blanco normal Vagina azulosa, con rugosidades	Sangre por el orificio cervical, lesiones, ectropión de configuración irregular Flujo de aspecto anormal, lesiones, quistes
3. Se retira el espéculo de la siguiente manera: se afloja el tornillo; ejerciendo presión hacia abajo, se gira el instrumento conforme se retira con lentitud; se coloca el pulgar con ligera presión sobre el tornillo correspondiente para poder ver las paredes vaginales entre las hojas; conforme se retira el espéculo se cierra gradualmente, y se encontrará cerrado por completo al extraerlo en ángulo oblicuo	Color azul sonrosado, rugosidad	Anomalías estructurales, lesiones, inflamaciones, placas blancas, hemorragia por contacto

1. Rubéola.
2. Sífilis (VDRL).
3. Toxoplasmosis.
4. Hepatitis.

- Análisis general de orina, urocultivo, o ambos.
- Prueba de la tuberculina o test de Mantoux (inyección intradérmica de derivado proteínico purificado), si está indicado.
- Frotis de Papanicolau.
- Frotis para investigar gonorrea.

- Determinación de alfafetoproteína durante las semanas 16 a 18 de la gestación.

Los valores de laboratorio normales se resumen en la tabla 6.

ESTUDIOS DE LABORATORIO REPETIDOS (SI SE CONSIDERA NECESARIO)

- Medición de las concentraciones urinarias de glucosa, proteínas y cetonas mediante tiras colorimétricas: cada consulta.

Tabla 5 Exploración bimanual y rectovaginal

Procedimiento	Cambios del embarazo	Datos anormales
1. Se retira el guante de la mano izquierda y se lubrican los dos primeros dedos de la mano derecha Se introducen los dedos lubricados en la vagina sin dejar de hacer *presión hacia abajo*. Con los dedos bien introducidos en la vagina, se gira la mano hasta que la palma quede hacia arriba. Se conserva el pulgar vertical en la línea media, mientras que los otros dos dedos se curvan para no estorbar		
Cuello uterino 2. Se coloca la mano izquierda sobre el abdomen a media distancia entre la sínfisis del pubis y el ombligo. Se empujan los dedos que se encuentran en la vagina hacia adelante y hacia atrás hasta que cada uno se encuentre en un fondo de saco lateral, con el cuello entre ellos. Se palpa éste; debe moverse libremente	La boca cervical se encuentra cerrada hasta la parte tardía del embarazo; el cuello se siente blando como un lóbulo de la oreja. A término es blando y comprensible	Zonas rugosas, edema, hemorragia, dilatación antes del término, hipersensibilidad con el movimiento
Útero 3. La posición del útero se establece haciendo pasar los dedos a lo largo del frente y del dorso del cuello uterino. Con los primeros dos dedos colocados sobre el cuello uterino, se le empuja hacia arriba levantando el útero hacia el abdomen. Se palpa el útero entre las manos vaginal y abdominal moviéndolo de lado a lado con un dedo en cada uno de los fondos de saco laterales, de modo que se pueda percibir la superficie uterina	Cambios de la forma desde globular hasta ovoide. El tamaño del útero depende de la edad de gestación. Se siente más blando que el útero no ocupado. Pueden percibirse las contracciones, irregulares e indoloras, de Braxton Hicks. Se convierte en órgano abdominal a las 12 semanas de gestación	Hiposensibilidad con los movimientos, los miomas (fibroides) se perciben como irregularidades firmes sobre su superficie. Las desviaciones hacia cualquiera de los lados pueden ser producidas por tumoraciones o adherencias pélvicas

Tabla 5 Exploración bimanual y rectovaginal *(continuación)*

Procedimiento	Cambios del embarazo	Datos anormales
4. Para palpar los anexos, se colocan los dedos vaginales con la superficie palmar hacia arriba en el fondo de saco lateral derecho, y la mano abdominal en la región de la fosa ilíaca derecha. Las manos se juntan y se mueven así hacia la línea media. Los dedos vaginales perciben cómo se desliza el ovario entre ellos mientras la mano abdominal lo empuja hacia abajo. Se repite la maniobra en el lado izquierdo. (En algunas mujeres los ovarios no se pueden palpar aun cuando no haya embarazo.)		
Exploración rectovaginal 1. Lavar las secreciones que quedaron en los guantes con la exploración vaginal y aplicar jalea lubricante 2. Pedir a la paciente que haga la maniobra de Valsalva para relajar el esfínter anal. Insertar la mitad distal del dedo medio en el ano y el dedo índice en la vagina. Llegar con ambos dedos tan alto como se pueda hacia la pelvis, mientras se empujan los órganos pélvicos hacia el dedo rectal con la otra mano, que está colocada sobre el abdomen. Se examinan el tono rectal y el tabique rectovaginal. Es posible palpar en el fondo de saco posterior el cuerpo y el fondo uterinos en retroversión, y también se pueden percibir la forma del sacro, las espinas ciáticas y la longitud de los ligamentos sacroespinosos. Estos se pueden correlacionar con la pelvimetría para establecer mediciones más definitivas		

- Hemograma y hemoglobina para valorar anemia: cada trimestre.
- En caso de factor Rh negativo en pacientes no sensibilizadas, repetir la búsqueda de anticuerpos a las 24, 28, 32 y 36 semanas.
- Preparado fresco para identificar posibles infecciones vaginales.
- Otros estudios.

Intervenciones de enfermería

INSTRUCCIONES PARA LA PACIENTE SOBRE EL AUTOEXAMEN DE LAS MAMAS

Véase las explicaciones e ilustraciones resumidas en el cuadro correspondiente.

ORIENTACIÓN SOBRE PROBLEMAS DEL EMBARAZO

Signos de peligro durante el embarazo

La paciente debe informar a la persona encargada de la asistencia de su salud si sobrevienen los siguientes síntomas:
- Hemorragia vaginal.
- Edema en la cara y las manos.
- Cefalalgia continua e intensa.
- Visión borrosa.
- Dolor abdominal.
- Vómitos persistentes.
- Interrupción de los movimientos fetales.
- Escalofríos o fiebre.
- Micción dolorosa.
- Escape de líquido por la vagina.
- Mareos en posición que no sea la supina.

Infecciones vaginales comunes en la embarazada: instrucciones para la paciente

Pueden disminuirse o evitarse las molestias producidas por las infecciones vaginales y ayudar a prevenir las infecciones recurrentes con las siguientes pautas:
- Mantener una buena higiene personal, con duchas y lavado de manos frecuentes. Evitar las irrigaciones vaginales. Limpiar el perineo de delante hacia atrás después de las evacuaciones, para prevenir la contaminación vaginal.

- Tomar baños de asiento tibios para aliviar la irritación vulvar.
- Evitar el empleo de aerosoles para la higiene femenina, aceites de baño y jabones fuertes que pueden producir irritación o alergia vulvar o vaginal.
- Abstenerse de emplear ropas que se ajusten firmemente a la entrepierna.
- Emplear ropa interior porosa y holgada de algodón, que retiene menos la humedad y el calor que las prendas de poliéster.
- Conservar la vulva y el perineo secos y frescos.
- Abstenerse de practicar el coito durante el tratamiento; si se practica el coito, el compañero debe emplear condón.
- Seguir con la medicación indicada aunque hayan remitido los síntomas.

Infecciones de las vías urinarias: instrucciones para la paciente

- Procurar orinar tan pronto como se sienta el deseo; no aguantarse.
- Vaciar la vejiga incluso cada tres horas.
- Tomar abundantes líquidos (pero no los endulzados, porque el azúcar favorece el desarrollo de bacterias).
- Conservar limpio el perineo, aseando esta región de delante hacia atrás después de orinar o defecar.
- Limpiar diariamente la región perineal, pero evitar el uso de aerosoles o jabones perfumados, que pueden causar reacciones alérgicas.
- No emplear ropa interior para dormir, ni usar prendas muy apretadas durante el día. El perineo necesita ventilación para conservarse seco y limpio.
- Tomar algo de líquido antes del coito y orinar inmediatamente después, para arrastrar las bacterias que se hallan en la uretra.
- Usar bragas de algodón y conservar una buena higiene.
- No abusar del consumo de carbohidratos ni de azúcares, para reducir la incidencia de glucosuria.
- Solicitar tratamiento inmediato si reaparecen los síntomas.

Molestias del embarazo

Véase la tabla 8.

Autoexamen de la mama

Inspección ante el espejo

A. Con los brazos hacia los lados, mire el espejo en busca de:
   • Cambios en el tamaño y la forma de las mamas.
   • Cambios de la piel: hoyuelos, plegaduras, descamación, enrojecimiento, tumefacción.
   • Cambios en los pezones: inversión, descamación, excreción, erosión, pezones que apuntan en direcciones diferentes.

B. Con las manos en la nuca, inspeccionar estrechamente en el espejo la existencia de abultamientos, la simetría mamaria y la existencia de pliegues.

C. Haciendo presión firme sobre la cadera, inclinarse ligeramente hacia delante. Inspeccionar en busca de abultamientos o tracción de la piel.

Palpación

D. Recostada sobre el dorso y con la mano derecha bajo la cabeza y una almohada o toalla debajo del hombro ipsolateral, con la mano izquierda se palpa suavemente la mama derecha, haciendo círculos concéntricos para abarcar toda la mama y el pezón. Se exprime éste para identificar excreción o hemorragia. Se repite la maniobra con la otra mano para la mama izquierda.

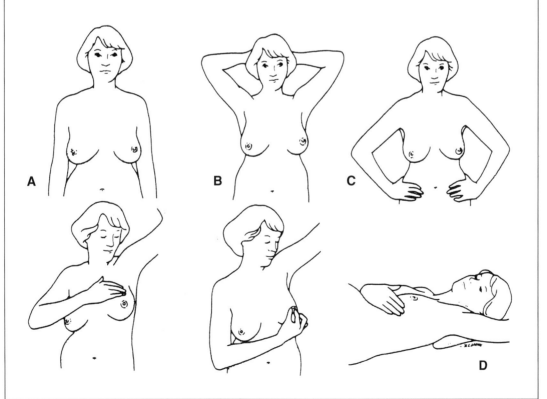

Tabla 6   Datos y procedimientos en el laboratorio para valorar a la paciente prenatal

Pruebas de laboratorio	Valores normales de la no embarazada	Valores normales de la embarazada	Comentarios
Pruebas hematológicas *Citología hemática completa* Cuenta de leucocitos	4 500 a 10 000/mm³	15 000 a 18 000/mm³ (durante el embarazo); 18 000 a 25 000/mm³ (durante el parto y el puerperio)	La cuenta de leucocitos está elevada en procesos infecciosos y eclampsia, después de hemorragia y como reacción al estrés fisiológico. Deben efectuarse otras pruebas para identificar la infección
Cuenta de eritrocitos	4 000 000 a 5 000 000 ml/mm³	Incrementados en un 25% a un 30%	Entre las semanas 6 y 8 de la gestación ocurre un aumento progresivo del volumen plasmático y de los eritrocitos. Llegan a su máximo entre las semanas 28 y 32 y se conservan constantes desde ese momento hasta el parto. El volumen plasmático se incrementa en un 40 a un 50%, en tanto que la masa de eritrocitos lo hace sólo en un 25 a un 30%, lo que da por resultado anemia del embarazo por dilución
Hemoglobina	12 a 16 g/100 ml	11,5 g/100 ml de concentración media a la mitad del embarazo; 12,3 g/100 ml de concentración media hacia el final del embarazo	El valor de hemoglobina mide la capacidad del cuerpo para transportar oxígeno. Se diagnostica anemia con un valor de 10,5 g/100 ml o menor. La forma más común es la anemia por deficiencia de hierro
Valor hematócrito	del 36% al 46%	del 32% al 46%	El porcentaje expresa la proporción del volumen sanguíneo total ocupado por eritrocitos. Esta prueba se emplea también para identificar la anemia; un valor menor del 32% indica anemia
Volumen corpuscular	80 a 95 µm³ medio	El mismo	Este índice describe el tamaño de la célula. El valor menor de 80 indica *microcitosis*, o tamaño menor de lo normal, como es el caso en la anemia ferropriva, infestación por parásitos o talasemia. Un valor mayor de 95 señala *macrocitosis* o tamaño mayor de lo normal

Tabla 6 Datos y procedimientos en el laboratorio para valorar a la paciente prenatal *(continuación)*

Pruebas de laboratorio	Valores normales de la no embarazada	Valores normales de la embarazada	Comentarios
Citología hemática completa (cont.) Concentración media de hemoglobina corpuscular	32 a 36 g/dl	El mismo	Esta prueba mide la parte de cada célula ocupada por hemoglobina. La lectura de más de 39 g/dl se produce sólo en un trastorno, la esferocitosis hereditaria, que es una anomalía congénita de la pared celular. La lectura disminuida puede indicar anemia
Morfología del eritrocito			Esta prueba mide la variabilidad del tamaño y la forma de los eritrocitos, su grado de tonalidad azulosa (cantidad de RNA retenido), la presencia de palidez central en ellos, y la presencia de otras células como drepanocitos y esferocitos, células que se observan en caso de talasemia
Plaquetas	140 000 a 450 000/mm^3	El mismo	
Factores de la coagulación Fibrinógeno (factor I) Factores II, VII, VIII, IX y X Factores XI y XIII	300 mg/dl	450 mg/dl Incrementados Disminuidos	No cambia el recuento de plaquetas, pero se alteran ciertos factores de la coagulación, como se ilustra. Llamadas también trombocitos, las plaquetas contribuyen a la hemostasia al formar tapones plaquetarios en los sitios que sangran y fomentar la formación de trombina. Se producen en la medula ósea. Nunca es benigna la disminución de su producción. Se encuentran niveles bajos en caso de leucemia, coagulación intravascular diseminada, uremia, infección general grave e hipofunción de la medula ósea
Tiempo de protrombina Tiempo de sangrado	11 a 12 s 1 a 5 min	El mismo El mismo	A pesar de las alteraciones de los factores sanguíneos II, VII, VIII, IX, X, XI y XIII, los tiempos de protrombina y sangrado se conservan dentro de lo que es normal en la mujer no embarazada

Tabla 6 Datos y procedimientos en el laboratorio para valorar a la paciente prenatal *(continuación)*

Pruebas de laboratorio	Valores normales de la no embarazada	Valores normales de la embarazada	Comentarios
Plaquetas (cont.) Reticulocitos	0,5 a 1,5%	Incrementados	Los reticulocitos son eritrocitos inmaduros que emite la medula ósea por reacción a hemólisis, hemorragia o tratamiento de la anemia con hierro. La reticulocitosis (producción incrementada) puede llegar al 3% como reacción al tratamiento con hierro en la mujer embarazada anémica
Velocidad de sedimentación globular	0 a 15 mm/h	No es válida en el embarazo	Está elevada durante las infecciones y ayuda a confirmar procesos inflamatorios crónicos en pacientes que tienen síntomas vagos. Esta prueba pierde su validez ante concentraciones más elevadas de fibrinógeno y globulina plasmáticas durante el embarazo
Hierro Hierro sérico	50 a 150 µg-dl	El mismo	Suelen producirse valores séricos bajos a causa de ingestión insuficiente de hierro (anemia ferropriva). Entre las causas están: embarazos repetidos, escasa ingestión de hierro, menstruaciones abundantes, embarazo (pasan de la madre al feto 600 a 900 mg de hierro) y empleo de dispositivos intrauterinos
Capacidad total de fijación de hierro (TIBC)	280 a 400 µg/dl	300 a 450 µg/dl	La capacidad de los eritrocitos para fijar el hierro se incrementa durante el embarazo a causa de las necesidades maternas y fetales de ese mineral. Una fórmula simple para descartar la anemia por diferencia de hierro consiste en: hierro sérico ÷ TIBC = % de saturación El resultado del 16% o menor es diagnóstico de anemia ferropriva; el resultado de esta clase, en conjunto con un volumen corpuscular medio menor de 80, requiere mayor investigación

Tabla 6 Datos y procedimientos en el laboratorio para valorar a la paciente prenatal *(continuación)*

Pruebas de laboratorio	Valores normales de la no embarazada	Valores normales de la embarazada	Comentarios
Ácido fólico sérico	1,9 a 14,0 ng/ml		El ácido fólico es esencial para la producción de RNA y DNA. El feto extrae grandes cantidades de la madre. Es común la deficiencia combinada de hierro y ácido fólico durante el embarazo. La mayor parte de compuestos vitamínicos para administración prenatal ofrecen ahora una dosis complementaria de folato de 1 mg
Electrólitos Sodio	135 a 148 mEq/l	Aumento de la retención de 500 a 900 mEq/l sobre la norma	La aldosterona es la hormona conservadora del sodio de la corteza suprarrenal. Su excreción se incrementa durante todo el embarazo, lo que produce retención acumulativa total de sodio
Potasio	3,5 a 5,3 mEq/dl	Lo mismo	La aldosterona produce también pérdida de potasio. Sin embargo, el incremento de su producción durante el embarazo no produce desperdicio de este elemento
Cloruro	102,7 a 107,0 mEq/l	98 a 108 mEq/l	No hay cambios importantes
Calcio	3,5 a 5,0 mg/dl	Incrementado	Es necesario incrementar la ingestión de calcio para satisfacer las necesidades fetales simultáneamente con aumento de la ingestión de vitamina D para fomentar la absorción intestinal de calcio
Fosforo	2,5 a 4,5 mg/dl	Lo mismo	
Química sanguínea Albúmina	3,5 a 5,0 g/dl	3,0 a 4,2 g/dl	La concentración de albúmina disminuye rápidamente durante los tres primeros meses del embarazo, y luego con mayor lentitud hasta que el embarazo se acerca al término. La disminución de la albúmina sérica por debajo de los niveles normales trae consigo preeclampsia

Tabla 6   Datos y procedimientos en el laboratorio para valorar a la paciente prenatal *(continuación)*

Pruebas de laboratorio	Valores normales de la no embarazada	Valores normales de la embarazada	Comentarios
Química sanguínea (cont.) Gonadotropina coriónica humana (HCG)	Ninguno (hormona placentaria del embarazo)	50 000 a 100 000 mUI/ml (en fase temprana); 10 000 a 20 000 mUI/ml (en fase tardía)	La concentración llega a su máximo a las 10 semanas de gestación, y luego disminuye, para conservarse a ese nivel hasta el parto. La HCG conserva la secreción de progesterona al principio del embarazo, y es necesaria para el crecimiento y la preparación del endometrio para la implantación. Las concentraciones que exceden mucho a lo normal, aunadas a síntomas muy intensificados del embarazo: útero grande para la fecha, hemorragia y falta de ruidos cardiacos fetales, pueden indicar enfermedad trofoblástica
Creatinina sérica	0,8 a 1,4 mg/dl	0,9 a 2,0 mg/dl	Las concentraciones elevadas pueden indicar nefropatía o preeclampsia
Hormona tiroidea T_3	100 a 200 ng/dl	Disminución del 25% al 35%	La T_3 se encuentra en concentraciones menores que la T_4, pero es más activa desde el punto de vista biológico y su semidesintegración sérica es más breve
Hormona tiroidea, T_4	5,0 a 12,0 µg/dl	Incremento de 5 a 10%	Las concentraciones de T_4 miden directamente la tiroxina en suero. El incremento de las concentraciones de T_3 y la disminución de las de T_4 pueden indicar hiperactividad o hipoactividad de la glándula tiroides
Electroforesis de la hemoglobina (porcentaje de hemoglobina total)	Hgb A, 95 a 97% Hgb A_2, 2,0 a 3,5% Hgb F, menos del 2%	El mismo	Esta prueba identifica hemoglobinopatías, con el rasgo o la enfermedad drepanocítica, enfermedad de hemoglobina C y talasemia, con base en las proporciones cambiantes de los tres tipos de hemoglobina normal, (p. ej., una concentración de Hgb A_2 que pasa del 3,5% es diagnóstico de talasemia)

Tabla 6   Datos y procedimientos en el laboratorio para valorar a la paciente prenatal *(continuación)*

Pruebas de laboratorio	Valores normales de la no embarazada	Valores normales de la embarazada	Comentarios
Química sanguínea (cont.) Deshidrogenasa oxidativa de la glucosa-fosfato deshidrogenasa (G6PD) (UI/g)	Ninguno	Ninguno	La G6PD es una enzima que protege la hemoglobina contra la desnaturalización. Cuando la actividad de esta enzima es menor del 25% de lo normal, sobreviene hemólisis. Los fármacos que pueden desencadenar la anemia a este respecto son: acetaminofén, aspirina, sulfamidas, vitamina K, diuréticos tiacídicos y nitrofurantoína en sus diversas presentaciones, y es necesario advertir contra su consumo a las pacientes. En un embarazo en que la concentración sérica de hierro es normal pero la paciente es anémica, deberá descartarse una alteración de G6PD
Glucemia Ayunas Posprandial a las dos horas	75 mg/100 ml 120 mg/100 ml (límite superior)	65 mg/100 ml 145 mg/ml (límite superior)	Se investiga la presencia de diabetes sacarina (mellitus) durante el embarazo cuando hay glucosuria sostenida o existen antecedentes familiares

Los valores normales con estas pruebas son:

Pruebas de laboratorio	*Hora*	*Sangre entera* (mg/dl)	*Plasma* (mg/dl)	*Suero* (mg/dl)	Comentarios
Prueba oral de tolerancia a la glucosa	0 1 2 3	90 165 145 125	103 188 165 143	100 200 150 130	Valores anormales en cualquier par de muestras constituyen una prueba positiva

Pruebas de laboratorio	Valores normales de la no embarazada	Valores normales de la embarazada	Comentarios
Grupo sanguíneo y factor Rh	O, A, B, AB Rh+ Rh–	Lo mismo Lo mismo Lo mismo	Si la madre tiene sangre tipo O y su compañero tiene los tipos A, B o AB, puede haber incompatibilidad ABO en el lactante. Para prevenir la inmunización Rh la investigación identificará que un 15% de la población es Rh–. La presencia de suero anti-D identificará a la mujer Rh-inmunizada. Todas las mujeres Rh-negativas reciben globulina anti-D después de aborto, amniocentesis o nacimiento de un lactante Rh+

Tabla 6   Datos y procedimientos en el laboratorio para valorar a la paciente prenatal *(continuación)*

Pruebas de laboratorio	Valores normales de la no embarazada	Valores normales de la embarazada	Comentarios
Título de la rubéola	Depende de la sensibilización	Lo mismo	El resultado de 1,8 indica que la paciente *no es inmune* a la rubéola. Debe aconsejársele que evite el contagio. Si se expone a éste, deberá hacerse el estudio en tres o cuatro semanas
Serología o prueba VDRL	Negativa	Negativa	Se efectúa prueba serológica para identificar sífilis en la embarazada durante la primera consulta prenatal
Pruebas urinarias *Análisis general de orina*			
pH Color Densidad	4,5 a 7,5 Amarillo 1,010 a 1,020	El mismo El mismo El mismo	El pH indica la acidez o alcalinidad de la orina. Niveles menores de lo normal indican ingestión elevada de líquidos; los mayores indican ingestión insuficiente
Proteínas	Negativo	Negativo	Pueden encontrarse cantidades pequeñas a causa de contaminación vaginal o deshidratación. Los resultados de 2+ a 4+ pueden indicar infección
Glucosa	Negativo	Negativo a 1+	La orina que indica 1+ de glucosa puede ser resultado de disminución del umbral renal y aumento de la filtración glomerular durante el embarazo Las concentraciones elevadas de glucosa en orina pueden indicar glucemia elevada o diabetes gestacional
Cetonas	Negativo	Negativo	Los cuerpos cetónicos son producto del metabolismo de los ácidos grasos y las grasas. El ayuno produce desdoblamiento de las grasas cuando no se dispone de carbohidratos ni de proteínas. Las cetonas pueden ser dañinas para el feto, y deben evitarse durante el embarazo mediante regulación de los hábitos de alimentación

Tabla 6   Datos y procedimientos en el laboratorio para valorar a la paciente prenatal *(continuación)*

Pruebas de laboratorio	Valores normales de la no embarazada	Valores normales de la embarazada	Comentarios
Bilirrubina	Negativo	Negativo	La bilirrubina es producto de la destrucción de eritrocitos. Su presencia en la orina sugiere enfermedad hepática o biliar
Sangre	Negativo	Negativo	La sangre en la orina sugiere infección de las vías urinarias y enfermedad renal o contaminación vaginal
Leucocitos	Negativo	Negativo	Un número mayor de 5 a 10 por campo de alto poder puede indicar infección de las vías urinarias o de la vagina
Bacterias	Negativo	Negativo	Indicios = raras; 1+ = 1 a 10 por campo; 2 + = 10 a 12 por campo; 3 + = innumerables; por último, 4 + = muy apiñadas. Los resultados mayores de 4+ indican infecciones de las vías urinarias
Cilindros	Negativo	Negativo	Los cilindros son moldes de los túbulos renales y pueden indicar enfermedad renal
Cristales	Escasos	Escasos	En la mayor parte de las muestras se encuentran estos compuestos de diversas sustancias
Células epiteliales	Negativo	Negativo	Se encuentran cuando la muestra está contaminada por secreciones vaginales. La muestra debe captarse con limpieza
Urocultivo y antibiograma	Negativo	Negativo	Las muestras para los urocultivos deben obtenerse sólo mediante captación limpia. La prueba no se puede leer ni interpretar con precisión cuando está contaminada con secreciones vaginales. Una cuenta de colonias mayor de 100 000 (10^5) representa un cultivo positivo e indica infección de las vías urinarias. Se informa también de la sensibilidad del microorganismo infectante a los diversos antibióticos

Tabla 7   Infecciones vaginales que son comunes en embarazadas

Datos	Infección			
	Candidiasis	Tricomoniasis	Gardnerella	Vaginitis herpética
Microorganismo causal	Candida albicans Monilia albicans (Nombre común: monilia)	Trichomonas protozoario flagelado móvil	Vaginitis por Gardnerella Vaginitis por Haemophilus Vaginitis inespecífica	Herpes virus tipo 2 (HVH-2); ocasionalmente HVH-1
pH vaginal	4,0 a 4,7	5,0 a 5,5	5,0 a 5,5	4,0 a 5,0
Leucorrea	Exudado profuso, espeso, de color blanco, caseoso	Exudado profuso, delgado, de color gris verdoso, espumoso y con burbujas	Exudado profuso de color verde grisáceo y pastoso	Exudado moderado a intenso, delgado y blanquecino
Prurito	Moderado a intenso	Moderado a intenso	No hay o es relativamente menor	Prurito y ardor en el sitio de infección
Olor	No hay	Fétido	Fétido	No hay
Síntomas urinarios	Ardor, micción frecuente (polaquiuria)	Micción frecuente, necesidad urgente de orinar, disuria	Por lo general no hay	Ardor de las lesiones al orinar
Dolor	Dispareunia	Dispareunia	Por lo general no hay, a veces dispareunia	Lesiones dolorosas
Síntomas vaginales y vulvares	Placas blancas, inflamación, excoriaciones edematosas	Edema difuso, manchas en fresa sobre cuello uterino	Posible inflamación de introito y vagina	Vesículas, pápulas, ulceración, edema
Leucocitos en portaobjetos húmedo	Incrementados con solución salina No se observan con KOH	Presentes	Presentes, ausencia de lactobacilos después de una semana	Presentes
Diagnóstico	KOH al 10% en portaobjetos húmedo. Se observan seudomicelios y levaduras; medios de cultivo de Nickerson; tinción de Gram	Portaobjetos húmedo con solución salina tibia. Movimiento característico (cuando el microorganismo está frío semeja un leucocito)	Portaobjetos húmedo con solución salina. Células indicadoras	Frotis de Papanicolau. Prueba de Tzank. Anticuerpos serológicos

Tabla 8   Molestias del embarazo

Quejas comunes y etiología	Valoración	Intervención y asesoría
Náuseas y vómitos Progesterona (disminuye el tiempo de vaciamiento gástrico)	Valorar la suficiencia de la ingestión de alimentos nutritivos y la calidad de los nutrientes de la dieta	Explicar a la paciente que las náuseas y el vómito suelen resolverse espontáneamente después del primer trimestre
Aumento de las concentraciones de gonadotropina coriónica humana Disminución de la secreción gástrica de ácido clorhídrico y pepsina Ingestión insuficiente de nutrientes y líquidos (estómago vacío y deshidratación) Alteración del metabolismo de los carbohidratos Ingestión insuficiente de hierro y vitaminas Disminución de la glucosa sanguínea materna Sentimientos ambivalentes respecto al embarazo Infección aguda u otras enfermedades Fatiga Ptialismo	Valorar y comprobar la intensidad de náuseas y vómito Investigar la pérdida de peso, deshidratación, disminución de la turgencia cutánea, cetonuria Valorar otros diagnósticos: úlcera gástrica, colecistitis, pancreatitis, hepatitis, gastroenteritis, apendicitis	Aconsejarle que: Evite los alimentos grasos y condimentados, así como los olores que causan náuseas (emplee un ventilador o extractor de aire en la cocina) Haga seis comidas pequeñas al día en vez de tres grandes Consuma más bocadillos con proteínas (queso, nueces, huevo) Coma alimentos ricos en carbohidratos (se toleran mejor) Coma galletas secas no saladas antes de levantarse por la mañana Tome líquidos entre comidas (disminuye la deshidratación) Evite los líquidos en las comidas Tome sorbitos de agua carbonatada (no bebidas gaseosas dulces) para prevenir las náuseas Pruebe infusiones de hierbabuena, menta o frambuesa Tome comprimidos de hierro y vitaminas después de las comidas Pruebe la ingestión de 50 a 100 mg/día de vitamina B_6 (después de una de las comidas) para reducir las náuseas

Tabla 8   Molestias del embarazo *(continuación)*

Quejas comunes y etiología	Valoración	Intervención y asesoría
Náuseas y vómitos *(cont.)*		Ingiera yogur, requesón, jugos o leche al despertar a causa de nicturia para disminuir las náuseas por la mañana Dé paseos frecuentes al aire libre Conserve una buena postura (para aliviar la presión sobre el estómago) Evite movimientos súbitos Hay que advertir a la paciente que evite las medicaciones antinauseosas de venta libre, lo mismo que cualquier otro medicamento, si no consulta antes a su médico o enfermera
Fatiga Aumento de la producción de hormonas; posible función de la hormona ovárica relaxina Progesterona durante el primer trimestre Mayores demandas al aparato cardiopulmonar durante el último trimestre un 25% de aumento del metabolismo basal Nutrición insuficiente Anemia Falta de ejercicio Actividad excesiva Aumento ponderal excesivo Causas psicógenas Infección Postura incorrecta	Valorar la nutrición en busca de anemia o ingestión calórica insuficiente Valorar la hemoglobina (Hgb) y el valor hematócrito (Hct) Valorar el estado psicosocial en busca de ansiedad y depresión Evaluar el régimen de ejercicio Valorar el nivel de actividad y el grado de reposo Valorar si la fatiga es razonable para el trimestre de embarazo	Explicar a la paciente que la fatiga es un aspecto normal y temporal del embarazo Aconsejarle que: Tome periodos frecuentes de reposo (recostarse durante los descansos en el trabajo, etc.) Haga suficiente ejercicio Incremente la estimulación social (cuando sea apropiado) con familiares, amistades o diversos grupos Disminuya actividades que pueden representar esfuerzos excesivos Analice las oportunidades para participar en actividades que le agradan Obtenga ayuda para el cuidado de los hijos, si es posible Practique ejercicios de respiración profunda y relajación

Tabla 8   Molestias del embarazo *(continuación)*

Quejas comunes y etiología	Valoración	Intervención y asesoría
Micción frecuente Estiramiento de la base de la vejiga por el útero, que aumenta de tamaño; reducción de la capacidad vesical por presión creciente del útero sobre la vejiga; compresión de la vejiga por la parte de la presentación	Estudiar la posibilidad de infección de las vías urinarias (uretritis, cistitis, pielonefritis): Análisis general de orina Urocultivo Fiebre o escalofríos Hipersensibilidad costovertebral o suprapúbica	Aconsejar a la paciente que: Disminuya la ingestión de líquidos por la tarde, con el fin de reducir la nicturia Orine cuando sienta la necesidad, para evitar la distensión de la vejiga
Ingestión excesiva de líquidos Fomento del flujo renal de orina cuando la mujer se encuentra en posición supina (nicturia) Infección de las vías urinarias	Valorar la ingestión excesiva de café, té o bebidas de cola Evaluar la existencia de diabetes: sed excesiva, concentraciones sanguíneas anormales de glucosa	Limite la ingestión de bebidas cafeinadas (té, café, bebidas de cola) Haga ejercicios de Kegel, para reforzar los músculos del piso pélvico y disminuir las fugas de orina Enseñar a la paciente los signos de infección de las vías urinarias (necesidad urgente o ardor al orinar), y la importancia de obtener asistencia médica oportuna si surgen tales signos
Plenitud y hormigueo en las mamas Depósito de grasa a causa de los estrógenos y desarrollo del estroma y del sistema de conductos Desarrollo de lóbulos, proliferación y secreción de alveolos, tumefacción mamaria a causa de la progesterona Aumento del riego sanguíneo de las mamas	Indagar si las molestias son generales o locales Valorar la existencia de mamas supernumerarias y la afección del tejido axilar Investigar fuga de calostro, que puede producir grietas en los pezones	Explicar a la paciente que los cambios y las molestias de las mamas son naturales; la sensación de plenitud proseguirá durante todo el embarazo, pero la hipersensibilidad se resolverá por lo general después del primer trimestre Enseñar a la paciente: Anatomía y fisiología de los cambios mamarios Autoexamen de la mama Preparativos para amamantar, al principio del tercer trimestre

Tabla 8   Molestias del embarazo *(continuación)*

Quejas comunes y etiología	Valoración	Intervención y asesoría

Plenitud y hormigueo *(cont.)*		Aconsejar a la paciente que:
		  Emplee un sujetador (sostén) con tirantes anchos, ajustables, de interior liso para disminuir la irritación
		  Evite la presión sobre las mamas y lavarse los pezones con jabón
		  Aplique crema cutánea para ablandar las costras de calostro

Leucorrea (flujo vaginal)
Aumento de la producción de moco cervical, que se reconoce como exudado vaginal profuso
Aumento de la vascularidad y la descamación cervicales
	Valorar tipo, color, cantidad y olor del flujo
	Indagar si han tenido síntomas los compañeros sexuales anterior, nuevo o múltiples (en cada caso)
	Valorar la existencia de *Candida albicans* o una infección transmitida por contacto sexual
		Explicar a la paciente que el aumento de la secreción es un proceso normal del embarazo
		
		Aconsejar a la paciente que:
		
		  Lleve una buena higiene perineal
		  Conserve seca la vulva, empleando un secador de pelo después de lavarse, y espolvorearse con almidón
		  Emplee un enjuague externo de vinagre y agua
		  Use ropa interior holgada
		  Evite las pantimedias y la ropa apretada
		  Emplee almohadillas perineales y las cambie con frecuencia
		  Informe de la aparición de prurito y olor fétido
		
		La paciente debe evitar:
		
		  Duchas
		  Tampones vaginales

Cambios en la libido Interacción complicada entre las molestias fisiológicas y los deseos sexuales	Valorar los motivos para los cambios de la libido: molestias físicas u orígenes emocionales de la pareja hacia el embarazo	Explicar a la paciente y su compañero que el interés sexual se altera durante el embarazo y que pueden disfrutar la

Tabla 8 Molestias del embarazo *(continuación)*

Quejas comunes y etiología	Valoración	Intervención y asesoría
Cambios en la líbido *(cont.)* Durante el primer trimestre la disminución de la líbido puede deberse a fatiga, náuseas y vómitos, hipersensibilidad mamaria y sentimientos ambivalentes hacia el embarazo El segundo trimestre suele caracterizarse por aumento de la libido A menudo disminuye la libido al final del tercer trimestre, por lo general en relación con molestias físicas, fatiga y ansiedad Problemas en las relaciones con la pareja Miedo de que el coito dañe el producto Progreso a través de las tareas psicosociales del embarazo Cambios de la imagen corporal Malestar a causa de la relajación de las articulaciones y ligamientos pélvicos Contracciones dolorosas con el orgasmo (tercer trimestre)	Valorar la facilidad de comunicación de la pareja y su capacidad para afrontar las dificultades percibidas y resolverlas	actividad sexual ordinaria, mientras no la contraindique *de manera específica* el médico Señalar a la paciente y a su compañero que: Es esencial la buena comunicación entre los compañeros A menudo se obtiene satisfacción emocional y en cierto sentido física, mediante las caricias, besos y palmaditas El masaje es una variante o complemento de la expresión sexual Quizá se requiera variar las posiciones del coito durante el embarazo, para lograr comodidad conforme progresa éste La masturbación mutua y el sexo bucal son otras alternativas de la actividad sexual si el coito se dificulta Enviar a la pareja a asesoría sexual o marital
Cambios del humor Efecto depresor de la progesterona en el sistema nervioso central Prominencia de los cambios físicos y emocionales del embarazo para la mujer grávida Introversión notable, a menudo secundaria a las tareas propias del embarazo	Valorar la estabilidad emocional y los mecanismos de la mujer para afrontar los problemas y comparar su estabilidad emocional presente con la previa al embarazo Valorar la capacidad de comunicación de la pareja, la actitud de ambos hacia el embarazo o su avance por las tareas propias de éste	Explicar a la paciente y a su compañero que los cambios de humor son un componente normal del embarazo Animar a la paciente, o a ambos, para que: Hablen de sus sentimientos con una persona de confianza

Tabla 8   Molestias del embarazo *(continuación)*

Quejas comunes y etiología	Valoración	Intervención y asesoría
Cambios del humor *(cont.)* Falta de un sistema de apoyo para la mujer y su compañero Molestias físicas del embarazo, fatiga Ansiedad Cambios de la imagen corporal	Evaluar el sistema de apoyo que ofrecen la familia, los amigos, la iglesia, la comunidad y el sitio de trabajo Valorar el estado nutricional de la mujer con respecto a fatiga, anemia e ingestión calórica Valorar la dependencia de fármacos, alcohol y otras sustancias	Prosigan las actividades que les son agradables Tomarse el tiempo necesario para el cuidado personal, el reposo, el sueño y el ejercicio Enviar la paciente o la pareja a un asesor, si procede
Pirosis (acedías) Relajación del músculo gastrointestinal liso y del cardias a causa de la progesterona, lo que permite que el contenido gástrico refluya hacia la parte baja del esófago Desplazamiento del estómago y del duodeno por el útero crecido Disminución de la secreción gástrica de ácido clorhídico y pepsina, a causa de los estrógenos Factores emocionales	Evaluar el estado y los hábitos nutricionales Valorar el estado psicosocial en busca de tensión emocional o depresión Indagar antecedentes médicos de enfermedades gastrointensinales, colecistitis y hernia hiatal	Explicar a la paciente que son cambios normales del embarazo los que producen la pirosis Aconsejarle que: Elimine de la dieta alimentos grasos y condimentados Haga comidas pequeñas no condimentadas Haga seis comidas pequeñas al día en vez de tres abundantes Coma despacio, masticando bien Masque chicle (goma) (a veces útil), evite café y cigarrillos porque irritan el estómago Ingiera, como mínimo, ocho vasos de líquido al día Tome té caliente Evite el bicarbonato de sodio Evite recostarse, inclinarse o agacharse después de las comidas Use ropa que no apriete la cintura

Tabla 8 Molestias del embarazo *(continuación)*

Quejas comunes y etiología	Valoración	Intervención y asesoría
Pirosis (acedías) *(cont.)*		Cuando tenga pirosis, tome sorbitos de agua, leche o agua carbonada, o ingiera una cucharadita de yogur, crema espesa o la mitad de ésta y la mitad de leche Practique algún ejercicio ligero, para disminuir la pirosis Haga la prueba con antiácidos (sin fósforo) si lo considera necesario: hidróxido de aluminio; carbonato de calcio; hidróxido de magnesio La paciente debe procurar evitar: Medicamentos contra la pirosis que contengan aspirina o sodio (carbonato de sodio, menta sodada)
Ptialismo (salivación excesiva) Posible estimulación de las glándulas salivares por la ingestión de almidón Posible hiperacidez salival, que produce secreción glandular Dificultades para la deglución, a causa de las náuseas, lo que contribuye a la sensación de «mucha saliva» Ansia vehemente de alimentos raros o pica (antojos) Infecciones o lesiones en la boca	Valorar el estado nutricional en busca de deficiencia de hierro o ingestión excesiva de almidón Buscar lesiones bucales específicas (cálculos salivares, sífilis) Valorar el estado emocional (histeria) Investigar amigdalitis y estomatitis Estudiar los antecedentes médicos o el estado actual en busca de un trastorno gástrico, pancreático o hepático	Explicar a la paciente que esta situación relacionada con el embarazo se resolverá sola Aconsejarle que: Chupe caramelos duros Evite ingerir almidones Lleve una buena higiene bucal Conserve un buen estado nutricional
Flatulencia Ingestión de alimentos que producen gas Aerofagia (deglución de aire), ptialismo o náuseas	Valorar el estado nutricional con respecto a la ingestión de alimentos que producen gas	Explicar a la paciente que la flatulencia es un fenómeno relacionado con el embarazo que no le producirá alteraciones a ella ni al feto

723

Tabla 8   Molestias del embarazo *(continuación)*

Quejas comunes y etiología	Valoración	Intervención y asesoría
Flatulencia *(cont.)* Disminución de la motilidad intestinal Disminución del ejercicio Compresión uterina del intestino Estreñimiento Impacción fecal	Evaluar los hábitos intestinales Valorar los niveles de ejercicio y actividad Indagar la existencia de dolor abdominal, eructos, flatulencia, distensión o expulsión de flato en exceso Valorar el consumo de antiácidos (el bicarbonato produce flatulencia)	Aconsejarle que: Evite los alimentos que producen gas (col, frijoles, alimentos fritos) y las comidas abundantes Mastique bien los alimentos Disminuya la salivación, evitando mascar chicle o fumar Cambie de posición con frecuencia Defeque con regularidad Se habitúe al ejercicio
Cefalalgia Aumento del volumen circulante y de la frecuencia cardiaca (contribuyen a la dilatación y distensión de las arterias cerebrales) Congestión vascular de los cornetes nasales a causa de edema tisular Tensión emocional que produce espasmo de los músculos esternocleidomastoideos a nivel de cuello y hombros Fatiga Disminución de la presión arterial durante el segundo trimestre	Analizar los síntomas para saber si la cefalalgia es un fenómeno normal del embarazo o un signo de advertencia de complicaciones: Tipo de cefalalgia (frontal, lateral, occipital, diferencia respecto de las cefalalgias ordinarias, alteraciones visuales, frecuencia) Factores causales (fatiga, mala iluminación, esfuerzos con la vista, sitio de trabajo mal ventilado, tensión emocional mala nutrición, deshidratación) Buscar síntomas de toxemia o preeclampsia: proteinuria, aumento de peso, hipertensión, edema, reflejos intensificados (hiperreflexia), etc. Investigar sinusitis, infección en vías respiratorias (hiperreflexia), etc.	Explicar los mecanismos sanguíneos que pueden causar cefalalgia Hacer ver a la paciente que los síntomas son temporales y cederán al tratamiento Aconsejar a la paciente que: Incremente el reposo y la relajación Realice actividades que sean relajantes y agradables Haga ejercicios de relajación Hacer cambios en la dieta si se identifican los alimentos causantes o las alergias alimentarias (quesos, vinos tintos y mariscos pueden producir cefalalgia) Ajustar el contenido de sal y azúcares en la dieta para aliviar los síntomas Evitar periodos prolongados de ayuno Conservar la hidratación Aplicar compresas húmedas y frías en la frente y la nuca

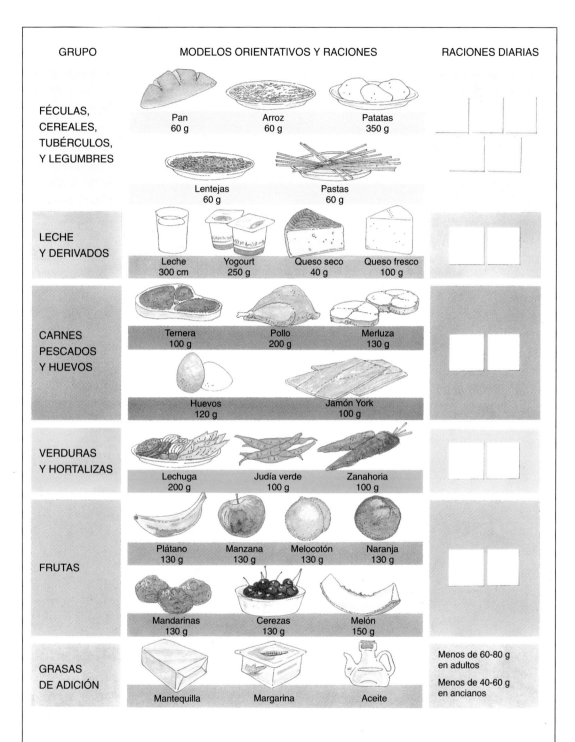

GRUPO	MODELOS ORIENTATIVOS Y RACIONES	RACIONES DIARIAS

FÉCULAS, CEREALES, TUBÉRCULOS, Y LEGUMBRES

Pan 60 g — Arroz 60 g — Patatas 350 g
Lentejas 60 g — Pastas 60 g

LECHE Y DERIVADOS

Leche 300 cm — Yogourt 250 g — Queso seco 40 g — Queso fresco 100 g

CARNES PESCADOS Y HUEVOS

Ternera 100 g — Pollo 200 g — Merluza 130 g
Huevos 120 g — Jamón York 100 g

VERDURAS Y HORTALIZAS

Lechuga 200 g — Judía verde 100 g — Zanahoria 100 g

FRUTAS

Plátano 130 g — Manzana 130 g — Melocotón 130 g — Naranja 130 g
Mandarinas 130 g — Cerezas 130 g — Melón 150 g

GRASAS DE ADICIÓN

Mantequilla — Margarina — Aceite

Menos de 60-80 g en adultos

Menos de 40-60 g en ancianos

La alimentación de la embarazada debe ser completa, variada y equilibrada, de tal modo que proporcione todos los elementos nutritivos requeridos por la madre y por el feto en desarrollo, evitando tanto las carencias como los excesos. En esta ilustración se muestra un esquema de alimentación que cumple dichos requisitos, indicando la proporción adecuada de alimentos correspondientes a los distintos grupos en la dieta diaria.

La posición más aconsejable para el reposo de la embarazada es el decúbito lateral.

Tabla 8 Molestias del embarazo *(continuación)*

Quejas comunes y etiología	Valoración	Intervención y asesoría
Cefalalgia *(cont.)*	Valorar tratamientos previos y su eficacia Conocer los antecedentes médicos y familiares de enfermedades renales, vasculares o cardiacas	Darse masaje en el cuello, hombros, cara y cuero cabelludo Hacer caminatas lentas al aire libre Hacer arreglos para contar con ayuda para el cuidado de los hijos si es necesario Tomar acetaminofén (dos comprimidos de 325 mg cada 4 a 6 horas) después del primer trimestre si la cefalalgia es intensa Advertir a la paciente que no tome analgésicos sin prescripción médica Advertirle también que informe de signos de toxemia y preeclampsia: Cefalalgias intensas, frecuentes o de larga duración Visión borrosa, de manchas o luces brillantes Edema matutino en cara, manos y piernas Orina escasa y concentrada
Disnea (respiración agitada) Compresión de la vena cava por el útero grávido, lo que disminuye el retorno venoso hacia el corazón y produce hipotensión arterial; mayor alteración del estado circulatorio en posición supina (síndrome de hipotensión supina) Limitación de la distensibilidad pulmonar, a causa del agrandamiento del útero Mayor conciencia del acto de la respiración	Evaluar la frecuencia con que se produce disnea, los fenómenos con que se relaciona (el ejercicio, sueño, posición supina, etc.) y sus manifestaciones (mareos, desmayos, etc.) Valorar la nutrición y las cifras de Hgb/Hct en busca de anemia Ver si la paciente hiperventila Explorar en busca de deformidades torácicas y de antecedentes médicos de asma o de enfermedad pulmonar	Explicar a la paciente los motivos fisiológicos de la disnea durante el embarazo Aconsejarle que: Sentada o de pie, conserve la espalda recta Descanse después del ejercicio Evite esfuerzos excesivos Duerma y repose en posición lateral izquierda o en posición intermedia de Fowler con la cabeza elevada

Tabla 8 Molestias del embarazo *(continuación)*

Quejas comunes y etiología	Valoración	Intervención y asesoría
Dorsalgia Aumento creciente del peso del útero, que retrae la columna hacia delante y cambia el centro de gravedad, lo que origina lordosis compensatoria y distensión muscular Falta de apoyo de los músculos abdominales laxos, que puede contribuir a la lordosis compensatoria Relajación de los ligamentos pélvicos y las articulaciones corporales, producida por los estrógenos y la relaxina Fatiga y tensión muscular Tacones altos, que producen alteración postural y dorsalgia baja Aumento ponderal, excesivo, que incrementa la tensión sobre los músculos dorsales Lordosis intensa, que puede producir dolor y adormecimiento de las extremidades superiores Aumento de la respiración intercostal y de la ampliación de la caja torácica, lo que puede contribuir a la dorsalgia alta	Observar la postura, las técnicas para levantar objetos, el tipo de calzado que se emplea, etc. Valorar el nivel de actividad y los periodos de reposo Evaluar la distensión muscular dorsal aguda y defectos musculoesqueléticos anatómicos	Aconsejar a la paciente que: Evite los esfuerzos excesivos y la fatiga Descanse a menudo en decúbito Utilice calzado cómodo y de tacón bajo Aplique calor local en caso de dorsalgia Haga ejercicio diariamente Pida a alguien que le dé masaje dorsal Eleve una pierna en un banquillo o una caja mientras se encuentra de pie Haga ejercicios de relajación corporal total Evite cargar niños: los que ya caminan pueden subir solos al regazo Enseñar a la paciente a: Hacer ejercicio Conservar la buena postura, en especial la de soporte pélvico Efectuar inclinaciones pélvicas varias veces al día Sentarse en posición de sastre Emplear técnicas adecuadas para levantar objetos
Dolor en el ligamento redondo Estiramiento de los ligamentos redondos a causa del crecimiento uterino (los ligamentos redondos se extienden hacia ambos lados de las partes anterior e inferior, hacia los oviductos, a través del conducto inguinal, y se insertan en la parte superior de los labios mayores) Las sacudidas o contorsiones súbitas del torso tiran de estos	Definir la causa desencadenante y el sitio del dolor (unilateral o bilateral) Evaluar la actividad uterina para distinguir entre el dolor del ligamento redondo y el del trabajo de parto antes del término: contracción y relajación uterinas rítmicas, con sensación de presión pélvica, son manifestaciones sintomáticas de trabajo de parto prematuro	Considérense todas las intervenciones señaladas en caso de dorsalgia. Explicar a la paciente la causa del dolor del ligamento redondo Aconsejar que: Evite movimientos súbitos de sacudida o de torsión Se levante despacio desde la posición de decúbito

Tabla 8   Molestias del embarazo *(continuación)*

Quejas comunes y etiología	Valoración	Intervención y asesoría
Dolor en el ligamento redondo *(cont.)* ligamentos, lo que produce dolor a nivel de las paredes abdominales laterales inferiores	Estudiar otras posibles causas del dolor: Rotura del quiste del cuerpo amarillo, embarazo ectópico, contracciones de Braxton Hicks, estreñimiento, apendicitis, hernia inguinal	Se aplique calor local en la zona que le molesta Efectúe ejercicios de relajación corporal total Evite el ejercicio excesivo, la estancia prolongada en pie y caminar demasiado
Estreñimiento Relajación del tono muscular y disminución del peristaltismo producidos por la progesterona, con lo que se reabsorbe mayor cantidad de agua desde el intestino Presión del útero sobre colon y recto Disminución del ejercicio físico Disminución de la ingestión de líquidos Fibra insuficiente en la dieta Cambios en los hábitos alimentarios, en especial aumento de la ingestión de calcio y hierro Estrés Impacción fecal	Evaluar el contenido de fibra, líquidos y hierro de la dieta Valorar la cantidad de ejercicio que se efectúa Conocer las características de las evacuaciones, antes del embarazo y actuales (irregularidad de las evacuaciones, impactación fecal) Conocer el estado psicológico (depresión, ansiedad) Estudiar otras posibles causas de cambios de las evacuaciones (colon irritable, colon atónico)	Explicar a la paciente que el estreñimiento está relacionado con el embarazo, y que se resolverá espontáneamente Aconsejarle que: Incremente su ingestión de líquidos (seis a ocho vasos al día) y tome líquidos tibios por la mañana Aumente el nivel de ejercicio Incremente la ingestión de fibra comiendo pan y cereales de grano entero (salvado), frutas crudas, sin pelar o secas, y vegetales Regularice las evacuaciones intestinales Se tome tiempo para evacuar el intestino, y nunca trate de forzar la evacuación o resistirse al deseo urgente de efectuarla Emplee preparados que aumentan la masa fecal: una cucharadita al día Emplee un ablandador del excremento en dosis de 150 a 200 mg/día durante cinco o diez días, o un laxante suave, como leche de magnesia Eleve los pies en un banquito o una caja durante las evacuaciones para disminuir los esfuerzos Advertir a la paciente que evite el aceite mineral como laxante

727

Tabla 8   Molestias del embarazo *(continuación)*

Quejas comunes y etiología	Valoración	Intervención y asesoría
Varicosidades Aumento del volumen sanguíneo, que impone una presión adicional a la circulación venosa Aumento de la presión por el útero que crece, lo que restringe el retorno venoso desde las piernas y el perineo, y produce varicosidades vulvares y de las piernas, y hemorroides Predisposición congénita a la debilidad de las paredes vasculares Inactividad y tono muscular deficiente Posición de pie prolongada que produce acumulación de sangre venosa en las extremidades inferiores y la pelvis Obesidad	Aclarar si las varicosidades se acompañan de malestar leve o de dolor intenso Investigar antecedentes familiares y personales de varicosidades Valorar los niveles de actividad, ejercicio y reposo de la paciente Evaluar y comprobar la gravedad de las varicosidades. Con la paciente en posición supina buscar signos de estasis venosa (fóvea, pigmentación por estasis o ulceración). Con la paciente de pie, observar si hay venas dilatadas en las piernas	Explicar a la paciente la causa de las varicosidades. Hacerle ver que no se resolverán durante el embarazo, pero que se pueden tomar medidas para controlar los síntomas y el progreso del trastorno Aconsejar a la paciente que: Repose en posición de decúbito con las piernas elevadas *por encima* del nivel del cuerpo, dos veces al día o más Emplee medias de sostén. Para colocárselas adecuadamente, deberá acostarse y elevar las piernas, a fin de vaciar las venas, y desenrollar las medias sobre dichas extremidades teniéndolas aún elevadas. Deben colocarse *antes* de levantarse por la mañana Emplee ropa holgada y evite los tirantes circulares y las medias demasiado apretadas Se abstenga de cruzar las piernas al nivel de la rodilla Se levante y camine cada hora si acostumbra a tener una posición sedentaria durante el día Haga ejercicio con regularidad o camine todos los días Emplee zapatos cómodos para disminuir la tensión en las piernas Emplee una almohadilla perineal sostenida con una cinta T para brindar apoyo a las varicosidades vulvares

Tabla 8 Molestias del embarazo *(continuación)*

Quejas comunes y etiología	*Valoración*	*Intervención y asesoría*
Hemorroides Las mismas causas que las de las varicosidades Relajación del músculo liso del intestino que contribuye al estreñimiento y al esfuerzo durante la evacuación, fenómeno este último que predispone a la formación de hemorroides	Valorar la ingestión suficiente de fibra, líquido y hierro Valorar la actividad de ejercicio Valorar los hábitos de evacuación previos al embarazo y actuales	Explicar a la paciente las causas de las hemorroides y la manera de prevenirlas Aconsejar a la paciente que: Evite el estreñimiento (las intervenciones se explican bajo el encabezado correspondiente) Se aplique baños de asiento tibios o fríos y, si es posible, con uno de los dedos devuelva suavemente la hemorroide al conducto anal Se limpie el ano cuidadosamente después de la defecación Se aplique vaselina en el recto después de la defecación Se aplique compresas frías de agua de hamametina para obtener comodidad según se requiera Se abstenga de hacer esfuerzos durante las evacuaciones, puesto que éstos exacerban el problema Enseñar a la paciente a: Colocarse en posición genupectoral durante 15 minutos al día Hacer ejercicios de Kegel para reforzar el perineo y ayudar a prevenir y controlar las hemorroides La paciente debe consultar a su asesor médico antes de aplicarse cualquier medicación para las hemorroides

Tabla 8 Molestias del embarazo *(continuación)*

Quejas comunes y etiología	Valoración	Intervención y asesoría
Calambre en las piernas Transtornos de la proporción calcio-fósforo del cuerpo (el aumento del fósforo predispone a calambres en las piernas): ingestión excesiva de productos lácteos, que incrementan las concentraciones, tanto de calcio, como de fósforo; ingestión insuficiente de productos lácteos, lo que disminuye las concentraciones de calcio, e ingestión elevada de aguas gaseosas, que incrementan las concentraciones de fósforo Fatiga o distensión muscular en las extremidades Oclusión vascular en las piernas Estiramiento súbito de las piernas y pies («hacer puntas» con los dedos de los pies)	Valorar un exceso o deficiencia en la ingestión de productos lácteos o exceso en la ingestión de aguas gaseosas (refrescos) Valorar otras posibles causas de dolor en las piernas, flebitis o tromboflebitis (calor cutáneo al tacto, trombo palpable, signo de Homans positivo)	Explicar a la paciente que los calambres de las piernas son fenómenos normales del embarazo. Aconsejarle que: Limite la ingestión de productos lácteos a cuatro raciones al día (o tome complementos de calcio si su ingestión es insuficiente) (comprimidos masticables de carbonato de calcio, 1 g tres veces al día); en todo caso, disminuir la cantidad de fósforo contenido en la dieta (*p. ej.*, al disminuir la ingestión de aguas gaseosas); por último, que ingiera antiácidos que contengan hidróxido de aluminio para fijar el fósforo Haga dorsiflexión del pie (apunte con los dedos de los pies hacia la cabeza) cuando ocurra el calambre Evite el estiramiento de las piernas al «hacer puntas» con los dedos de los pies Aplique calor local en los músculos doloridos de la pierna Conserve las piernas calientes Estire los músculos de la pantorrilla antes de acostarse Tome un baño caliente antes de la hora de dormir Afloje las ropas de la cama Eleve y apoye las piernas sobre una almohada durante la noche Se ponga de pie sobre la pierna afectada para enderezar el músculo Haga ejercicio regular, particularmente caminando

Tabla 8   Molestias del embarazo *(continuación)*

Quejas comunes y etiología	Valoración	Intervención y asesoría
Calambre en las piernas *(cont.)*		Advertir a la paciente que *no* se dé masaje en la pantorrilla por riesgo de un trombo no identificado
Cambios cutáneos *Línea negra* del abdomen: línea oscura única que va del pubis al ombligo; guarda relación con las hormonas *Cloasma* de la cara (máscara del embarazo) relacionado con las hormonas; pigmento más oscuro, en la frente y los carrillos *Estrías gravídicas* (marcas de estiramiento de la piel o víbices) sobre abdomen, glúteos o mamas, por falta de elasticidad de la piel: probable componente genético *Acné*: causado quizá por aumento de la progesterona e incremento de la actividad de las glándulas sudoríparas y sebáceas, al aumentar la circulación	Buscar cambios pigmentarios en cara, abdomen y mamas (la areola se oscurecerá)	Explicar a la paciente que no se pueden prevenir los cambios pigmentarios, y que la pigmentación desaparecerá gradualmente después del parto. Las estrías por estiramiento de la piel abdominal (víbices) se decolorarán desde el color rojo o purpúreo hasta convertirse en tenues líneas brillantes Aconsejar a la paciente que: Conserve una buena higiene Se aplique lociones humectantes o aceites del tipo adecuado en abdomen, mamas y glúteos, aunque estas medidas no prevendrán por sí solas la aparición de estrías si la mujer está predispuesta genéticamente a ellas No se exponga al sol o, en todo caso, emplee un aceite protector oscuro para prevenir la mayor pigmentación del cloasma Explicar a la paciente que sufre acné que éste disminuirá después del primer trimestre Aconsejarle también que: Se lave muy bien toda la piel con jabón y agua Se aplique astringentes tópicos

Tabla 8 Molestias del embarazo *(continuación)*

Quejas comunes y etiología	Valoración	Intervención y asesoría
Contracciones de Braxton Hicks Probable aumento de las concentraciones de estrógenos y la distensión del útero	Valorar frecuencia, fuerza, regularidad y síntomas acompañantes de las contracciones de Braxton Hicks, para distinguir las que caracterizan el trabajo de parto prematuro de las del parto verdadero	Explicar a la paciente que estas contracciones son una parte normal del embarazo y un preparativo para el trabajo de parto Aconsejar a la paciente que: Descanse en decúbito lateral izquierdo Procure cambiar o hacer ejercicio, lo que puede hacer que se interrumpan las contracciones Enseñar a la paciente a distinguir entre las contracciones de Braxton Hicks y las del trabajo de parto prematuro, y a llamar al médico si ocurren signos de trabajo de parto prematuro o verdadero
Manías alimentarias Mayor ingestión de calorías a causa de los cambios fisiológicos del embarazo; preferencia por los alimentos que más agradan No se conoce la etiología de la pica, o sea, el antojo vehemente de sustancias como arcilla, almidón de lavandería, yeso, jabón, crema dental, o escarcha del congelador	Estudiar el estado nutricional para evaluar el aumento de peso y la anemia Observar hábitos alimentarios extraños Valorar factores culturales o socioeconómicos que podrían predisponer a la pica Valorar factores emocionales y psicológicos que podrían contribuir a este fenómeno	Aconsejar a la paciente que: Ingiera alimentos bien equilibrados Logre un aumento apropiado de peso Tome hierro y complementos vitamínicos Orientar a la paciente que experimenta pica. Si su estado nutricional es suficiente y la sustancia que come no es dañina, basta esta orientación. Si la pica está alterando la nutrición, será necesario orientar sobre el trastorno y administrar complementos de hierro y vitaminas

Tabla 8 Molestias del embarazo *(continuación)*

Quejas comunes y etiología	Valoración	Intervención y asesoría
Manías alimentarias *(cont.)*		Enviar la paciente a: Nutriólogo para orientación Trabajadora social para obtener ayuda económica si es necesario Asesoría sobre necesidades emocionales, si se requiere
Epulis (encías sangrantes) Hipertrofía e hiperemia de las encías, quizá atribuible a la mayor concentración de estrógenos	Valorar la higiene bucal y observar la existencia de encías tumefactas y enrojecidas que sangran al tacto	Explicar a la paciente que este fenómeno es normal en el embarazo y que se resolverá por sí solo después del parto Aconsejarle que: Conserve una buena higiene bucal Emplee un cepillo de dientes suave Se aplique la seda dental con suavidad Haga enjuagues bucales salinos tibios Se someta con regularidad a revisiones dentales Tome una dieta bien equilibrada que incluya frutas y vegetales frescos Parta los alimentos duros en trocitos antes de masticarlos Enviar al dentista cuando el trastorno sea importante
Epistaxis Probablemente concentraciones elevadas de estrógenos	Valorar la presión arterial para descartar hipertensión como causa	Explicar a la paciente que éste es un fenómeno común del embarazo

Tabla 8 Molestias del embarazo *(continuación)*

Quejas comunes y etiología	Valoración	Intervención y asesoría
Mareos y vértigo Aumento del volumen sanguíneo total que se inicia entre las semanas 10 y 14 de la gestación y alcanza su máximo entre las semanas 34 y 36 Anemia, que disminuye la capacidad de transporte de oxigeno de los eritrocitos, con la consecuente disminución del aporte de oxígeno al cerebro Compresión de la vena cava por el útero en posición supina, lo que reduce el retorno venoso hacia el corazón y el cerebro (hipotensión supina) Menor presión arterial durante el segundo trimestre Acumulación de sangre en las extremidades inferiores, que produce mareos al cambiar súbitamente de la posición supina a la sedente o de ésta a la posición erecta Hiperventilación (aumento de las concentraciones de CO_2 en sangre) Hipoglucemia Factores emocionales Fatiga Infecciones	Valorar las causas de mareos y los factores concomitantes. Durante el primer trimestre los mareos suelen ser causados por náuseas y vómitos, hipoglucemia, presión arterial baja durante el segundo trimestre o embarazo ectópico. En el último trimestre las causas pueden ser cambios de posición hipoglucemia o preeclampsia. Deben considerarse también causas oculares o neurológicas Valorar el estado nutricional en busca de anemia, hipoglucemia, náuseas y vómitos excesivos Verificar los valores de Hgb y Hct Evaluar el estado emocional (ansiedad) Valorar la existencia de infección (fiebre, escalofríos, dolor)	Explicar a la paciente las posibles causas de los mareos Aconsejarle que: Se levante lentamente de la posición sedente o de decúbito Se acueste sobre cualquiera de los lados, y no sobre el dorso Haga comidas más pequeñas y frecuentes, para prevenir la hipoglucemia Evite las aglomeraciones y lugares muy concurridos Evite la hiperventilación Repose lo suficiente Valore los factores de su vida que puedan estarla agobiando Tome complementos de hierro y vitaminas Indicar a la paciente que se siente o se recueste del lado izquierdo cuando se encuentre ligeramente mareada, para evitar que caiga si se desvanece Enviarla a un nutriólogo o un consejero si es necesario
Insomnio Incapacidad para encontrar una posición cómoda a causa del volumen del abdomen Angustia excesiva por el embarazo u otras preocupaciones Nicturia e incapacidad subsecuente para reanudar el sueño Actividad fetal Comida fuerte antes de la hora de dormir, indigestión, pirosis Calambres en las piernas Disnea	Valorar los hábitos ordinarios de sueño (somnolencia durante el día) Indagar la existencia de fatiga e irritabilidad Investigar el estado emocional (angustia o depresión) Valorar los hábitos nutricionales (comidas tardías, estimulantes, ingestión vespertina de líquidos, ingestión de calcio y fósforo)	Explicar a la paciente que el insomnio no es raro en la etapa tardía del embarazo Aconsejarle que: Evite las comidas fuertes al final del día Evite estimulantes como cafeína, té y bebidas de cola antes de ir a dormir

Tabla 8 Molestias del embarazo *(continuación)*

Quejas comunes y etiología	Valoración	Intervención y asesoría
Insomnio *(cont.)*		Disminuya la ingestión de líquido por la tarde, pero que conserve una ingestión suficiente (seis a ocho vasos) durante el día Haga ejercicio diariamente Tome medidas para prevenir los calambres de las piernas (las intervenciones se explicaron en el apartado correspondiente) Duerma con almohadas sobrepuestas, de modo que eleven la cabeza y el tórax, para evitar pirosis y disnea Se coloque una almohada entre las piernas para apoyar la que quede arriba al acostarse de lado Dé paseos vespertinos al aire libre Duerma con la ventana abierta Debe advertirse a la paciente que *no emplee* somníferos sin antes consultar a la persona que la atiende
Edema Aumento de la retención de sodio y agua y de la permeabilidad capilar, fenómenos probablemente relacionados con hormonas Aumento de la presión venosa Disminución del retorno venoso desde las partes más bajas Venas varicosas con congestión Deficiencia de proteínas en la dieta Aumento de la ingestión de sodio	Evaluar y comprobar la magnitud y localización del edema Valorar la nutrición para saber la cantidad de sal, proteínas y líquido que se ingiere Conocer los niveles de reposo y actividad Valorar la ocurrencia de otros síntomas de preeclampsia, (proteinuria, hipertensión, aumento ponderal, hiperreflexia, excreción escasa de orina) Considerar también otras alteraciones renales o cardiacas	Explicar a la paciente que el edema fisiológico es un fenómeno normal del embarazo Aconsejarle que: Aumente sus periodos de reposo recostándose sobre el lado izquierdo Eleve las piernas cuando esté sentada Emplee medias de sostén (las intervenciones se explican en el apartado de varicosidades) Restrinja la ingestión de alimentos salados

Tabla 8   Molestias del embarazo *(continuación)*

Quejas comunes y etiología	Valoración	Intervención y asesoría
Edema *(cont.)*		(hojuelas de patata, pepinos, sopas enlatadas, etc.), pero que *no* elimine por completo la sal; puede emplear ésta para cocinar Incremente el consumo de alimentos proteínicos (la ingestión insuficiente contribuye a la retención de líquido en los tejidos) Disminuya la ingestión de carbohidratos (en especial azúcares simples) y grasas, puesto que también incrementan la retención de líquido Ingiera seis u ocho vasos de líquido al día para favorecer la diuresis natural Indicar a la paciente que informe de cualquier signo de toxemia y preeclampsia: edema generalizado, aumento ponderal, cefalalgias, fosfenos, disminución del gasto urinario

Técnicas diagnósticas y procedimientos médicos empleados en obstetricia

Además de los procedimientos y pruebas diagnósticas habituales (véase TE: Técnicas de diagnóstico y tratamiento), en obstetricia se emplean otros más específicos para valorar el estado de la mujer embarazada y del producto de la gestación, los cuales se exponen a continuación. Para designar al profesional de la salud que puede efectuar estos procedimientos, junto con el nombre de cada prueba se utilizan las siguientes abreviaturas entre paréntesis:

(enf.) personal de enfermería
(méd.) médico
(lab.) personal de laboratorio
(rad.) radiólogo

Agitación, prueba de (prueba de estabilidad de la espuma) (méd., lab.)

La prueba de agitación corresponde a una valoración cualitativa de la cantidad de agente tensioactivo pulmonar (surfactante) contenido en el líquido amniótico, dato fundamental para obtener información sobre el estado de maduración pulmonar fetal. Las ventajas de este procedimiento sobre la medición del índice lecitina/esfingomielina (véase más adelante: Lecitina/esfingomielina, medición del índice) consisten en que es muy fiable y en

que puede ser efectuado por un médico o un técnico de laboratorio.

Se realiza mediante la centrifugación de una muestra de líquido amniótico con adición del 95 % de alcohol y posterior agitación de la misma durante 15 segundos. El resultado positivo, indicativo de bajo riesgo de insuficiencia respiratoria, corresponde a la formación de un anillo de burbujas alrededor del menisco a los 15 minutos.

Si bien esta prueba es de utilidad, presenta dos problemas. En primer lugar, los resultados pueden ser alterados de manera notable ante la más ligera contaminación del líquido amniótico o el equipo utilizado, así como por errores de la medición. En segundo lugar, son comunes los falsos negativos.

Alfa-fetoproteína, titulación de (lab.)

La titulación de los niveles hemáticos de alfa-fetoproteína (AFP) tiene como principal utilidad la identificación de posibles defectos del tubo neural en el feto (anencefalia, espina bífida). La alfa-fetoproteína es producida por las células hepáticas del feto; cuando el tubo neural está incompleto, se escapa una cantidad anormal de dicha sustancia hacia el líquido amniótico, que pasa de ahí a la sangre materna. Su acumulación entre las semanas 16 y 18 de la gestación asegura una concen-

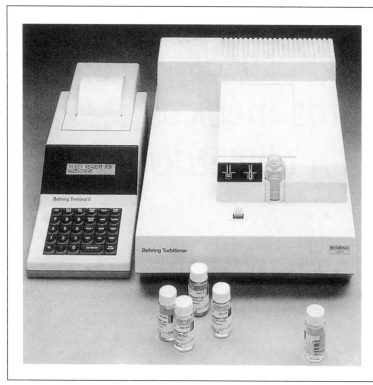

La titulación de alfa-fetoproteína tiene como principal utilidad el diagnóstico prenatal de defectos del tubo neural (espina bífida, anencefalia), si bien la concentración de esta proteína elaborada en el hígado y el tubo digestivo del feto también está elevada en caso de embarazo múltiple y amenaza de aborto. La medición se efectúa entre las semanas 15 y 20, cuando la concentración en sangre materna alcanza su nivel máximo, para posteriormente descender de manera progresiva. En la ilustración, aparato para la determinación de proteínas sanguíneas.

tración sanguínea suficiente de AFP para ser medida en laboratorio.

La prueba puede efectuarse como parte del diagnóstico prenatal en mujeres con antecedentes del malformaciones en embarazos previos que han sido informadas sobre las condiciones del estudio y lo aceptan, aunque en algunos países se brinda la oportunidad de llevarla a cabo prácticamente de forma rutinaria hacia las 16 a 18 semanas de gestación. Las concentraciones elevadas de AFP son un buen índice predictivo de defectos del tubo neural, aunque también pueden corresponder a otros factores. Por ello, los resultados de la prueba inicial deben confirmarse con una segunda prueba, y se complementan con amniocentesis y medición de AFP en una muestra de líquido amniótico, así como con estudios ecográficos.

Amniocentesis (méd.)

La amniocentesis corresponde a la obtención de una muestra de líquido amniótico, mediante una punción en la pared abdominal, para su posterior análisis y medición de componentes. La prueba puede efectuarse con distintas finalidades en diferentes fases del embarazo, pero sólo a partir de la semana 14 de gestación, una vez que se ha producido suficiente líquido para obtener una muestra apropiada (12 a 24 ml).

La técnica se lleva a cabo bajo control ecográfico, para prevenir lesiones en el feto. El médico inserta una aguja fina a través de la pared abdominal, hasta llegar al útero, y aspira la muestra de líquido amniótico para efectuar los exámenes diagnósticos. El estudio no suele dar lugar a complicaciones, si bien se estima que la mortalidad fetal relacionada con este procedimiento se sitúa en un 0,3-1%.

Las indicaciones de la amniocentesis pueden ser diagnósticas y terapéuticas.

INDICACIONES DIAGNÓSTICAS

• Diagnóstico prenatal con el fin de hacer frente a posibles trastornos o infecciones congénitas (para las mujeres que han tenido un hijo con anomalías congénitas o en caso de antecedentes familiares de defectos congénitos, lo mismo que en pacientes mayores de 35 años de edad).

— Trastornos cromosómicos (*p.e.*, síndrome de Down).
— Deficiencias enzimáticas (*p.e.*, enfermedad de Tay-Sachs).
— Trastornos genéticos ligados al sexo (*p.e.*, hemofilia).
— Trastornos metabólicos (*p.e.*, fibrosis quística).

• Estudios del bienestar fetal.
— Medición de alfafetoproteína.
— Color del líquido amniótico (teñido con meconio).
— Titulación de bilirrubina (enfermedad hemolítica).

• Estimación de la madurez fetal.
— Tinción de células grasas.
— Concentración de creatinina.
— Bilirrubina (en ausencia de enfermedad hemolítica debe disminuir conforme evoluciona el embarazo).
— Osmolaridad (al aumentar la cantidad de orina fetal contenida en el líquido amniótico, éste se vuelve hipotónico).

INDICACIONES TERAPÉUTICAS

• Alivio del hidramnios.
• Transfusión intrauterina.
• Aborto terapéutico (segundo trimestre).

COMPLICACIONES

Complicaciones maternas

• Hemorragia y formación de hematoma por punción de un vaso uterino.
• Contracciones uterinas y trabajo de parto prematuro.
• Salida de líquido amniótico (por lo general, benigna).
• Síncope por hipotensión supina.

Complicaciones fetales

• Hemorragia fetomaterna con riesgo de isoinmunización (sensibilización de una madre Rh negativa no sensibilizada).

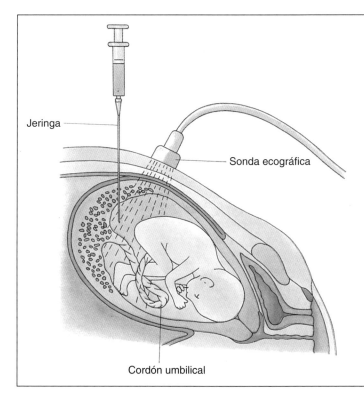

Jeringa

Sonda ecográfica

Cordón umbilical

La amniocentesis consiste en una punción efectuada en el abdomen materno, atravesando con la aguja el útero y el saco amniótico, para obtener una muestra del líquido en el que flota el feto y analizar su contenido. La punción, como se muestra en la ilustración, se efectúa bajo control ecográfico, para determinar con exactitud la posición del feto y de la placenta, de tal modo que pueda evitarse cualquier lesión en sus estructuras. Generalmente se lleva a cabo bajo los efectos de un anestésico local y no requiere ingreso hospitalario.

- Infección.
- Aborto espontáneo.
- Hemorragia (punción de un vaso fetal o placentario).
- Punción fetal.

Amniografía (méd.)

Se llama amniografía el examen radiográfico practicado después de la inyección de agentes radiopacos en el saco amniótico, lo cual permite identificar ciertas características del feto, placenta y líquido amniótico, tales como:

- Cantidad anormal de líquido amniótico (polihidramnios).
- Implantación anormal de la placenta.
- Silueta de los tejidos blandos del feto.
- Visión directa de las vías digestivas del feto unas cuantas horas después (cuando ha deglutido el agente radiopaco).

Amnioscopia (méd.)

La amnioscopia consiste en la visualización directa del líquido amniótico que rodea el feto a través de las membranas mediante un tubo hueco provisto de un sistema óptico (amnioscopio) que se introduce a través de la vagina y el cuello uterino dilatado. La prueba se emplea al final de embarazo, cuando se ha sobrepasado la fecha prevista del parto o en embarazos de alto riesgo, para identificar el líquido amniótico teñido de meconio, lo que puede estar relacionado con hipertensión materna, embarazo prolongado, sospecha de retraso del crecimiento intrauterino, muerte fetal, falta de descenso fetal o falta de la dilatación cervical esperada.

CONTRAINDICACIONES Y RIESGOS

- Cuello cerrado que impide el paso del amnioscopio.
- Cuello inaccesible.
- Rotura accidental de las membranas.

- Introducción de infecciones en la madre o el feto.
- El procedimiento está contraindicado cuando se sospecha o se confirma placenta previa.

Amniotomía (méd.)

La amniotomía es la rotura artificial de las membranas amnióticas mediante la introducción de un instrumento punzante (amniótomo) a través de la vagina.

APLICACIONES

- Inducir o acelerar el proceso del trabajo de parto.
- Identificar el líquido amniótico meconial.
- Permitir la colocación de un electrodo en el cuero cabelludo fetal.
- Permitir la inserción de una sonda de presión en la cavidad uterina para la monitorización interna.
- Obtener una muestra de sangre del cuero cabelludo fetal para valoración del equilibrio acidobásico.

RIESGOS

- Incapacidad de inducir o acelerar el proceso del trabajo de parto.
- Prolapso de cordón.
- Peligro de producir infección ascendente en la madre o en el feto, sobre todo después de muchas exploraciones (tactos) vaginales.
- Mayor incidencia de *caput succedaneum*.
- Mayor incidencia de desaceleraciones cardiacas fetales.
- Oclusión de vasos umbilicales fetales.

CONTRAINDICACIONES

- Presentación alta.
- Cuello inmaduro.
- Patrones de frecuencia cardiaca fetal anormales.
- Posiciones distintas de la de vértice.

La amniocentesis es una prueba efectuada, entre otras indicaciones, para determinar el grado de maduración fetal hacia el final del embarazo cuando es preciso determinar si el producto podría soportar una vida extrauterina autónoma. El método consiste en tomar una muestra del líquido amniótico que rodea al feto mediante una punción abdominal, bajo control ecográfico para poder dirigir la aguja sin peligro de lesionar las estructuras fetales.

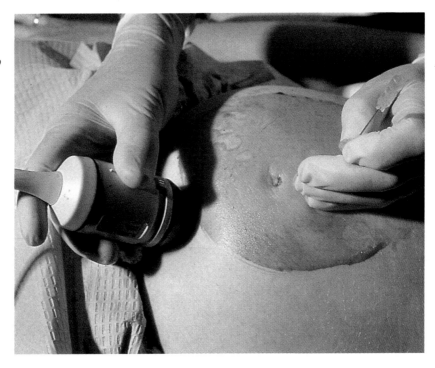

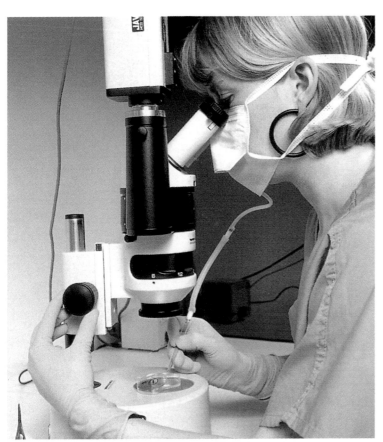

La fecundación in vitro o *extracorpórea* es una moderna técnica terapéutica empleada para combatir la esterilidad, especialmente cuando el problema se debe a una obstrucción tubárica. El procedimiento consiste en la obtención de óvulos y espermatozoides, que se ponen en contacto dentro de un recipiente con medios adecuados y en condiciones especiales para propiciar la fecundación. Antes de utilizar esta técnica, se llevan a cabo diversas exploraciones y pruebas como la histerosalpingografía y el test postcoital, para comprobar que es adecuada.

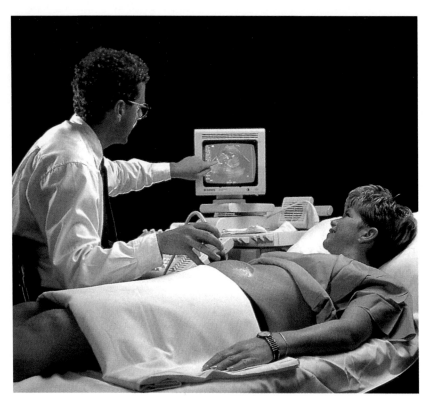

La ecografía
(ultrasonografía) es un estudio diagnóstico sencillo de realizar, seguro y de suma utilidad para valorar el desarrollo de la gestación, motivo por el cual se incluye en el calendario de control del embarazo. En la fotografía, el especialista desplaza el emisor o trasductor de ultrasonidos por el abdomen de la embarazada y observa en el monitor las imágenes obtenidas del producto de la gestación.

Transfusión de sangre intraútero.
Hoy en día, ante situaciones de gravedad que así lo exijan, como puede ser un cuadro de anemia debido a hemólisis por incompatibilidad Rh materno-fetal, puede recurrirse a una transfusión de sangre intraútero a partir de las semanas 30-32 de gestación. El procedimiento se lleva a cabo bajo control ecográfico, a fin de no lesionar la placenta ni las estructuras fetales al efectuar la introducción de la aguja en la cavidad uterina.

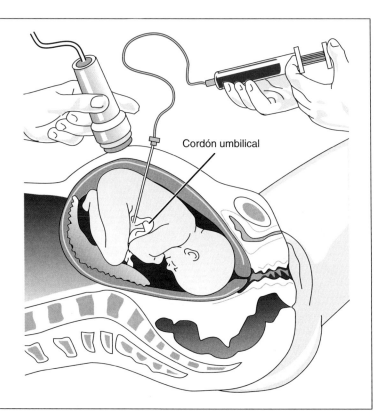

Cordón umbilical

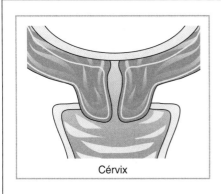

Cérvix

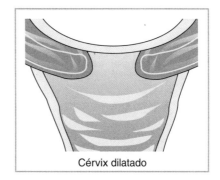

Cérvix dilatado

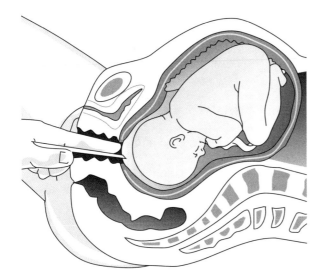

La amniotomía, amniorrexis o rotura artificial de las membranas amnióticas tiene como principal indicación la inducción del trabajo de parto cuando el feto ya se encuentra encajado y no se desencadenan espontáneamente las contracciones uterinas efectivas. Al efectuar una pequeña incisión en la bolsa de las aguas mediante una aguja especial (amniótomo), como se muestra en el dibujo (izquierda), se propicia la salida del líquido amniótico y ello facilita el descenso de la presentación, lo que puede estimular el inicio de las contracciones uterinas. Para inducir el parto mediante esta técnica, el cuello uterino tiene que estar suficientemente maduro (como muestra el dibujo de arriba), ya sea por la evolución natural del proceso de parto o por el empleo de otros procedimientos, como la aplicación previa de prostaglandinas.

APT, prueba (méd., lab.)

La prueba APT se emplea para identificar si una hemorragia vaginal es de origen fetal (por rotura de un vaso placentario o fetal, como los vasos previos). Se basa en el principio de que la hemoglobina fetal, a diferencia de la del adulto, es estable en medio alcalino.

Para efectuar la prueba, se mezclan 5 ml de agua con aproximadamente 1 ml de sangre procedente de la vagina, obteniéndose una solución de color rosa. Una vez filtrada esta solución, se añade 1 ml de solución de hidróxido de sodio al 1 %.

Los resultados son:

• Cuando la hemorragia es de origen materno, la solución color rosa toma un color amarillo.

• Cuando la hemorragia es de origen fetal, el color rosa de la solución no se modifica.

La presencia de una pequeña cantidad de hemoglobina materna en la sangre fetal no alterará de manera importante los resultados de la prueba.

Biopsias
Conización (biopsia en cono) (méd.)

La conización de cuello uterino consiste en la extirpación quirúrgica de una porción, en forma de cono, del tejido cervical que rodea el orificio externo; en ocasiones el vértice de dicho cono puede extenderse hacia el conduc-

to endocervical. Simultáneamente con este procedimiento puede efectuarse dilatación y legrado.

INDICACIONES

- Infección cervical profunda.
- Discrepancias entre el informe citológico, los datos colposcópicos o el informe de biopsia.
- Cuando no pueden verse por colposcopia los límites de una lesión cervical.
- Cuando se sospecha o se ha confirmado un cáncer microinvasor.
- Cuando puede dificultarse la vigilancia de la paciente.

Endometrial, biopsia (méd.)

La biopsia endometrial se efectúa para el examen histológico directo del endometrio. La muestra puede obtenerse con un instrumento cortante, como pinzas de biopsia, o pasando una cucharilla de biopsia endometrial hueca por la cavidad uterina con empleo de una jeringa de aspiración para tomar los fragmentos endometriales.

Además de su empleo para la identificación del cáncer, esta prueba es un importante componente de la investigación de la esterilidad. La muestra endometrial puede someterse a examen histológico para valorar la suficiencia del tejido secretor y verificar si el endometrio está en armonía con la fase menstrual de la mujer. Cuando la biopsia endometrial no pone de manifiesto la cantidad de tejido secretor que cabría esperar para el día del ciclo, habrá dudas sobre la suficiencia de la fase lútea y la producción de progesterona.

Vellosidades coriónicas, biopsia de (méd.)

La obtención de muestras de vellosidades coriónicas es una técnica de diagnóstico prenatal que permite investigar durante el primer trimestre la existencia de trastornos cromosómicos y alteraciones genéticas hereditarias. La prueba se efectúa entre las semanas 10 y 12 después de la fecha de la última menstruación. La toma suele llevarse a cabo a través de una cánula introducida por el canal cervical o bien mediante una punción en la pared abdominal, bajo control ecográfico o endoscópico, aspirando una pequeña muestra de vellosidades coriónicas con una aguja. Las vellosidades coriónicas corresponden al tejido que da lugar a la parte fetal de la placenta y, por tanto, tienen una composición genética idéntica a la del feto; sus células se dividen con gran rapidez, y los resultados del estudio pueden obtenerse ya al cabo de 3-4 días.

VENTAJAS

- Se efectúa en el primer trimestre, antes que la amniocentesis.
- Permite optar por la interrupción del embarazo en el primer trimestre cuando existe una anomalía fetal.
- Además de hacer posible el estudio cromosómico, mediante la aplicación de técnicas de genética molecular también es posible diagnosticar diversas alteraciones genéticas, como metabolopatías, hemoglobinopatías o distrofias musculares hereditarias.

RIESGOS

- Tiene un índice de complicaciones (hemorragia, infecciones) algo mayor que la amniocentesis, cifrado en un 3%.
- Su precisión es inferior a la de la amniocentesis.
- No puede efectuarse sistemáticamente la prueba de la alfafetoproteína, como sucede con la amniocentesis.

Bishop, puntuación de (méd., enf.)

Cuando se piensa inducir el trabajo de parto, es necesario valorar la aptitud de la madre en

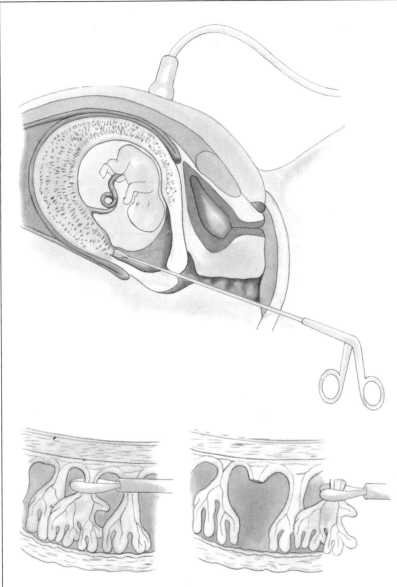

Biopsia de las vellosidades coriónicas. El dibujo de arriba corresponde a una representación esquemática de la técnica realizada mediante la introducción de una cánula a través del canal cervical, bajo control ecográfico, hasta alcanzar las membranas que rodean al embrión. Abajo se representa la obtención de una muestra de las vellosidades coriónicas mediante la pinza de extracción manipulada desde el exterior. El corion es el tejido que da lugar a la formación de la parte fetal de la placenta, por lo que, a efectos de realizar estudios cromosómicos y genéticos, puede considerarse como un tejido embrionario. La gran ventaja de esta técnica consiste en que puede realizarse precozmente, entre las semanas 10 y 12, antes que otros métodos de diagnóstico prenatal, y que los resultados pueden obtenerse al cabo de pocos días, lo que permite confirmar la existencia de alteraciones dentro del primer trimestre de la gestación.

términos de estado cervical y posición fetal. Esto puede lograrse mediante la puntuación de Bishop, valorando cinco factores: dilatación cervical, borramiento cervical, estación fetal, consistencia cervical y posición cervical. A cada aspecto se asigna una puntuación de 0 a 3, y se calcula la calificación total. Cuanto mayor es la calificación, más elevada la probabilidad de inducción con buenos resultados. Las puntuaciones de 6 o más sugieren una gran probabilidad (95%) de inducción satisfactoria.

Bloqueos
Bloqueo epidural caudal (méd.)

1. Se coloca la paciente en decúbito lateral, y la enfermera le ofrece apoyo.
2. Se limpian bien la parte baja del dorso y la región coccígea con solución antiséptica; se coloca campo quirúrgico con técnica estéril.
3. Se procede a una inyección intradérmica de anestésico local sobre la región del agujero sacro de la última vértebra sacra (S_4), for-

743

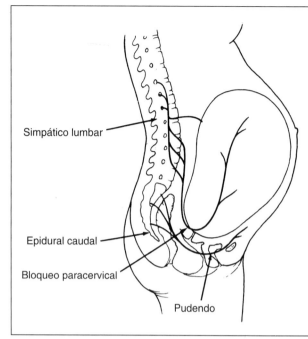

Simpático lumbar

Epidural caudal

Bloqueo paracervical

Pudendo

Bloqueos. El dibujo muestra las vías nerviosas que transmiten el dolor durante el parto y los principales tipos de bloqueo neural utilizados para proporcionar anestesia durante el parto. El bloqueo epidural lumbar inhibe las sensaciones dolorosas de la zona pélvica y se emplea frecuentemente como método de anestesia regional en el curso del parto, así como para la práctica de cesárea. El bloqueo caudal consiste en la inyección del anestésico en los nervios que salen de la parte más baja de la medula espinal, y puede emplearse para el parto con fórceps. El bloqueo paracervical se logra mediante la inyección del anestésico en la zona que rodea el cuello uterino y se utiliza especialmente en la fase de dilatación para insensibilizar el útero. El bloqueo pudendo se logra mediante la inyección del anestésico a través de las paredes vaginales, en la zona que atraviesa el nervio pudendo, y puede emplearse en el parto con fórceps.

mando una pápula cutánea. Con una aguja más larga se inyecta solución anestésica a mayor profundidad en la aponeurosis que cubre el agujero sacro.

4. Se dirige una aguja calibre 18 hacia el agujero sacro a través de la membrana sacrococcígea, y se inserta a una profundidad aproximada de 3 cm en el conducto raquídeo caudal. Debe efectuarse aspiración con la jeringa; si se encuentra líquido cefalorraquídeo o sangre, se suspende el procedimiento, por el riesgo de colocación incorrecta de la aguja en los tejidos blandos maternos o en la cabeza fetal.

5. Se administra una dosis de prueba de anestésico; la enfermera vigila los signos vitales maternos por si aparecen indicaciones de bloqueo raquídeo. Si no se encuentran anomalías después de cinco minutos, el médico, o el anestesiólogo, administra la dosis total.

Si se desea administrar anestesia caudal continua, se siguen los pasos 1 a 4 y se procede de la siguiente manera:

Se hace avanzar una sonda de plástico a través de la aguja a una distancia de 5 cm, y se retira la primera. La sonda se sujeta bien en su sitio con tela adhesiva. Se administra una

dosis de prueba, como ya se señaló. Si no se observan signos adversos después de cinco minutos, se administra la dosis total. A continuación se cierra la sonda y la enfermera sigue vigilando estrechamente la presión arterial, el pulso, la frecuencia respiratoria y el nivel de anestesia de la madre. El médico o el anestesista administrarán dosis adicionales de anestésico, si se requieren.

Bloqueo epidural lumbar (méd.)

1. Se coloca la paciente sobre su costado izquierdo, con los hombros alineados y las piernas en flexión ligera. No se recomienda la flexión raquídea, ya que estira la duramadre e incrementa la posibilidad de efectuar punción raquídea y bloqueo inadvertido a este nivel. Quizá se requiera que la paciente esté sentada cuando sus espacios intervertebrales lumbares son pequeños.

2. La enfermera verifica la permeabilidad de la vena por la que se está administrando la solución, y tranquiliza y apoya a la paciente.

3. Se limpia la parte baja del dorso con solución antiséptica; se colocan campos quirúrgicos con técnica aséptica.

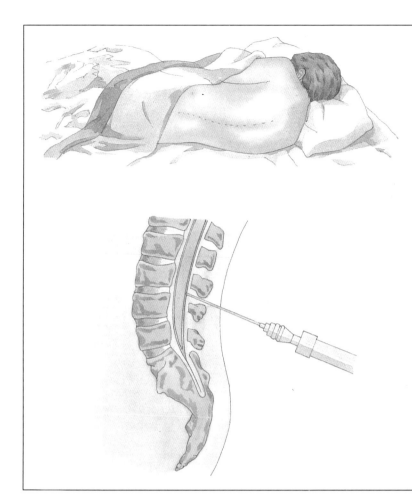

El bloqueo epidural lumbar (anestesia epidural o peridural), se lleva a cabo mediante la introducción de la aguja en la línea media de la espalda, de tal modo que pase entre dos vértebras lumbares y alcance el espacio epidural, para inyectar el anestésico sobre la duramadre e infiltrar así las raíces de los nervios que conducen la sensibilidad desde la zona pélvica. La técnica permite insensibilizar a la mujer de cintura para abajo (desde el ombligo hasta el tercio medio del muslo) y, de este modo, suprime todo tipo de dolor durante el parto, pero a la par inhibe las sensaciones de las contracciones uterinas, por lo que la parturienta deberá seguir las instrucciones que se le proporcionen para colaborar durante el parto.

4. Se procede a una inyección intradérmica de anestésico local en el sitio propuesto de inyección, formando una pequeña pápula cutánea.

5. A continuación se introduce una aguja biselada corta de calibre 18 en un espacio intervertebral entre L_2 y L_4, y se hace avanzar hasta el ligamento amarillo. Este punto de referencia se identifica al encontrar resistencia a la inyección de líquido o aire; la sustancia inyectada volverá bajo presión a la jeringa.

6. A continuación se hace avanzar la aguja otro milímetro hacia el espacio peridural; la entrada en éste se aprecia al perderse la resistencia a la inyección de aire o líquido. Se efectúa aspiración con la jeringa para obtener líquido cefalorraquídeo o sangre. Si se obtiene alguno de estos dos líquidos, se retira la aguja y se vuelve a intentar la inserción en otro sitio.

7. Se inyecta una dosis de prueba del anestésico. Se vigila la aparición de signos inadvertidos de anestesia raquídea (iniciación de la misma después de administrar la dosis de prueba) durante cinco minutos. La enfermera inicia la valoración de presión arterial, pulso y frecuencia respiratoria de la madre cada minuto o cada dos minutos a partir de este momento.

8. Si la dosis de prueba produce calor y hormigueo en las extremidades inferiores pero no anestesia, se considerará que la aguja está colocada adecuadamente en el espacio epidural y se administrará la cantidad apropiada de anestésico.

Si se desea anestesia lumbar continua, se siguen las etapas 1 a 6 y se prosigue de la siguiente manera:

7. Se desliza una sonda de plástico a través de la aguja hasta el espacio peridural, y se hace

avanzar 3 a 5 cm más allá de la punta de la aguja; a continuación se retira ésta. (Nota: no debe retirarse la sonda por la aguja, ya que como es muy blanda puede desgarrarse o romperse en el espacio peridural.) Puede ocurrir hiperestesia transitoria (aumento de la sensibilidad cutánea) en dorso, piernas o cadera, si la sonda toca un nervio en el espacio peridural.

8. Se administra una dosis de prueba y se vigila como en las etapas 7 y 8 previas.

9. Se cierra la sonda y se sujeta bien en su sitio, con lo que se permitirá que el anestesiólogo o el médico (no la enfermera) administren las inyecciones adicionales que se requieran.

Bloqueo raquídeo (méd.)

1. Se coloca la paciente sentada o recostada de lado, sostenida por la enfermera; ésta verifica que la vía intravenosa es permeable y tranquiliza a la paciente durante todo el procedimiento.

2. Se limpia la parte baja del dorso con solución antiséptica; se colocan campos quirúrgicos con técnica estéril.

3. Se procede a la inyección intradérmica de anestésico local a nivel del espacio intervertebral de L_3 y L_4, formando una pequeña pápula cutánea.

4. Se ayuda a la paciente a incurvar el dorso y el cuello hacia delante, con los brazos entre las rodillas; la enfermera la sostiene en esta posición.

5. Se introduce una aguja calibre 20 o 21 por el centro de la pápula cutánea y se hace avanzar hasta el ligamento interespinoso, el ligamento amarillo y el espacio epidural.

6. A continuación se inserta una aguja de menor calibre por la luz de la aguja de mayor tamaño, y se hace avanzar a través de la duramadre hasta llegar al espacio subaracnoideo. La presencia de líquido cefalorraquídeo en el barrilete de la aguja indica que la colocación es correcta.

7. Se inyecta con lentitud la cantidad apropiada de anestésico y se extraen ambas agujas.

8. La enfermera ayuda a la paciente a adoptar la posición deseada (supina para la anestesia en caso de cesárea; sentada en caso de anestesia para parto vaginal) durante tres a cinco minutos y empieza a vigilar presión arterial, frecuencia respiratoria y pulso cada uno o dos minutos durante los primeros diez minutos que siguen a la administración.

9. La enfermera vigila posibles signos de reacción tóxica o dificultad respiratoria que anuncian la posibilidad de parálisis respiratoria.

Colposcopia (méd.)

El colposcopio es un instrumento óptico con un poder de amplificación de 10 a 20 veces que se emplea para examinar el cuello uterino y la vagina. Permite la observación tridimensional de las zonas de displasia celular o de anomalías vasculares. Las biopsias dirigidas tomadas de posibles lesiones malignas durante el embarazo resultan seguras y fiables, con lo que se elimina la necesidad de conización en muchos casos.

Otras indicaciones para colposcopia son:

• Evaluación de anomalías citológicas.
• Examen de cuello uterino cuando se sospecha alguna lesión maligna sin que ésta se ponga de manifiesto.
• Valoración de las anomalías identificadas por clínica.
• Orientación de la biopsia hacia las lesiones sospechosas.

Criocirugía (méd.)

Éste es un método para el tratamiento de lesiones benignas que produce destrucción tisular local mediante aplicación de temperaturas de subcongelación. Antes del tratamiento, debe diagnosticarse con cuidado la lesión, ya que el uso de esta técnica para tratar el cáncer invasor puede tener consecuencias graves. Las lesiones genitales más comunes tratadas con este método son los condilomas y la cervicitis crónica.

La criocirugía se efectúa haciendo pasar un líquido refrigerante —como nitrógeno, freón 22, dióxido de carbono u óxido nitroso— a través de una sonda hueca que se coloca sobre el tejido afectado y se deja ahí hasta que ocurre el grado deseado de congelación. El tejido congelado se esfacela, y entonces ocurre cicatrización con formación de epitelio nuevo. No suele requerirse anestesia, la hemorragia postoperatoria es rara, y el tejido no se retrae durante el proceso de cicatrización. La mujer experimentará leucorrea abundante dos a tres semanas después del tratamiento, al seguir esfacelándose el tejido. Ocurre curación completa en un plazo de seis semanas.

Culdocentesis (méd.)

Se llama así la aspiración de líquido del fondo de saco rectouterino por medio de una aguja que se inserta a través del fondo de sa-

co vaginal posterior. Este procedimiento puede efectuarse en pacientes ambulatorios para evitar la acumulación de líquido sanguinolento que no coagula. Dicho hallazgo es compatible con el diagnóstico de hemoperitoneo por embarazo ectópico. Otras indicaciones para su ejecución consisten en valorar los trastornos agudos de la parte alta del abdomen, identificar la presencia en la pelvis de líquido peritoneal, pus o sangre, y drenar un absceso del saco de Douglas.

Ecografía (ultrasonografía) (méd.)

La ecografía, basada en la utilización de ultrasonidos, es un estudio muy utilizado en

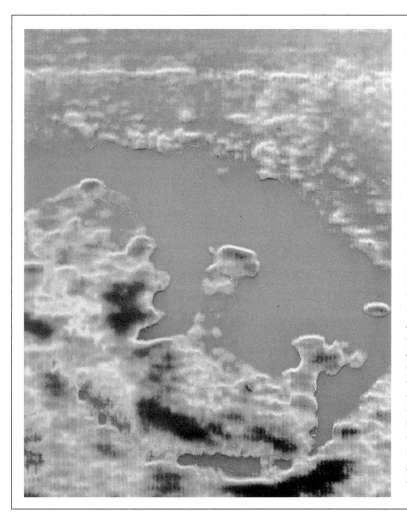

La ecografía se basa en el uso de ultrasonidos, ondas de alta frecuencia que no son perceptibles por el oído humano y que, al ser aplicadas sobre la superficie del cuerpo, atraviesan los tejidos para reflejarse, como un eco, al chocar con las estructuras de distinta densidad, por lo que con su registro y procesamiento se obtiene una imagen del interior del organismo. Durante el embarazo, la técnica permite apreciar con claridad las características anatómicas del feto y su actividad vital, lo cual, sumado a la inocuidad del procedimiento tanto para la madre como para el producto de la gestación, hace del mismo un método idóneo para el estudio y seguimiento del embarazo. En la ilustración, ecografía en la que es posible distinguir perfectamente un feto de 12 semanas de gestación, con un aspecto nítidamente humano.

obstetricia, por diversas razones: es de fácil ejecución, no produce molestias a la paciente ni la expone a radiaciones, es una práctica absolutamente inocua para el producto de la gestación y prácticamente carece de contraindicaciones.

Mediante este procedimiento se puede hacer una valoración del producto de la gestación, determinando el desarrollo anatómico y la actividad del feto, sus movimientos y posturas, así como las características y la situación de la placenta.

Esta técnica puede demostrar la presencia de un saco gestacional ya a las dos semanas de la última menstruación. Hacia la quinta semana de gestación permite identificar las estructuras embrionarias. Aproximadamente entre la octava y décima semanas de gestación ofrece imágenes de la placenta totalmente formada y evidencia los movimientos activos del feto. En el tercer mes de embarazo pueden distinguirse en la ecografía las diferentes partes del feto (cabeza, tórax y extremidades) y a partir del cuarto mes permite apreciar prácticamente todas las estructuras corporales, incluyendo la visualización de los genitales en el sexo masculino.

APLICACIONES EN EL EMBARAZO

- Diagnóstico del embarazo intrauterino normal.
- Diagnóstico precoz del embarazo múltiple.
- Diagnóstico del embarazo ectópico.
- Determinación de la edad fetal, la posición y el tamaño del producto.
- Localización de la posición placentaria.
- Diagnóstico de anomalías del embarazo, como hidramnios y oligohidramnios, y embarazos no viables, como mola hidatidiforme o muerte fetal.
- Valoración de la edad gestacional.
- Diagnóstico prenatal de anomalías fetales: defectos del tubo neural, anomalías del aparato genitourinario, displasia esquelética, defectos de la pared abdominal, anomalías cardiacas, etcétera.
- Se emplea como técnica de control en la realización de amniocentesis, fetoscopia y biopsia de las vellosidades coriónicas.

Embarazo, pruebas de (méd., enf., lab.)
Pruebas inmunológicas (lab.)

El empleo de pruebas inmunológicas se basa en la capacidad de la gonadotropina coriónica humana (HCG) urinaria o sérica de unirse a anticuerpos específicos y formar complejos antígeno-anticuerpo, lo que puede constatarse mediante diversos métodos sobre portaobjetos o en un tubo de ensayo.

Una prueba inmunológica utilizada es la de hemaglutinación-inhibición, empleando eritrocitos. Se efectúa añadiendo a una muestra de orina de la mujer un suero preparado que contiene anticuerpos contra la HCG; si la orina contiene HCG, se formarán complejos antígeno-anticuerpo y se reducirá el nivel de anticuerpos libres. A continuación, se añaden a la mezcla eritrocitos cubiertos con HCG, que en caso de haber anticuerpos libres se aglutinarán.

- *Prueba sobre portaobjetos.* Puede efectuarse en un plazo de dos minutos. Es fácil de leer, pero resulta menos sensible que la prueba en tubo de ensayo.
- *Prueba en tubo de ensayo.* Requiere dos horas para efectuarse y es sensible a concentraciones de HCG más bajas. Además, da menos resultados falsos negativos que otras pruebas.

Resultados de la prueba

- Lectura positiva: suspensión turbia (que indica ausencia de aglutinación).
- Lectura negativa: presencia de aglutinación (formación de acúmulos).

Radioinmunoensayo (lab.)

El radioinmunoensayo (de la subunidad beta de HCG) es un procedimiento altamente específico y sensible que permite identificar hasta 0,003 UI/ml subunidad de beta de HCG en suero. Puede detectar el embarazo

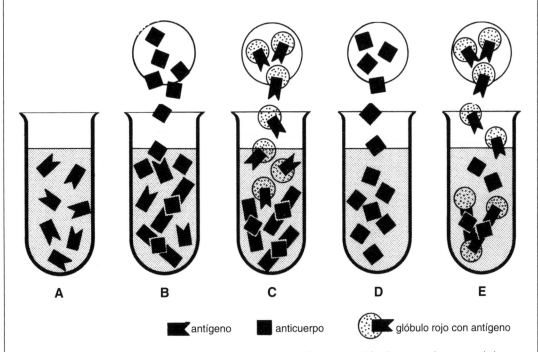

A. Orina con gonadotropina que actúa como antígeno.

B. Introducción de suero con anticuerpos antigonadotropina.

C. Se ponen en la probeta glóbulos rojos a los cuales se han fijado los antígenos. Si quedan suspendidos en la solución, la reacción es positiva.

D. Si la orina no tiene antígenos, no se produce la unión.

E. Los anticuerpos se ligan a los antígenos de los glóbulos rojos.

A   B   C   D   E

antígeno   anticuerpo   glóbulo rojo con antígeno

Pruebas de embarazo. En la ilustración se representan esquemáticamente el fundamento y los pasos de los tests inmunológicos basados en la detección de la presencia de gonadotropina coriónica humana (HCG) en la orina de la mujer embarazada.

durante la primera semana que sigue a la concepción (seis días), con una precisión de casi el 100 %, en el plazo de una a tres horas.

Radiorreceptores, pruebas con (lab.)

La prueba con radiorreceptores es la más reciente innovación en la investigación del embarazo. Mediante esta prueba se identifica la HCG biológicamente activa aun con mayor precisión que con el radioinmunoensayo. Para realizar la prueba, en la actualidad se dispone de un equipo que permite titular la HCG en el plazo de una hora. Salvo en lo que respecta al método anterior, la prueba en cuestión es el procedimiento más sensible para diagnóstico de embarazo disponible en la actualidad.

No todas las instituciones de asistencia de salud cuentan con ambos procedimientos. Sólo en los grandes hospitales o en los centros médicos importantes se cuenta con equipo especializado para interpretar las pruebas.

Estudios radiográficos

La exposición a radiaciones, y en concreto a los rayos X, en el transcurso del embarazo puede ser perjudicial para el desarrollo del feto. Las radiaciones pueden alterar los procesos de reproducción celular y afectar, en

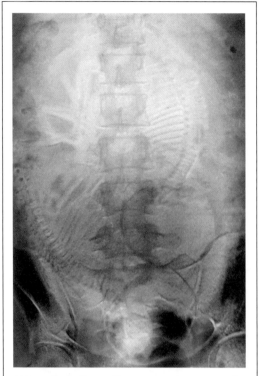

Fetografía. La ilustración corresponde a un estudio radiográfico efectuado en un caso de embarazo gemelar: puede distinguirse claramente la estructura de dos fetos, con la cabeza situada en la parte inferior, entre los huesos de la pelvis materna.

consecuencia, la formación de los órganos fetales.

Los estudios radiológicos son especialmente perjudiciales durante la fase embrionaria del embarazo, cuando se están constituyendo las estructuras orgánicas. Por ello, y como norma rutinaria, siempre que deba efectuarse una radiografía a una mujer en edad fértil, habrá que consultar la posibilidad de que esté embarazada y, en caso de duda, deberá postponerse el estudio hasta confirmar si existe o no embarazo.

En la actualidad se dispone de otros medios de diagnóstico inocuos para el feto, como la ecografía, que en muchos casos pueden substituir las técnicas radiológicas.

A partir del segundo trimestre de embarazo pueden efectuarse radiografías, si conviene, ya que ha finalizado el período de formación de las estructuras orgánicas fetales, aunque es preferible no irradiar el abdomen, debido a los efectos acumulativos de las radiaciones sobre cualquier organismo.

Fetografía (méd.)

La fetografía se efectúa mediante inyección de un lípido yodado (medio de contraste) en el saco amniótico. Este material se adhiere al feto en maduración y permite observar su contorno, por lo que ofrece información sin que se empleen medidas de mayor penetración, como amniotomía, radiografías diagnósticas, invasión del saco amniótico e inyección de productos químicos potencialmente dañinos.

Fetoscopia (méd.)

La fetoscopia permite la visión directa del feto y la placenta en el útero, así como la obtención de muestras de éstos, por medio de un endoscopio específico (fetoscopio) que se introduce en la cavidad uterina a través de una incisión abdominal. Este procedimiento es complejo y provoca la interrupción del embarazo en el 5% de los casos, por lo que su uso es restringido.

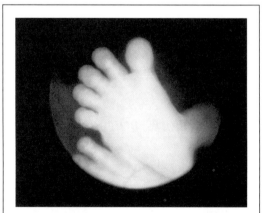

La fetoscopia permite visualizar las estructuras del feto en el interior del útero mediante un endoscopio introducido a través de una incisión en el abdomen materno. En la ilustración, imagen fetal obtenida mediante fetoscopia.

Fosfatidilglicerol (lab.)

La constante investigación de la fisiología de la madurez pulmonar fetal ha descubierto muchos fosfolípidos y ácidos grasos adicionales que participan en dicho fenómeno. Se ha encontrado que la presencia de fosfatidilglicerol (PG) y fosfatidilinositol (PI) guarda una relación confiable con el grado de la madurez pulmonar fetal. En estudios preliminares se ha demostrado que los neonatos prematuros que no sufrieron síndrome de insuficiencia respiratoria tenían PG en el material gástrico, faríngeo y traqueal aspirado dentro de las cuatro horas que siguieron a su nacimiento. En los lactantes con dicho síndrome no se ha podido encontrar PG.

La detección de PG se emplea junto con el índice L/E. Si éste es de 2 y el PG es positivo, habrá pruebas francas de madurez pulmonar fetal. El PG puede brindar una estabilidad que hace al lactante menos susceptible al síndrome de insuficiencia respiratoria cuando sufre hipoglucemia, hipotermia o hipoxia.

Continúa en investigación el fosfatidilinositol, sustancia cuya presencia es también un indicador fiable de madurez pulmonar fetal.

Funiculocentesis

La funiculocentesis, cordocentesis o punción del cordón umbilical, es, junto con la biopsia de vellosidades coriónicas y el análisis del líquido amniótico, una prueba de instauración reciente y que ha supuesto un gran avance en el campo del diagnóstico prenatal.

Consiste en la punción del cordón umbilical, a través de la pared abdominal anterior de la madre, para obtener sangre fetal y proceder a su análisis. Para dirigir correctamente la aguja de punción y reducir el riesgo de complicaciones se efectúa simultáneamente una fetoscopia o una ecografía.

El análisis de la sangre obtenida permite efectuar estudios cromosómicos y diagnosticar enfermedades hematológicas, como la talasemia o la hemofília, enfermedades metabólicas, co-

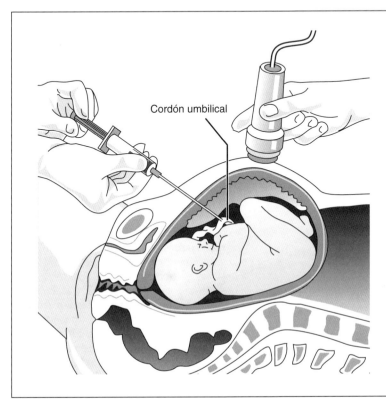

Cordón umbilical

Funiculocentesis. La obtención de una muestra de sangre fetal mediante una punción del cordón umbilical a través de una punción en el abdomen de la madre, bajo control ecográfico para evitar lesiones en la placenta o las estructuras fetales, tiene múltiples utilidades en el diagnóstico prenatal. Este procedimiento, que puede practicarse a partir de la semana 18 de gestación, comporta menos riesgos que la fetoscopia, pero, aún así, las posibilidades de provocar una interrupción del embarazo se cifra en el 3 %, por lo que solamente se lleva a cabo en casos que justifiquen asumir este peligro.

mo la galactosemia, y enfermedades infecciosas, como la rubéola o la toxoplasmosis.
La prueba puede realizarse a partir de la semana 18, y hasta el final de la gestación.

Glucosa, intolerancia a la, durante el embarazo (méd., lab.)

Todas las mujeres mayores de 25 años de edad deben someterse a investigación de diabetes durante el embarazo, lo mismo que las embarazadas menores de 25 años que presenten los siguientes factores de riesgo:
- Antecedentes familiares de diabetes que incluyen a padres, hermanos, tías y tíos.
- Antecedentes de mortinato.
- Hijo anterior que pesó más de 4 000 g (macrosómico).
- Muerte fetal previa inexplicable.
- Obesidad (más de 90,7 kg de peso o del 15 % del peso corporal ideal sin embarazo).
- Glucosuria.
- Polihidramnios.
- Malos antecedentes de procreación, con más de tres abortos espontáneos durante el primero o el segundo trimestre.
- Hipertensión crónica.
- Infecciones recurrentes de vías urinarias.

PRUEBA ORAL DE TOLERANCIA A LA GLUCOSA

- Durante los tres días previos a la prueba oral de tolerancia a la glucosa la paciente deberá ingerir una dieta con un mínimo de 200 g de carbohidratos. Esto se logra si la paciente ingiere una barra de caramelo todos los días durante tres días.
- Se requiere ayuno desde la cena del día anterior a la prueba hasta concluir ésta a la mañana siguiente.
- Se toma una muestra de sangre en ayunas para titulación de la glucemia, después de lo cual se administra una carga de 100 g de glucosa disueltos en 400 ml de agua en un período de cinco minutos.
- A continuación se titulan las concentraciones sanguíneas de glucosa a la hora, a las dos horas y a las tres horas. Se obtienen también verificaciones simultáneas en orina para identificar glucosuria.

Resultados

Se considera que la prueba es anormal cuando están elevados dos o más valores. Si sólo está elevado uno, se considera normal. Las mujeres que presentan alto riesgo deben ser estudiadas al principio del embarazo y de nuevo a las 30 semanas de la gestación. Los resultados de la prueba que se consideran limítrofes obligan a repetir el estudio.

Gonorrea, frotis para (méd., enf.)

El frotis para el diagnóstico de gonorrea es el método más común para identificar la infección en la mujer. Para hacer el diagnóstico no basta con efectuar la tinción de Gram sobre una muestra extendida en portaobjetos, sino que deben obtenerse del endocérvix muestras para cultivo y su inoculación en placas con

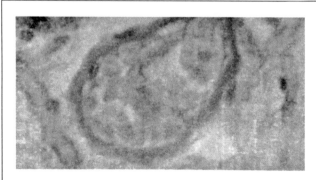

Las pruebas de tolerancia a la glucosa suelen practicarse de manera habitual a todas las mujeres embarazadas con historia familiar o antecedentes obstétricos de diabetes, para poder diagnosticar el eventual desarrollo de esta enfermedad, que muchas veces se inicia en la gestación, y adoptar así las medidas oportunas para su control. En la ilustración, corte histológico que muestra una retinopatía diabética, importante complicación de la enfermedad no controlada.

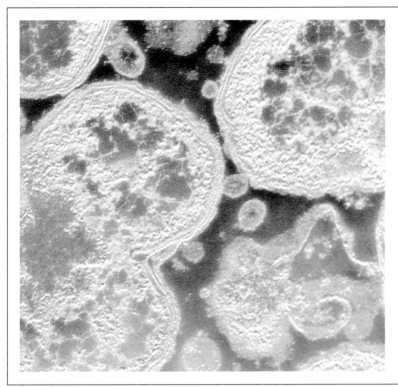

La gonorrea es una enfermedad infecciosa producida por la Neisseria gonorrhoeae *(gonococo) con diversas implicaciones en el campo obstétrico: por una parte, la infección genital en la mujer puede dar complicaciones (salpingitis) causantes de esterilidad; por otra, puede contagiarse al feto en el parto y provocar la infección conjuntival del neonato (oftalmía gonocóccica), destacada causa de ceguera si no se controla oportunamente. En la ilustración, visión al microscópico electrónico de barrido de diplococos pertenecientes a la especie* Neisseria, *en la que se integran los gonococos.*

medio de Thayer-Martin (pueden emplearse también medios de conservación para transferir la muestra al laboratorio en el cual se hará la siembra). La combinación de una reacción oxidasapositiva de las colonias y de diplococos gramnegativos desarrollados en el medio brinda criterios suficientes para establecer el diagnóstico.

Quizá la valoración del frotis de la secreción peneana mediante tinción de Gram brinde el diagnóstico de enfermedad en el varón. Pueden obtenerse también muestras faríngeas o anales para cultivo, con objeto de efectuar la valoración.

Hiperreflexia (méd., enf.)

La hiperreflexia se determina mediante investigación de los reflejos tendinosos profundos que se califican en una escala de 0 a 4+:

0: sin reacción.
1+: normales bajos o un tanto disminuidos.
2+: normales, promedio.

3+: reacción por encima del promedio.
4+: muy vivos, hiperactivos; se acompañan también de clono.

VALORACIÓN DE LOS REFLEJOS TENDINOSOS PROFUNDOS Y EL CLONO

La hiperreflexia se manifiesta por aumento de la irritabilidad del sistema nervioso central (SNC). A menudo las parturientas con preeclampsia o eclampsia deben ser valoradas en busca de reflejos tendinosos profundos cada vez más vivos, puesto que este fenómeno sugiere agravamiento de su estado y riesgo de actividad convulsiva. Para valorar los reflejos tendinosos profundos se empieza con los brazos y se pasa después a las piernas, comparando las reacciones reflejas de los lados izquierdo y derecho. Debe observarse y anotarse cualquier asimetría encontrada.

Para estudiar el reflejo, se coloca la extremidad que se va a examinar en semiflexión relajada y se aplica un golpe súbito sobre el tendón respectivo, lo que desencadena la reacción refleja.

Reflejo bicipital

- Se palpa el tendón del bíceps en el pliegue del codo; se coloca luego el pulgar sobre el mismo.
- Se golpea súbitamente el pulgar colocado donde se señaló, con el extremo agudo del martillo de reflejos; se observan el movimiento reflejo del bíceps y la flexión del antebrazo.

Reflejo rotuliano

- Se colocan las piernas de la paciente de modo que queden en flexión ligera.
- Brindando apoyo a la pierna con un brazo por debajo de la rodilla, se palpa el tendón rotuliano justo debajo de la rótula; se golpea súbitamente con el extremo romo del martillo de reflejos y se observa la extensión refleja de la pierna.

Clono del tobillo

Si los reflejos tendinosos profundos están incrementados, debe valorarse el clono del tobillo:
- Se coloca la paciente de modo que la rodilla se encuentre en flexión ligera.
- Se sostiene la pierna con un brazo bajo la rodilla. Con la otra mano se sujeta el pie y se coloca súbitamente en dorsiflexión, manteniéndose en esa posición. Se observan las sacudidas o latidos repetitivos rítmicos del clono, y se anota el número de sacudidas.

Histerosalpingografía (méd., rad.)

La histerosalpingografía es un método radiográfico de contraste que permite observar las características de la luz interna del endocérvix, la cavidad uterina y las trompas de Falopio. El procedimiento permite obtener una información inmediata sobre los órganos genitales citados al vigilar la extensión del medio de contraste bajo control fluoroscópico.

La prueba suele utilizarse en la investigación de la fecundidad y diagnóstico de la esterilidad, con objeto de obtener una información más explícita que la disponible con otros procedimientos. El aspecto más débil de esta prueba consiste en que no pone de manifiesto el estado de las fimbrias tubáricas y de la región peritubárica. El examen se efectúa una semana después del período menstrual para prevenir reflujo de células endometriales hacia trompas y peritoneo. Quizá se requiera sedación en algunas pacientes; si se presenta dolor intenso deberá interrumpirse el procedimiento.

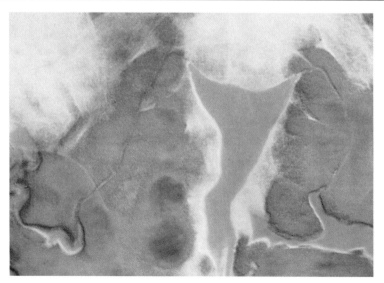

La histerosalpingografía es un estudio radiológico realizado mientras se introduce una sustancia de contraste en el interior de la cavidad uterina y las trompas de Falopio, a fin de identificar anomalías en el útero y, sobre todo, para evaluar la permeabilidad tubárica, constituyendo un método muy útil para el estudio de la esterilidad. En la ilustración, una histerosalpingografía en que puede apreciarse el contraste que rellena la luz del útero y las trompas.

INDICACIONES

- Valoración de la permeabilidad tubárica.
- Identificación de anomalías congénitas, deformidades o cualquier tipo de adherencia en órganos genitales.
- Identificación de pólipos, liomiomas, mola hidatidiforme y presión extrínseca.

MÉTODO

- Se inyectan a baja presión de 1 a 10 ml de medio de contraste, en dosis pequeñas, por el cuello uterino.
- La observación fluoroscópica del medio de contraste entrando en el cuello uterino y el útero en el momento del procedimiento puede brindar al médico datos inmediatos.
- Se obtienen radiografías después de cada inyección, y de nuevo 45 minutos después de terminar el procedimiento, para valorar la salida del medio de contraste hacia el peritoneo (lo cual indica permeabilidad tubárica).
- Se toma otra radiografía 24 horas después, para evaluar la existencia de adherencias peritubáricas.

COMPLICACIONES

Entre las eventuales complicaciones del estudio constan las siguientes:
dolor, hemorragia, shock, endometriosis (por reflujo peritoneal de células endometriales), reacción alérgica al medio de contraste, inyección intravascular del medio en el flujo sanguíneo, perforación uterina y, posiblemente, exposición a radiaciones.

Kegel, ejercicios de (méd., enf.)

Los ejercicios de Kegel consisten en una serie de rutinas para mujeres cuyos músculos pubococcígeos se han relajado tanto que no impiden el escape de orina con la tos o los estornudos, lo cual puede ser un problema tanto en pacientes maduras que carecen de tono muscular como en puérperas. Los músculos del suelo pélvico, al igual que cualquier otro músculo, funcionan mejor cuando tienen buena tonicidad, y la ejecución regular de los ejercicios de Kegel puede restablecer el tono muscular en el plazo de unas seis semanas.

MÉTODO

Las etapas para efectuar los ejercicios de Kegel son las siguientes:
1. Se localizan los músculos que rodean la vagina sentándose en el sanitario, empezando la micción e interrumpiéndola.
2. Se valora la fuerza de los músculos insertando un dedo en la abertura vaginal y contrayéndolos.
3. Ejercicio A. Se aprietan los músculos uniéndolos entre sí y sosteniendo este esfuerzo durante tres segundos. Se relajan los músculos y se repite la operación.
4. Ejercicio B. Se contraen y relajan los músculos con tanta rapidez como se pueda de 10 a 25 veces. Se repite esta operación.
5. Ejercicio C. La paciente se imagina que está sentada en una pila de agua y que aspira el agua hacia la vagina. La sostiene en su interior durante tres segundos.
6. Ejercicio D. Se efectúa un gran esfuerzo como el que se hace cuando se va a defecar, pero sólo con la vagina. Se sostiene el esfuerzo durante tres segundos.
7. Se repiten los ejercicios A, C y D 10 veces cada uno; el ejercicio B se repite una vez. Toda la serie debe realizarse tres veces al día.

BENEFICIOS ADICIONALES

- Los músculos del suelo pélvico se contraen durante el orgasmo, por lo que cuando mejora el tono muscular se obtienen beneficios sexuales, con aumento de la lubricación vaginal durante la excitación sexual y sujeción más firme de la base del pene durante el coito.
- Alivio del estreñimiento.
- Aumento de la flexibilidad de las cicatrices de episiotomía.

Kleihauer-Betke, prueba de (méd., lab.)

Esta prueba se emplea para diferenciar si una hemorragia vaginal tiene origen materno o fetal y ofrece una valoración cuantitativa más precisa que la prueba APT. Se basa en la diferencia de solubilidad de la sangre procedente de hemorragias fetal y materna.

Para llevarla a cabo, se fija un frotis fresco de sangre y se expone a un amortiguador de fosfato; luego se deseca y se tiñe con eosina. El resultado de la prueba se basa en la diferencia de tinción de los eritrocitos maternos y fetales:

• Los eritrocitos fetales se tiñen de color rojo.
• Los eritrocitos maternos aparecen como «fantasmas», sin tinción de la hemoglobina.

Laparoscopia (méd.)

La laparoscopia, uno de los procedimientos más empleados para el diagnóstico ginecológico, corresponde a un método endoscópico que permite la observación de los órganos abdominopélvicos.

APLICACIONES

Entre otras, las aplicaciones de la laparoscopia incluyen las siguientes:
• Investigación de la esterilidad.
• Evaluación de quistes ováricos fisiológicos.
• Lisis de adherencias peritubáricas.
• Extracción del dispositivo intrauterino dentro del abdomen.
• Ligadura de trompas.

MÉTODO

• Para realizar el procedimiento suele requerirse hospitalización y anestesia general.
• En primer término, se practica un neumoperitoneo, generalmente mediante inyección de dióxido de carbono en el abdomen, para desplazar el intestino hacia arriba y protegerlo así de eventuales traumatismos.
• Se inserta el laparoscopio a través de una incisión a nivel umbilical, se efectúa y se introduce en la cavidad abdominopélvica hasta obtener una visión de 180 grados de los órganos de la región.

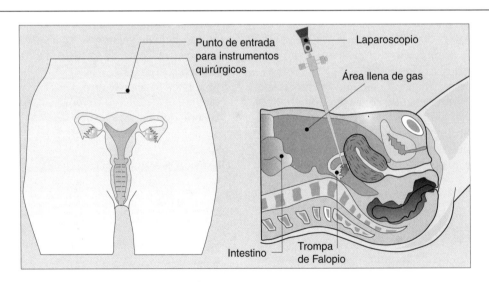

Laparoscopia. El dibujo de la izquierda muestra el punto de inserción del laparoscopio, por debajo del ombligo. A la derecha, situación del laparoscopio una vez introducido, previa realización de un neumoperitoneo, hasta acceder a los órganos reproductores femeninos.

• Pueden emplearse instrumentos accesorios para biopsia, ligadura de trompas, lisis de adherencia y fotografía de tejidos, previa inserción a través de la cánula del laparoscopio.

Lecitina/esfingomielina, medición del índice (méd., lab.)

La lecitina y la esfingomielina son componentes del agente tensioactivo pulmonar (surfactante) que evita el colapso de los alvéolos pulmonares en las primeras respiraciones del neonato. La relación (índice) entre lecitina y esfingomielina (L/E) se estudia mediante obtención de muestras de líquido amniótico durante el embarazo y ofrece datos sobre la madurez pulmonar fetal, lo que ayuda a prevenir el síndrome de insuficiencia respiratoria en el recién nacido. La titulación de estas dos sustancias y su proporción relativa (normal = 2:1) en una muestra de líquido amniótico (obtenido por amniocentesis) ofrecen un indicio de la madurez pulmonar (véase también: Agitación, prueba de).

La principal utilidad de este estudio corresponde a los embarazos de alto riesgo en que, para evitar sufrimiento fetal, quizá esté indicado el adelantamiento del parto, por lo que debe valorarse el estado pulmonar fetal. Los embarazos de alto riesgo que pueden requerir nacimiento temprano son, entre otros, aquellos en que hay eritroblastosis fetal, diabetes materna, preeclampsia y eclampsia e hipertensión.

Moco cervical, prueba de arborización del (méd., enf., lab.)

La prueba de arborización del moco cervical es una investigación cualitativa que se emplea para valorar la secreción hormonal en la mujer mediante examen de un frotis de moco endocervical sobre portaobjetos. La arborización del moco (patrón en *hoja de helecho* en el frotis desecado) indica un nivel elevado de estrógenos, lo cual se produce durante la fase proliferativa del ciclo menstrual y llega a su máximo en el momento de la ovulación, cuando es más alta la concentración de estrógenos.

APLICACIONES

• Valorar la presencia o ausencia de ovulación.
• Determinar el momento de la ovulación.
• Vigilar la inducción de la ovulación.
• Valorar el funcionamiento del cuerpo amarillo (secreción de progesterona).

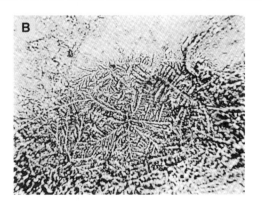

Prueba de arborización del moco cervical. A, formación típica en hoja de helecho (arborización) del moco cervical a mitad del ciclo, indicativa de un nivel elevado de estrógenos. B, formación incompleta en forma de helecho durante la fase secretoria temprana del ciclo.

- Investigación de la esterilidad (como parámetro).
- Durante el trabajo de parto, para establecer la rotura prematura de membranas.

MÉTODO

La prueba se efectúa mediante extensión de una muestra de moco endocervical sobre un portaobjetos, tras lo cual se deja secar durante 10 a 20 minutos. A continuación se examina la laminilla al microscopio para verificar si se ha producido arborización (patrón de cristalización del moco en hoja de helecho). Cuando la prueba es positiva se observa arborización o cristalización, lo que indica un efecto estrogénico predominante. Cuando la prueba es negativa no aparece un patrón en hoja de helecho ni cristalización, lo que indica ausencia de actividad estrogénica. Este fenómeno desaparece de 24 a 72 horas después de la ovulación debido al efecto de la progesterona.

Oxitocina, prueba de carga de (prueba de estimulación de las contracciones) (méd. con enf.)

La prueba de carga de oxitocina, llamada también prueba de estimulación de las contracciones o prueba con estrés, permite evaluar la respuesta de la frecuencia cardiaca fetal (FCF) al estrés provocado por las contracciones uterinas (ya sean espontáneas o inducidas por oxitocina). Esta prueba ha sido sustituida en gran medida por la prueba sin estrés (véase más adelante), en la que no se emplean medicamentos para inducir las contracciones y es igualmente fiable.

INDICACIONES

- Hipertensión materna.
- Diabetes materna.
- Retraso del crecimiento intrauterino.
- Antecedente de muerte fetal.
- Embarazo prolongado.
- Preeclampsia.
- Cardiopatía materna.

MÉTODO

El procedimiento se efectúa mediante un control de la FCF con unos dispositivos de monitorización fetal externa colocados en el abdomen de la paciente. En primer término, se lleva a cabo un control basal, vigilando un trazado de referencia durante 30 minutos. Si no se observan contracciones durante este tiempo, se administra oxitocina por vía intravenosa para provocar las contracciones uterinas. Las dosis a administrar y la velocidad de per-

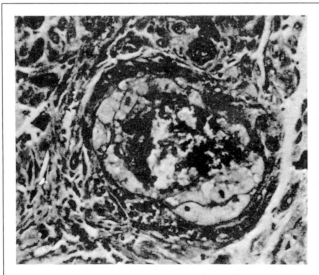

La prueba de carga de oxitocina permite evaluar la respuesta de la frecuencia cardiaca fetal ante el estímulo de las contracciones uterinas (provocadas con la administración de oxitocina), lo cual resulta de utilidad para el diagnóstico de sufrimiento fetal. El procedimiento suele llevarse a cabo cuando no se obtienen resultados concluyentes mediante la prueba sin estrés. Entre las diversas indicaciones de la prueba destaca la preeclampsia, grave complicación del embarazo provocada por lesiones características en los glomérulos renales que dan lugar a una alteración del funcionamiento. En la ilustración, microfotografía de corte histológico de riñón con lesiones de preeclampsia.

fusión varían según los protocolos de cada centro, aunque habitualmente se administran dosis de 0,5 mU/min, que se incrementan en 0,5 mU/min cada 15 minutos hasta que aparecen las contracciones. La finalidad es que se produzcan tres contracciones de buena calidad (intensidad máxima de por lo menos 50 mm Hg) en un período de 10 minutos.

RESULTADOS

- *Prueba positiva* (indicativa de sufrimiento fetal): desaceleración tardía, sostenida y persistente de la frecuencia cardiaca fetal.
- *Prueba negativa*: un mínimo de tres contracciones en 10 minutos que duren 40-60 segundos y que no se relacionen con desaceleraciones tardías de la FCF.
- *Prueba de sospecha*: desaceleración tardía inconstante que no persiste con las contracciones subsecuentes.
- *Hiperestimulación*: contracciones uterinas que ocurren a intervalos de menos de dos minutos y duran más de 90 segundos; sospecha de hipertonía uterina persistente y desaceleración tardía que no necesariamente indica enfermedad uteroplacentaria.
- *Prueba insatisfactoria*: menos de tres contracciones en un período de 10 minutos, o mal trazado de registro.

Papanicolau, frotis de (méd., enf.)

El frotis de Papanicolau (PAP) corresponde al examen citológico de las células obtenidas del cuello uterino tras una tinción específica. Su principal utilidad es el diagnóstico del cáncer cervical; es un método inapropiado para identificar cáncer endometrial u ovárico.

CONSIDERACIONES PREVIAS A LA OBTENCIÓN DE LA MUESTRA

- El momento óptimo para obtener la muestra para el frotis se encuentra en los cinco días ulteriores a la última menstruación.

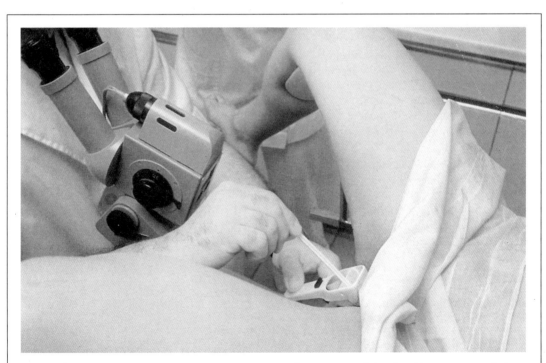

El frotis de Papanicolau (PAP) se lleva a cabo a partir de una muestra de células obtenidas con una espátula introducida a través de un espéculo mediante un suave raspado de las paredes de la vagina y del cuello uterino, como se muestra en la ilustración.

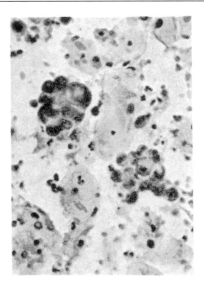 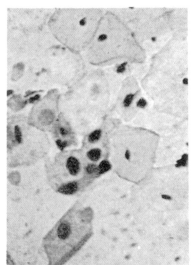

Frotis de Papanicolau. La muestra de células descamadas recogidas de la vagina y el cuello uterino se extienden sobre una placa de vidrio y luego se someten a una tinción específica que permite observar sus características al microscopio. En la ilustración pueden observarse las diferencias que presentan las microfotografías correspondientes a dos tipos de neoplasias cervicales malignas: a la izquierda, un carcinoma indiferenciado; a la derecha, un adenocarcinoma.

- No deben efectuarse duchas o aplicación de medicamentos vaginales 24 horas antes de la prueba.
- No debe obtenerse la muestra durante la menstruación, puesto que la presencia de eritrocitos alterará la interpretación citológica.
- No debe ponerse jalea lubricante en el espéculo antes de su inserción, porque puede provocar deformación celular.
- Durante el embarazo el cuello uterino es friable, y su fricción enérgica puede producir sangrado intenso e invalidar la prueba.
- El embarazo produce cambios en las células cervicales, lo que dificulta al citólogo identificar las células de la unión escamocilíndrica.

INDICACIONES

En la actualidad se recomienda frotis anual para todas las mujeres. El riesgo de cáncer cervical puede relacionarse con los siguientes aspectos:
- Antecedentes personales de cáncer cervical o uterino.
- Papanicolau previo anormal.
- Precocidad del primer coito.
- Promiscuidad sexual.
- Antecedentes de infección genital por herpesvirus o de verrugas genitales.
- Hijas de mujeres que tomaron dietilestilbestrol durante el embarazo.
- Nivel socioeconómico bajo.
- Cáncer prostático o del pene en el compañero o compañeros sexuales.

Patadas fetales, cuenta de las (enf., méd.)

Una manera sencilla de verificar la salud del feto consiste en la cuenta de los movimientos fetales percibidos por la mujer embarazada, generalmente considerados como «patadas», que comienzan a percibirse hacia las 16-19 semanas de gestación. Para que la evaluación sea de utilidad, especialmente en los embarazos de alto riesgo, debe instruirse a la mujer sobre la manera de contar los movimientos fetales, entregándole una gráfica en la que debe anotar el número de patadas percibidas.

INSTRUCCIONES PARA LA PACIENTE

- Registrar el período de tiempo en que se perciban 10 patadas fetales cada día a la misma hora, después de haber comido y preferiblemente acostada sobre el lado izquierdo. Por ejemplo, el registro se inicia el lunes a partir de las 10:00 AM, y a las 10:30 AM ya se han contado 10 patadas. Este resultado se anota en la gráfica, y posteriormente se repite de igual manera los días siguientes.
- Recordar que el feto tiene horas de sueño y horas de actividad. Si se inicia la cuenta y el feto no se mueve, conviene detener el registro, caminar durante unos cinco minutos y volver a contar de nuevo. (Atención: hay que contar las patadas del feto después de haber comido.)

Fecha

Semana 36

Minutos	L	M	Mi	J	V	S	D
10							
20							
30	X						
40							
50							
Horas 1							
1 1/2							
2							
3							

La cuenta de las patadas fetales es un método a la vez simple y útil para conocer el estado del feto y su vitalidad a partir del momento en que la propia mujer embarazada ya puede comenzar a percibir sus movimientos, aproximadamente desde las semanas 16-19 de la gestación. Para que el registro realmente sea de utilidad, debe llevarse a cabo diariamente, a la misma hora y en las mismas condiciones, controlando el período que pasa desde el comienzo de la cuenta hasta que se perciba una determinada cantidad de movimientos fetales. Los datos obtenidos deben trasladarse a una gráfica, como la que se muestra en el dibujo superior, a fin de poder advertir con facilidad la evolución a lo largo del tiempo.

• Si durante tres horas el niño no ha dado 10 patadas, habrá que comunicarlo de inmediato al médico.

Pelvimetría (méd., enf.)

La pelvimetría consiste en la medición de las dimensiones y proporciones de la pelvis ósea. Se efectúa para valorar si la pelvis es de tamaño suficiente para permitir el paso del producto. El parto normal sólo puede ocurrir cuando la pelvis ósea es de tamaño suficiente para que pase a través de ella el diámetro mayor del feto (el cefálico). La valoración de la pelvimetría es subjetiva, y su precisión dependerá de la habilidad y experiencia del examinador. Aunque no pueden efectuarse mediciones precisas, es posible lograr una valoración bastante exacta de la suficiencia de las dimensiones pélvicas. Este examen ha perdido parte de su importancia al permitirse que más mujeres se sometan a una prueba de trabajo de parto aunque su pelvis se considere de mediciones más bien reducidas.

Postcoital, prueba (méd., enf.)

La prueba postcoital, o prueba Sims-Huhner, brinda información sobre la receptividad del moco cervical y la capacidad de los espermatozoides para llegar al mismo y sobrevivir en él.

EJECUCIÓN DE LA PRUEBA

• Se programa la prueba para el día esperado de la ovulación.
• Se prescribe efectuar el coito en esta fecha, tras un período de abstinencia mínimo de 48 horas.
• Se examina a la mujer dentro de las ocho horas que siguen al coito.
• Se obtiene y examina al microscopio una muestra de moco cervical para evaluar las características que fomentan la supervivencia de los espermatozoides y encontrar datos de producción suficiente de estrógenos.
• Durante la ovulación, el moco normalmente revela un patrón en hojas de helecho (arborización) y manifiesta filantez (capacidad para estirarse en filamentos que alcanzan una longitud hasta de 15 a 24 cm sin romperse).

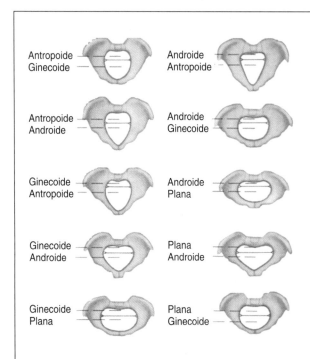

La pelvimetría consiste en la medición de las dimensiones y proporciones de la pelvis ósea de la mujer embarazada, a fin de valorar si su tamaño es suficiente como para permitir el paso del feto en un parto por vía vaginal. El procedimiento, que se efectúa hacia el final del embarazo, hacia la semana 37, para programar adecuadamente el parto, puede llevarse a cabo mediante diferentes técnicas, ya sea a través de una exploración manual y el uso de un instrumento especial (pelvímetro), determinando la distancia existente entre las tuberosidades isquiáticas, o bien a partir de un estudio radiológico (radiopelvimetría), puesto que a esta altura de la gestación se considera que las radiaciones serán inocuas para el feto. En la ilustración se muestran las distintas formas y combinaciones de la constitución pélvica femenina, con las denominaciones empleadas en la pelvimetría radiográfica.

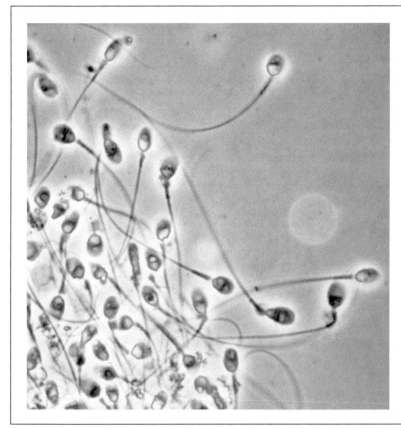

La prueba postcoital o de Sims-Huhner forma parte del estudio de la esterilidad, ya que permite valorar la receptividad del moco cervical y la capacidad de los espermatozoides para acceder y desplazarse a través del mismo, punto fundamental para que pueda producirse la fecundación por vía natural. El estudio se efectúa en la época prevista para la ovulación, obteniendo una muestra de las secreciones del fondo de la vagina y del interior del canal cervical antes de transcurridas ocho horas tras un coito. Se valoran las características del moco cervical y se examina la muestra al microscopio para observar si se encuentran espermatozoides y, en ese caso, si su movilidad es la adecuada.

• Normalmente pueden verse algunos espermatozoides, pero no hay consenso sobre el número de los mismos que constituye un resultado normal de la prueba.

Pruebas serológicas

Los análisis rutinarios que se efectúan al inicio del embarazo deben incluir una serie de pruebas serológicas cuyo objetivo es el de determinar si la mujer gestante tiene anticuerpos contra determinadas enfermedades infecciosas y, en caso afirmativo, prever si puede verse afectado el desarrollo del feto y adoptar las medidas necesarias para prevenir esta posibilidad. Estas pruebas permiten conocer si, en el momento en que se efectúa el análisis, la mujer está infectada por alguno de los microorganismos estudiados, o bien determinar si ha padecido antes la infección y está actualmente inmunizada.

Las pruebas más comúnmente utilizadas son las de la rubéola, la sífilis, la toxoplasmosis y el SIDA.

PRUEBA DE LA RUBÉOLA

La prueba de la rubéola se realiza para determinar si la mujer embarazada está ya inmunizada; en este caso estaría protegida frente a una posible infección por el virus de la rubéola. Gracias a las campañas de vacunación sistemática de la población, la mayoría de las mujeres ya se encuentran inmunizadas contra la enfermedad al llegar a la edad fértil.
La técnica más utilizada es la de inhibición de la hemaglutinación, y un título de anticuerpos de 1:8 se considera protector frente a la enfermedad.

PRUEBA DE LA TOXOPLASMOSIS

Se utiliza para determinar la presencia de anticuerpos contra el *Toxoplasma gondii* en el

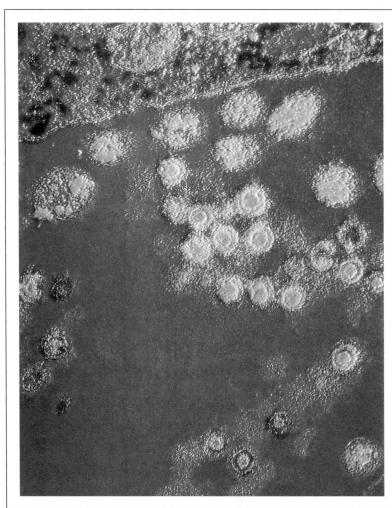

Las pruebas serológicas efectuadas de manera habitual al inicio del embarazo permiten conocer el estado de inmunidad de la gestante frente a determinadas enfermedades infecciosas, algunas de ellas muy comunes e inocuas para la madre pero capaces de provocar graves alteraciones congénitas si se contraen durante la gestación, como es el caso de la rubéola. La técnica más empleada como prueba de la rubéola es la de inhibición de la hemaglutinación, considerándose que un título de anticuerpos de 1:8 refleja un estado de inmunidad suficiente para proteger de la infección. En la ilustración, virus de la rubéola visto a través del microscopio electrónico de transmisión.

suero. Si la prueba detecta anticuerpos a títulos bajos, indica que la mujer ha padecido anteriormente la infección, pero que en el momento de efectuar el análisis ya no la padece y se encuentra inmunizada.

Si la prueba es negativa, se deduce que la mujer no ha estado en contacto con el agente infeccioso y que puede, por tanto, contraer la enfermedad durante el embarazo. En este caso deben efectuarse nuevas pruebas, como mínimo cada 2 o 3 meses, en busca de anticuerpos IgG o IgM, para detectar a tiempo el comienzo de una posible infección.

Si la reacción es positiva e indica una infección actual o reciente, habrá que realizar las pruebas diagnósticas necesarias para determinar si el feto está afectado y, en caso afirmativo, aplicar las medidas correspondientes.

La infección fetal por *Toxoplasma gondii* puede detectarse analizando muestras de sangre fetal y líquido amniótico, y mediante el estudio de las ecografías seriadas, especialmente de los ventrículos cerebrales.

PRUEBA DE LA SÍFILIS

Se utiliza para detectar la posible presencia en el suero de anticuerpos contra el *Treponema pallidum*.

Hay diversos tipos de reacciones serológicas para el diagnóstico indirecto de la infección. Las más utilizadas son las de aglutinación y floculación (VDRL, RPR); la reacción de fijación de complemento, como la clásica de Wassermann, ha caído en desuso. Estas pruebas detectan la presencia de anticuerpos ines-

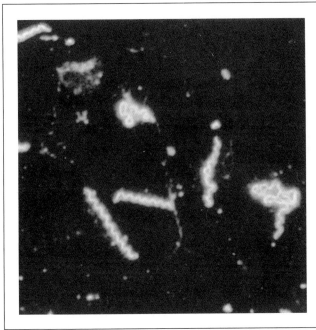

La prueba de la sífilis se lleva a cabo habitualmente al inicio del embarazo aunque la mujer no haya presentado nunca síntomas de la enfermedad y aún cuando no crea posible haberla contraído, puesto que en muchas ocasiones la infección se mantiene asintomática y puede ser contagiada por una pareja sin manifestaciones evidentes. Se cuenta con diversas reacciones serológicas para el diagnóstico de la infección sifilítica, aunque en primera instancia, como método de despistaje, se recurre a las más simples o no treponémicas, como son las de aglutinación y floculación (VDRL, RPR), y en caso de resultado positivo se practican otras más específicas o treponémicas, como las de inmunofluorescencia indirecta (FTA-abs), las de hemaglutinación pasiva (TPHA-TP) o métodos de enzimoinmunoanálisis. En la ilustración, Treponema pallidum, *agente responsable de la sífilis.*

pecíficos en el suero, pero no lo hacen hasta después de 3 a 5 semanas de la infección.

Si la prueba es positiva, no confirma el diagnóstico. Éste se asegura mediante una prueba serológica específica o treponémica, las más utilizadas de las cuales son la de inmunofluorescencia directa, las de hemaglutinación y los métodos de enzimoinmunoanálisis.

PRUEBA DEL SIDA

Se utiliza para la detección en suero de anticuerpos contra el virus de la inmunodeficiencia humana (HIV).

La presencia de anticuerpos contra el virus HIV se considera, en la práctica, como signo de infección activa. El método de detección

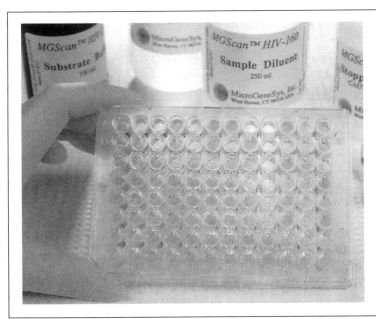

Prueba del SIDA. De los diversos métodos empleados para detectar la presencia de anticuerpos contra el virus de la inmunodeficiencia humana, causante del SIDA, el más empleado actualmente, por su sencillez y bajo coste, es el denominado ELISA (del inglés, Enzyme Linked Inmunosorbent Assay). Si esta técnica de enzimoinmunoanálisis da resultado positivo, dado que es inespecífica y ofrece cierto porcentaje de falsos positivos, suele recurrirse a otras pruebas más sofisticadas y caras, pero a la par más específicas, como es la prueba de Western blot. En la ilustración, material empleado para la práctica del método ELISA.

de anticuerpos basado en el enzimoinmuno-análisis (ELISA) es actualmente el más barato y sencillo y, por tanto, el más utilizado. Su uso sistemático ofrece una tasa de falsos positivos inferior a 1-3%.

Si la prueba es positiva en, al menos, dos ocasiones, y la reacción es fuerte, en casi el 100 % de los casos se puede confirmar la presencia de infección por HIV. Por el contrario, si la reacción es débil, o negativa al repetir el ensayo, se considera que no existe infección.

Rubin, prueba de (méd.)

La prueba de Rubin o de insuflación tubárica se emplea ocasionalmente en vez de la histerosalpingografía. Consiste en la inyección de dióxido de carbono en el útero y las trompas, para evaluar su permeabilidad. Cuando las trompas son permeables, el dióxido de carbono sale por los extremos de las mismas y se acumula en el abdomen. En dicho caso, se producen ruidos abdominales audibles a la auscultación, y la paciente experimenta dolor irradiado al hombro. Esta prueba tiene una elevada proporción de resultados falsos positivos y es dolorosa para la paciente, por lo que habitualmente se opta por la histerosalpingografía.

Silverman-Andersen, índice de insuficiencia respiratoria neonatal de (méd., enf.)

El índice de Silverman-Andersen se emplea para valorar el grado de insuficiencia respiratoria del neonato. Se establece mediante la valoración de los siguientes parámetros: tiraje costal, tiraje subesternal, sincronización de los movimientos respiratorios abdominales y torácicos, aleteo nasal y gemidos respiratorios. Cada parámetro es valorado en una escala de graduación de 0 a 2 puntos. El grado 0 indica que no hay dificultad; el grado 1, dificultad moderada, y el grado 2, pro-

blemas respiratorios máximos. La puntuación de retracción es la suma de estos valores: una puntuación total de 0 indica que no hay disnea, en tanto que una puntuación total de 10 indica insuficiencia respiratoria máxima.

Sin estrés, prueba (méd., enf.)

La prueba sin estrés es el método menos perturbador del bienestar fetal que permite valorar la integridad del SNC fetal y las respuestas reflejas que regulan la frecuencia cardiaca del producto. Se lleva a cabo mediante una monitorización fetal externa, registrando las modificaciones de la frecuencia cardiaca fetal (FCF) ante las contracciones uterinas espontáneas o los movimientos fetales (puede estimularse la actividad fetal mediante palpación del fondo uterino y agitación del útero). Una aceleración de la FCF, con un aumento de 20 latidos por minuto, como reacción ante las contracciones espontáneas o los movimientos fetales constituye un signo de bienestar fetal. Si los resultados de la prueba sin estrés no son concluyentes, puede estar indicado efectuar una prueba con estrés (véase: Oxitocina, prueba de carga de).

Temperatura corporal basal (méd., enf.)

Se llama temperatura corporal basal la temperatura del cuerpo en estado de reposo. En condiciones normales, en la mujer la temperatura corporal basal experimenta un incremento característico en el momento de la ovulación, lo que permite distinguir las fases preovulatoria y postovulatoria del ciclo menstrual. Las indicaciones para su medición en la mujer sana incluyen:

• Investigación de la esterilidad, para valorar el estado ovulatorio.
• Cálculo de los días fértiles en el método de planificación familiar natural.

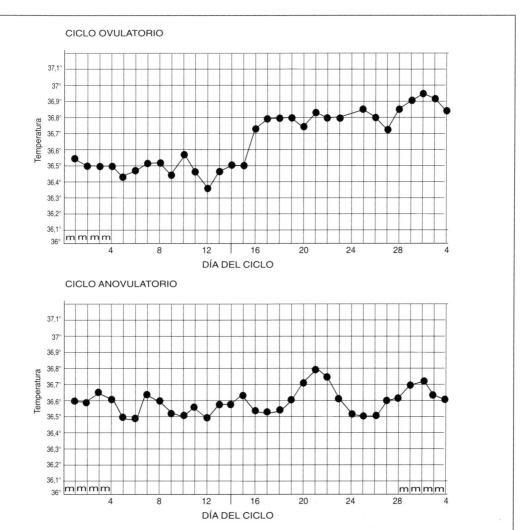

Registro de la temperatura corporal basal. El gráfico superior corresponde a un ciclo ovulatorio que culmina en embarazo: la falta de menstruación unida a la persistencia en la elevación de la temperatura son signos precoces de gestación. Si la temperatura basal se registra como método complementario a un tratamiento antiesterilidad, es importante hacer constar en la gráfica los días en los que se han mantenido relaciones sexuales.
El segundo gráfico corresponde a un ciclo anovulatorio. La elevación de la temperatura hacia el día 20 del ciclo no es relevante y puede deberse a algún malestar leve. Por ello es muy importante hacer elevar unas décimas la temperatura.

• Como indicadora del inicio de la administración de fármacos para tratar la dismenorrea.

TÉCNICA Y REGISTRO

La mujer debe tomarse la temperatura en condiciones de reposo absoluto, inmediatamente al despertarse por la mañana y antes de realizar cualquier actividad, ya que ésta afectará a la temperatura basal. Conviene efectuar la medición en el recto, aunque también puede hacerse en la vagina o incluso en la boca, a condición de que en todas las ocasiones se lleve a cabo el registro en el mismo sitio y durante un tiempo suficiente para garantizar la exactitud de la toma, de 3 a 5 minutos. Es preferible emplear un termómetro especial (termómetro para temperatura corporal basal), con numerales de mayor tamaño, para facilitar la lectura.

La temperatura debe registrarse en un gráfico especial, anotando el resultado cada día y consignando todas las veces en que hayan ocurrido enfermedad, menstruación, coito o consumo de medicamentos, ya que dichas circunstancias afectarán a la lectura.

INTERPRETACIÓN

La temperatura corporal disminuye ligeramente de 24 a 36 horas después de la ovulación, y a continuación se eleva de manera súbita. La progesterona que produce el ovario después de la ovulación provoca un incremento de la temperatura corporal basal entre 0,25 y 0,5 °C. Dicha elevación prosigue hasta el final del ciclo menstrual, e indica que ha ocurrido ovulación.

El registro de la temperatura corporal basal debe llevarse durante varios meses para demostrar el patrón de la temperatura de la mujer. Una curva bifásica suele indicar ovulación, y si determina un patrón regular, su registro durante varios ciclos sucesivos puede ser útil para predecir el momento en que ocurrirá la ovulación en los siguientes ciclos. Una curva monofásica suele indicar ciclos anovulatorios.

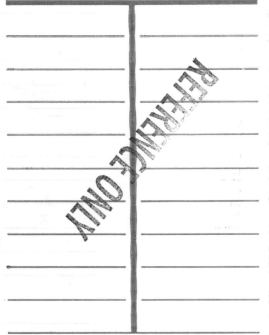